RAW DATA

ペルニール・ロース著
Pernille Rørth

日向やよい訳
Yayoi Himukai

羊土社

First published in English under the title
Raw Data
A Novel on Life in Science
by
Pernille Rørth, edition: 1

諸言

わたしの科学者としての人生をとてもおもしろいものにしてくださった多くの科学者に感謝いたします。また、編集者のクリスチャン・キャロンにはすばらしい助言をしてくださったことに、スティーヴにはあらゆることに、感謝したいと思います。

ペルニール・ロース
２０１５年６月
デンマーク、コペンハーゲン

目次

Raw Data…生(なま)データ，すなわち未加工・解析前の一次データのこと．ラボノート（実験ノート）に残しておくことが，実験科学者にとっての基本．

この物語（パート１）はフィクションです．
登場する人物，場所，団体名，事件等は架空のものであり，実在のものとは一切関係ありません．

また，著者との質疑応答（パート２）は
原著（RAW DATA by Pernille Rørth）に収載されたものの翻訳です．文中の情報は原著出版当時（2016年）に基づきます．

パート1

小説「RAW DATA」

第1章

2014年12月

彼女に必要なのはコーヒーだ。なぜか手にはランチの袋があるけれど、ほんとうに欲しいのはこれじゃない。研究発表中にどっと出たアドレナリンが消え始めたいま、へなへなとならないようにしてくれるものが必要だ。列に並びながら、カレンは広い会議場を見渡した。お昼をまわったのにポスターセッションのコーナーはまだ賑わっている。でも、昨日までの熱気はないようだ。みっちり中味の詰まった4日間を過ごして、膨大な情報にみんな少し食傷気味なのかもしれない。それでも、ポスターセッションのほうもいくつか覗いてみなくては。せめて、みんなに交じって一通りぶらつくくらいはすべきだろう。会議場のまずいコーヒーを手に、カレンは人ごみへと足を向けた。

タイトルをチェックしながら、ポスターの並びに沿ってゆっくり進む。印象的な写真やカラフルなグラフに目を引かれるものの、注意が長続きしない。わたしもやっぱり学会疲れなのだろうか。角を曲がると、通路に人だかりができている。ずいぶん人気のある発表のようだ。熱心に説明しているのは、20代後半と思われるくすんだブロンドの中肉中背の女性だ。カレンはふっと頬を緩めた。何年も前、自分が初めて国際学会に参加したときのことが思い出される。近くに寄って周囲の喧騒越しに内容を聴き取ろうとしたとき、ひとりの男性がこちらに振り向いた。

「カレン・ラーソン！　久しぶりですね。会えてよかった」握手の手を差し出しながら、早口で話しかけてくる。「午前中のあなたの発表、聴きましたよ。すばらしかった。実に印象的でした」。男性はカレンと同年代で頭半分ほど背が高く、髪と頬ひげは赤みがかった縮れたブロンドだ。見覚えがあったけれど、すぐには名前が出て来ない。カレンはにっこりして握手しながら、ためらいがちに「ありがとう」と言ったが、一瞬遅れて、故国の馴染み深い単調なアクセントに気づいた。そうだ、思い出した。トーステンね。まだ博士課程の学生だったころ、ストックホルムにあるカロリンスカ研究所のニルスのラボで、カレンの1年後輩だった人だ。

「トーステンじゃないの！　びっくり。ほんとに久しぶりね。あれからどうしてたの？」たちまち気楽な会話が始まり、10年間の空白を埋めていく。彼はまだスウェーデンにいて、いまいるのはルンド。カレンのラボはシカゴにある。カレンは促されるままに、ボストンでのポスドク時代やノースウェスタン大学での仕事、大学院生の指導をしていることや学生たちの研究テーマについて話した。我ながらこれまでよくやってきたなと思い、不意に誇らしい気持ちがこみ上げる。トーステンがまた彼女の発表を褒め、「斬新な映像」がすばらしかったと言う。それをきっかけに、カレンの「お気に入りのおもちゃ」である高性能・特別仕様の顕微鏡について、ひとしきり話が弾む。この5年、ほとんどの時間をこの顕微鏡にかじりついて過ごしたのだ。しばらくするとお互いに話すこともなくなったが、別れの挨拶をしながら、カレンは再びエネルギーが湧いてくるのを感じた。これなら、もう少し見て回れそう。

残りのセッションもちゃんと見ようと思い直して、カレンは先に進み、ポスターをじっくり見たり、そこここで足を止めて説明に耳を傾けたりした。いくつか興味深い情報を仕入れることができたものの、大半の展示は頭の中を素通りしていく。幾度か、「午前中の発表がすばらしかった」とか「実に聴きごたえがあった」とか、全然知らない人から声がかかった。すごくうれしい。午後も残ることにしてよかった。こんなふうに自然な褒め言葉を聞ける喜びだけでも、残った価値はある。

次の通路を半分進んだところで、カレンは不意に足を止めた。完璧なヘアスタイル、自信に満ちた歩き方。クロエだ。間違いない。カレンはすっかり固まってしまい、進むこともきびすを返すこともできない。すると女性が振り向いた。クロエじゃない。もちろん、クロエのはずがない。落ち着いて、カレン。3番目の通路でもクロエを見かけたように思ったけど、やっぱり別人だったじゃないの。彼女はここにはいない。カレンはほうっと息を吐いた。5年ほど前にボストンを離れて以来、戻ったのは今回が初めてだ。きっとそのせいで神経質になっているに違いない。バカね。

そろそろと、カレンはまた動き始めた。ポスターのタイトルを読み、図を一瞥しては次に移る。発表への賛辞をさらに受ける。しばらくすると、ホールからしだいに人けがなくなりつつあるのに気づいた。最初の列のポスターはもう外され、丸めてプラスチックの筒に戻されている。熱心な学生が幾人かまだ説明を続けている。ほかはただおしゃべりしている。これですっかり終わりだなんて思いたくなくて、ぐずぐずしているのだろう。カレンはランチバッグを思い出し、少しパサついてきたサンドイッチを半分食べた。あんなに長いあいだ待ち望んできた、大きな学会での初めての発表。その日がついに来て、もう過ぎ去ろうとしているなんて、なんだかあっけない。でも、何年もの年月と周到な準備は決して無駄ではなかった。カレンは演壇に立った自分の晴れ姿を思い返した。大勢の聴衆にも、発表後の質疑応答や賛辞にもちゃんと対処できていた。そう、ほんとうにこれまで苦労したかいがあった。でもそのひとときは過ぎ去り、学会は終わろうとしている。カレンは最後にもう一度会場を見渡し、近くの人たちの顔をざっと見た。過去の亡霊はいない。普通の見知らぬ人々と、偶然出会った古い友人だけ。それでいい。過去のことは過去のこと。

第2章

2006年11月

つやつやした赤い石が弱い朝の光を浴びて、かすかな輝きを放っている。クロエはこの建物が好きだ。周囲の巨大な灰色の建物に比べたら小ぶりだが、たちまち目を奪われた。意表をつく色と光沢、わずかな、それでいて確固とした曲線。それに比べたら、隣接する学部棟は平凡でおもしろ味に欠けるように思える。いま自分はほんとうにここに、この研究所に属しているのだと、いまさらながら思う。たとえ、ポスドク研究員という不安定な身分の集団の一員に過ぎないとしても、自分の力でここに居場所を獲得したのだ。4年前、クロエは不安でいっぱいの新入りだった。研究所のそうそうたるメンバーに圧倒されながらも、自信のなさを気取られまいと必死だった。あの当時の自分が、遠い存在に思える。いまでは研究所が彼女の家、彼女の世界となっている。望んだ通りの、強烈で挑戦に満ちた完全な世界だ。

クロエはすばやく入り口に歩み寄った。ここがどんなに好きでも、自分には次の段階へ進む準備ができていると思う。そろそろ、よそへ移って独立した研究責任者として自分のラボを立ち上げてもいいころだ。できれば、ここと同じくらいすぐれた研究所か大学がいい。今日、彼女の論文に対する最終的な決定が来るかもしれない。『ネイチャー』に論文を再提出してから3週間になる。最初の査読結果はおおむね好意的だったし、査読者が指摘したあらゆる問題点に対処済みだ。だから論文は受理されるはず。きっと受理される。もちろん、編集者の一存でどうにでもできることは、クロエもわかっている。でも今朝は、絶対にいい返事が来るという気がする。クロエは足取りを速め、片手に持ったまだ温かいラテをかばうようにして、巨大なガラスドアを肩で押し開けた。

中へ進みながら、顔馴染みの警備員のミスター・クリーブランドに「おはよう」と笑顔を向ける。彼の大きな体が、ぴったりした明るい青色の制服のせいでさらに堂々と見える。でも彼はいつもにこやかにほほ笑んでくれるし、週末のシフトについているときには素早くブザーを押してクロエを入れてくれる。今日は金曜日なのでドアはロックされていないが、ガラス張りの通路を通り過ぎるクロエに、にこやかな会釈を返してくれた。アメリカ人はたいてい気さくなのがありがたい。いつもむっつりしているドイツ人よりずっといい。そういう堅苦しい環境で育ったから、そのありがたみがよくわかる。笑顔や感じのいい顔を見せると、何か裏があるのではないかとしつこく詮索されたものだ。クロエは典型的な美人とは言えないが、確かに感じがよく魅力的だ。頬骨の目立つ彫りの深い顔を、巧みなカットの暗褐色のショートヘアが縁どっている。ほっそりしていて均整がとれ、筋肉が発達している。好きなのはアンクルブーツとジーンズとぴったりしたコットンシャツ。カジュアルだけれど、決してだらしない感じはしない。ちょうどいいバランスを見つけたと自負している。十分に女らしいけれど、無用な関心を引くほどではない。人々を惹きつけ、記憶に残るのは、彼女がかもし出す清潔感や自信、知的な魅力だ。そんな自分に彼女は満足している。

屋内に入ると、クロエは一瞬、建物の滑らかな内装デザインを愛で、エレベーター脇の絵画にいつものようにさっと目を走らせた。でも立ち止まりはせず、階段に向かう。エレベーターなんて、のろくて気が変になりそう。一刻も早くラボに着いて仕事に取り掛かりたい自分には向いてない。

3階の廊下は片側がずっとガラス張りで、ラボの中が見通せる。丸見えの水槽みたいで、初めはぎょっとした。でも、立ち止まって覗き込むほどヒマな人なんていない。通り過ぎながら、クロエはウーのラボにチラッと目をやった。いつも通り、みんな忙しそうだ。黒いストレートヘアの頭がひとつ残らず下を向いて、手元の作業に没頭している。次の部屋が彼女のラボだ。というか、正確にはトム・パーマーのラボ。でもこの何年か、ここは彼女のわが家になっている。見た目はウーのラボとまったく同じで、同じ実験台、同じデスクが並んでいる。遠心分離機や電気泳動装置、その上の棚に並ぶ何列もの透明な瓶まで、そっくりだ。でもトムのラボにはクロエのような夜型人間が多いため、まだ全員は来ていない。

ホアンはもう来て仕事を始めている。彼の実験台はクロエの隣なので、彼の横をすり抜けるようにして自分のデスクに向かう。にっこりして「おはよう」と声をかけると、いつものように「よう(オラ)」という返事が返ってくる。所帯持ちで、いつもクロエより早く来て、午後5時ころにはたいていいなくなる。クロエには都合がいい。もし必要なら、夜は両方の実験台を好きに使えるから。それに、彼には時間が貴重なので、ラボの仲間を冷やかして回ったりしない。理想的な隣人だ。

今朝はホアンのデスクの下にジム・バッグがある。変ね。ホアンたちのハンドボール練習日は金曜じゃなく水曜なのに。そして、クロエたち女性チームの練習日は木曜。ハンドボールはどちらかと言えばヨーロッパで人気の球技だから、ここに移ってきたとき、意外にもボストンにハンドボールチームがあると知ってうれしかった。バスケットボールもおもしろそうだけれど、やってみようと思ったことは一度もない。ハンドボールのほうが少々荒っぽいスポーツだが、俊足のうえにタフで恐れ知らずのクロエは、試合となると大活躍する。地元チームにとっては欠かせない存在だ。試合は週末に行われるので、クロエとホアンはそうした行事でときどき顔を合わせる。一緒に観戦して、特に見事なジャンプシュート（クロエの得意技）や、ラインぎわからの信じられないようなツイストシュート（ホアンの流儀）を称え合う。ラボのことが話題にのぼることもある。屋内コートで最初に出くわしたときにはふたりとも仰天した。なぜか、ラボ以外のところで同僚に出会うとは思ってもいなかったからだ。

「今夜、試合があるの？」クロエがバッグのほうにあごをしゃくりながら尋ねる。

「いや、そいつは週末用さ。あす、培養中にちょっとプレーしてこようかと思って」

「で、おうちの人たちはあなたが一日中、脇目も振らずに仕事をしていたと思うわけ？　なかなかやるじゃない。そんなに悪知恵の働く人とは知らなかったわ」

「2時間の培養なんだ。そのあいだにいったん帰宅して戻って来るなんて無理だから」

クロエの顔を窺って、彼女が本気で言ったわけではなく、からかっただけだとわかると、言葉を継いだ。「君も来るかい？　頭数（あたまかず）がちょっと足りないんだよ」

「そうね。弱虫ぼうやたちをちょっとしごいてやろうかしら。着るものなんかはあした持ってくるわ。行くときに声をかけてね」

「いいとも」ホアンはニコッとして仕事に戻った。

クロエの実験台はいつになくきちんとしている。いつもなら、放りっぱなしのマイクロピペット、青や黄色の注意書きが貼られた箱、使ったばかりのエッペンドルフチューブのカラフルなラックなどが散らばっている。ところが今日は出しっぱなしになっているものはない。デスクもすっきり片づいている。重要な文書を書く緊張感のせいか、やたら整理整頓せずにはいられなかったせいだ。この2、3週間、気力を奮い起こしてコンピュータに向かい続け、研究企画書を遂に仕上げた。いまは実験に戻りたくて指がうずうずしている。それでも、執筆に集中したおかげでいいものができた。この企画書は求職申込書の一番の目玉だ。論文が受理されれば、当然、そういう流れになるだろう。もしかしたら、今日決まるかもしれない。細長い部屋の向こう端に目をやると、たくさんの実験台を通り過ぎた先にあるトムの部屋のドアが半分開いている。在室しているというしるしだ。もう『ネイチャー』から知らせが届いて、それをクロエに転送してくれたかもしれない。

働き者のポスドクたちの神様なんていないとは思うけれど、でも、もしいたら、どうかお願い！ユーザー名にパスワード、そして深呼吸してリターンキーを叩く。やっぱり！トムから30分前に転送メールが来ている。件名：**原稿 N-06-22881 についての決定**。メールが1通。あっけないけど、これが最終判決だ。彼女の着想と4年に及ぶ懸命な努力に、いよいよ審判が下る。ドキドキする。まずは腰を下ろしてから、ダブルクリック。ほうら、出た。

拝啓。ドクター・パーマー殿。あなたの原稿 N-06-22881 が受理されましたことを謹んでお知らせいたします……。「よし！」思わず声が漏れる。何事かと、ホアンが振り向く。

「論文が受理されたわ」満面の笑みで、一気に告げる。天にも昇る心地……。「『ネイチャー』によ、全文が載るの」

「そいつはすごいね。おめでとう」心から喜んでくれているようだ。

「やったわ、ついにやったのよ」クロエは椅子の中で体をそらし、背もたれをぐっと倒した。幸福感が体中に広がり、続いて安堵の気持ちに満たされる。これこそ、彼女が望んだこと、必要としたことだった。論文が受理され、活字になる。大胆なアイディアに基づく野心的なプロジェクトが、ついに成功を収めたのだ。たったひとつの論文にこれほど多くの作業が必要だなんて、思いもよらなかった。この4年間は死にもの狂いで働いた。山ほどの試行錯誤と、山ほどの疑心暗鬼。ささやかな勝利を励みに、一歩一歩、進み続けた。途中で幾度か、申し分のない論文が書けるだけの成果が得られたと感じたときがあった。でもトムはさらにクロエを前進させた。「いい結果が出ているのは確かだが、こいつならもっと上を狙える。場外ホームランをかっ飛ばすくらいの気持ちでやらなきゃだめだ」。そんなわけで、大きな満足感とともに、重荷を下ろしたような安堵感があるのも事実だった。まさにホームラン。そしてその功績はすべて彼女のものだ。自分の論文が『ネイチャー』に掲載されるとき、完全に論理的で疑問の余地のないものに見えるという自信がある。たくさんのステップの一つひとつが、その前のステップとすんなりつながっているように見えるだろう。途中で出会った多くの混乱やもたつきをうかがわせるようなところは一切ないはずだ。あの論文は、しっかりした計画に基づいて成功裏に終わった旅の記録であり、印象的な試みと画期的な知見に満ちている。求職の際にはぜひ、こうした点を強調しよう。

　転送メールの残りの部分も読む。これは型通りの通知だ。前にもそっくりのメールを見たことがある。肝心なのは「受理された」というひとことだけ。もちろん、〝拝啓。ドクター・ヴァルガ殿……〟だったらもっとよかったのだけれど。でもいつかはきっとそうなる。このラボから提出される論文では、いつもトムが連絡対応著者（コレスポンディング・オーサー）になる。確かに、いくつか有益な指摘をしてもらったことは認めなければならない。今回の仕事にＭｙｃ（ミック）[訳注1]が関わってきたとたん、トムは俄然関心を示すようになったの

訳注1　がん遺伝子のひとつ

だ。クロエが独立したら、名声を分け合う必要はなくなる。それはもっと後のこと。いまはトムを探さなくちゃ。

トムの部屋へ向かう途中、実験台のところにいるミシェルの脇を通る。ローディング中の電気泳動ゲルの上に巻き毛の頭をかがめて、単調な作業にすっかり没頭しているようだ。うれしさにはちきれそうなクロエはついとそばに寄った。

「ねえ、聞いて、ミシェル。わたしの論文が『ネイチャー』に受理されたわ」

青い手袋をはめた片手にまだ試料が入ったままのマイクロピペット、もう片方の手に空になったチューブを持ったまま、ミシェルが顔を上げた。

「おめでとう（フェリスィタスィオーン）。すばらしいね、クロエ。そいつはほんとにすごいや（セ・ヴレマン・メルヴェイユ）。Ｍｙｃデメチラーゼの論文かい？」ミシェルの強いフランス語なまりにかかっては、強力ながん遺伝子のミックも〝意気地なし（ミーク）〟に聞こえてしまう。

「そうよ、もちろん（ウィ・ナテュレルマン）。すごく幸せ」クロエは満面の笑みを浮かべた。

フランスで博士号を取ったミシェルがポスドクとしてトムのラボに来るのはひとつの賭けだった。いまは楽しくやっているようだが、初めはトラブル続きだったのを、クロエは覚えている。クロエがまずまずのフランス語を話し、翻訳に頼らずにミシェルのお気に入りの作家の著書をいくつか読んだことがあると知ると、彼はたちまち心を開いた。ラボで何時間も過ごすあいだに、ふたりはときどき一緒にコーヒーを飲んでおしゃべりする。そんなとき、ミシェルはいっとき英語との苦闘から解放されて母国語を話す喜びに浸り、クロエのほうは、やみくもな野心に駆られて齧ったもうひとつの外国語と格闘する羽目になるのだった。共通の言葉がつないだ気取りのない友情というわけだ。

「じゃ、わたしはトムのところに行かなくちゃ」。ゲルローディングに戻ったミシェルをあとに、さらに進む。

　トムの部屋からは、例によって半分怒ったようにキーを叩く音が聞こえる。クロエは開いているドアをノックしてから中に入った。彼女を見ると、集中していたトムの真剣な顔に笑みが広がった。50代半ばのトムは健康そのもの、いつもちょっぴり日焼けしている。残り少ない髪は短く刈ってあり、白髪もいくらかあるに違いないが、ほとんど目立たない。服装は色あせたTシャツにジーンズと決まっている。彼の地位からするとくだけすぎではないだろうか。最初クロエはそう思ったが、たまに顔を出す高級スーツ姿の役員も含め誰もが、そんな姿を好ましいと考えているようだ。ひょっとすると、わざと過度にカジュアルな格好をしているのかもしれない。ちょっとしたゲームというわけだ。外見がのんびりした感じを与えるからといって、中味もそうだとみなすべきでないのは確かだ。彼には、高い知性を持つ個人主義者だらけのラボの舵取りをしつつ、その外のもっと大きな世界で頭の切れる同業者たちに伍して自分の地位を守り抜くだけの激しさがある。そうしたやり方にクロエは常々注目し、密かに手本にしていた。今日、トムは心から満足しているように見える。こんなことはめったにない。

「じゃ、メールを見たんだな？」

「はい、見ました。うれしくて、天にも昇る心地です。わたしたち、ついにやったんですね」

「そうとも、この時点で受理しなかったら、それこそ阿呆さ。すばらしい論文だからな。君の手柄だ。おめでとう、クロエ」。ずいぶん気前がいい。トムがちゃんと認めてくれていると知って、クロエは満足だった。これは彼女のアイディアであり、彼女の研究なのだ。

　クロエが向かいの椅子に腰を下ろすと、トムの電話が鳴り出した。

「もしもし、ああそうだ。折り返しの電話をありがとう」。クロエが腰を浮かしかけると、待っているようにと、トムが手振りで合図する。念を押すように、送話口をいったん覆って、「すぐに済むから」と言うと、体を半ば向こうに回して会話を続ける。クロエは失礼にならない程度に、部屋のあちこちに目をさまよわせた。

ここに初めて足を踏み入れたのは、もう何年も前、ポスドクの面接のときだったが、そのときは部屋の様子などまったく目に入らなかった。とにかく自分からどんどん話した。ものすごく緊張していたのだ。トムはうなずきながら耳を傾け、時折質問を差し挟んだ。クロエには、相手が何を考えているのかもわからなければ、自分がちゃんとやれているのかどうかもわからなかった。その日の夕方、申請する助成金のリストを渡されたときになってやっと、面接がうまくいったとわかったのだ。あのガチガチに緊張した面接以来、この部屋へ来るのは、慌ただしくそのときどきの仕事の話をするときだけだったから、当然、内装に注意を向けているヒマなどなかった。こうして見ると、トム個人の好みをうかがわせるようなものは何もない。簡素な丸テーブルに揃いの椅子が2脚、片方には雑誌が山になっている。壁の一面を巨大な書棚が占めている。自分の研究室が持てるようになったら、何かもっと思い切ったことをしてみようとクロエは思った。手始めに、ふたつ持っているクレメンテの水彩画を壁に飾ろうか。買えるだけの余裕ができたら、あと何点か、眺めて楽しいアートを加える。そうすれば、ほんとうに自分だけの場所になる。でも、ここみたいに個性を感じさせないしつらえのほうが、プロにはふさわしいのかもしれない。少し検討の余地がありそうだ。

トムがこちらに向きを変えた。眉を上げ、なかなか終わらない電話にもどかしそうな手振りをする。でもクロエなら、別にかまわない。今回に限っては急いではいないから。本棚をじっくり見る。棚のほとんどは何列にもなるラボの古い実験ノートで占められ、製本された学位論文がいくつか混じっている。トムのラボの歴史だ。これまでに在籍した学生やポスドクが何年にもわたって生み出してきたデータのすべてがここにある。成功した実験もあれば、失敗に終わった実験もあるが、その膨大な量に圧倒される。トムにはまた別の歴史、ラボの業績のもっと公式な記録もある。それは、このラボの論文が掲載された『セル』『サイエンス』『ネイチャー』といった有名誌の表紙だ。まさに快挙と言える。そうした表紙が額に入って廊下の壁に掛かっている。大げさね、ちょっとやり過ぎじゃない？これまではそう思っていた。でも今日は、あれを見て、自分も『ネイチャー』にひとつ提案してみようかなという気になった。抗体染色を使ったよくある3色の細胞より、何かもっと独創的なものがいい。わたしが発見したメカニズムをうまく表すには、どんなデザインがいいだろう……。

トムの電話がようやく終わって、物思いにふけっていたクロエは現実に引き戻された。

「すまなかった。話し出したら止まらない相手でね。ともかく、論文についてはこれ以上、何も変更はないね？　用紙にサインして送っておくよ。見事な論文だ。大いに自慢していいよ」

「ありがとうございます。わたし……」

「研究所のほうじゃ、この件について何らかのプレスリリースを出すつもりだろうな。いくつか簡単な図を用意しておくといい。もしその気があるなら、表紙デザインのための提案も」

「はい、もちろんです」。余分な仕事も、こういうのだったら大歓迎だ。クロエはまたにっこりした。論文が受理されたことは彼女にとってとてつもなく大きな意味を持つことだが、それに関連してもう少し、言っておかなければならないことがある。

「実は、最初の求職申込書を来週発送しようと思っていまして。先生のほうに推薦状の問い合わせがあるかもしれません」

ポスドク時代の師であるトムからの推薦状はとても重要だから、それなりに熱のこもったものを書いてほしい。なんと言ってもアメリカ人なのだから、最高級の褒め言葉はお手のものだろう。

「すばらしい。完璧なタイミングだ。どこに応募するつもりかな。高いレベルを狙うといい。それだけの力があるんだし、この論文が受理されたからには、今年は向かうところ敵なしだ。二流のところなんて考えなくていいよ」

クロエは応募しようとしているポジション9つを挙げた。トムはほほ笑んでうなずき、その野心的な選択を高く評価した。

「完璧だ。レベルを落とすことはいつでもできる。でもそんな必要はないだろうな。君ならきっとどこでも大歓迎だよ。面接もいい経験になる。頭のいい人たちが君の仕事やアイディアに強い関心を持つだろう。そうしたところの優秀な科学者が大勢、君と話したがるぞ」

クロエは求職のそうした部分についてはこれまで敢えて考えないようにしてきた。求職申込書の売り込み文句も大事だけれど、その先には採用の鍵を握る科学者たちとの一対一の面接がある。自分の仕事や相手の仕事について、話をしなければならない。そうした一流のところなら、さぞかし刺激的な体験になるだろう。でもまずは、面接に招かれる必要がある。

そのとき、別の心配がふと頭をもたげた。

「競争相手のホワイト博士グループの論文はどうなっているんでしょう？　やっぱり、じきに出るんでしょうか？　うちと似たようなことをやっているって、おっしゃいましたよね」

「いや、すぐに出るとは思わないな。そんなに進んでいるとは思わない」

クロエは一瞬、わけがわからなかった。激しい競争があるとばかり思っていた。2、3カ月前にトムがそう言ったのでは？　でも、いまとなってはもう、たいしたことじゃない。「じゃ、今回の成果は全部わたしのものということですね？　いえ、つまりわたしたちのってことですけど」

「そうだ。その通り。L-334とそれに関連したJmjd10阻害剤の特許出願も済んでいる。すんなり通るはずだよ」

特許出願のことなんてほとんど忘れていた。特許専門の弁護士とのやり取りは苦痛だった。細かいことをくどくどと何度も書かされて……。もしかしたら、そのうちおかねになるのかもしれない。先のことなんてわからないもの。でも特許のことにまで関わっている余裕はない。いまは求職申込書に専念する必要がある。

「ちゃんとお祝いしなきゃな」辞去しようとすると、トムが言う。「午後、ラボのみんなに行き渡るようにシャンパンとケーキを用意してくれないか。おかねを渡しておくよ」

彼は財布を引っ張り出すと20ドル札を何枚か抜き出した。それを手渡しながら、「筆頭著者が購入し、最終著者が支払う」決まりだからねと言う。

つまりわたしが買い物に行かなきゃいけないってことね。これもまた、うれしい雑用だ。

「ええ、わかっています。いまのうちに買いに行ってきますね。シャンパンは冷やしておいたほうがいいので。ありがとうございます。何もかも、ほんとうにありがとうございます」

コートを取りに自分のデスクへ向かう途中で、マーチンに知らせなくては、と気づいた。朝の仕事の邪魔をしてしまうけれど、なにしろビッグニュースだもの。マーチンのラボは特別研究員のための小さなラボのひとつで、5階にある。うれしさに元気いっぱいのクロエは、折り返し階段4つ分を駆け上がり、廊下を急いだ。ガラスの壁越しに、マーチンの姿が見えた。受け持ちのチェンなんとかというポスドクの後ろに立って、一緒にコンピュータのスクリーンを見つめている。クロエはそっとガラスをノックし、ふたりが顔を上げると、にっこりして頭を軽くかしげた。邪魔が入ったことをマーチンはあまり喜んでいないようだ。迷惑そうだけど、この際無視。でも、てみじかに切り上げよう。

「ちょっと知らせておきたかったの——わたしの論文が受理されたわ」

「すごいね。おめでとう」渋い顔が一転、大きな笑みが浮かぶ。予想はしていたが、キスもハグもなしだ。職場では、それは無理。「すぐに受理されるって言っただろ？　僕の言った通りだ」

「そうね、あなたの言った通りだった。ありがとう」

「今晩、お祝いしよう。あとで電話してくれ、いいね？」

「ええ、もちろん。ちょっとしたお祝いね」。マーチンがまた晴れやかな笑みを浮かべる。彼女の快挙を心から喜んでいるように見える。でも仕事に戻りたいとも思っているらしく、続けていいという合図を待っているチェンのほうをちらりと振り返る。

「じゃあ、またあとで」クロエはほがらかに言いながら、その場を去ろうと向きを変えた。

特別研究員のポストに応募していたマーチンがセミナーの演者として初めて研究所に来たときのことを思い出す。最近のよくある大学院生のセミナーとはまるで違っていた。あまりにも落ち着き払っていて、ほとんど嫌味なほどだったけれど、上級研究員からの鋭い質問に、よどみなく、それでいて周到な答えを返すさまには強い印象を受けた。クロエもなんとか、意表を突くような気の利いた質問をひねり出すことができた。それが彼の注意を引いて、真剣に相手にすべき人間と見てもらえたし、セミナー後に話しかける口実ともなった。ふたりは急速に打ち解けた。彼にはガールフレンドがいたのかもしれない。だが、いったん彼がボストンに移って来ると、クロエが彼の心を捉えるのに長くはかからなかった。それとも、ひょっとすると、彼がクロエの心を捉えたのだろうか。まあ、それはどうでもいい。ふたりはお互いに惹かれ合い、すべてにおいて対等だった。仕事を何よりも大切にすること以外にも、文化的な面での興味が同じであることがわかった。いまでは自分たちのことを、絵に描いたような完璧な科学者カップルだと笑い合う。

デスクに戻ると、クロエは求職申し込みファイルのフォルダを開いた。論文の表題の下の「提出中」を『ネイチャー』に受理」に変えて、大きな達成感を味わう。スクリーンに呼び出した履歴書をじっくり見る。そう悪くない。定評ある雑誌に筆頭著者としての論文が4本。『ネイチャー』の論文は二重の意味で重要だ。トップレベルの研究をこなす能力があるという証明になるうえ、タイミングも申し分ない。彼女の仕事はいまやほんとうに〝重要〟とみなされるようになったのだ。企画書にはもう一度目を通すつもりだが、変更すべき点はない。精魂込めて書き上げた企画書で、アイディアにも、その提示の仕方にも、とても苦労した。でもいまは出来栄えに満足している。がんの基礎研究におけるこの分野の重要性、彼女のこれまでの貢献、将来へ向けての彼女のプランとアイディアを盛り込んである。しかもそれがすべて、たった3ページに収まり、記述は明快で論理的だ。期限まで待たずに、今日、最初の申込書を送ってしまおう。それこそ、この記念すべき日にふさわしい仕事だ。

◆
◆
◆

ラボでの午後の祝賀会は、ほぼクロエが予想していたように進んだ。たくさんのほほ笑みとお祝いの言葉を受け、周囲に集まった幾人かと少し言葉を交わす。「ケーキ」は彼女の好きなブラウニーにした——だってわたしのお祝いだもの。それにシャンパン。20人近いラボなので2本必要だし、やっぱり、ほんもののシャンパンでなくちゃね。雰囲気が出ないもの。トムが二言三言称賛の言葉を述べてクロエに乾杯し、例によって陽気な口調で、「……そして君たち全員があとに続きますように」と締めくくる。もちろん、励まそうとしてのことだが、口にされない思いが込められている。実際、そんなこと、言われなくてもみなわかっている。

ヴィクラムがすぐにふざけ始め、ブラウニーで建物を作ろうとする。すぐれた知性とばかばかしい振る舞いとが混在するヴィクラムにはたまに困惑させられるが、見ていると退屈しない。こんなふうに周りを愉快にする人っていいなとクロエは思う。彼からのお祝いの言葉も、温かく心がこもったものだった。同じおめでとうでも、ほかの人たちから言われると、ほんとうにそう思っているのかなと考えてしまう。みんなの気持ちは理解できる。ラボの仲間たちのほとんどは好きだし、相手もそう思ってくれていると信じている。でも、もちろんみんな、彼女と代われるものなら代わりたいと思っているはずだ。だから、お祝いの言葉もいくらかぎごちない。ちょっぴり妬ましい気持ちがあるからだ。そうじゃないふりをしたって、しょうがない。

ヴィクの建築物から煙突をひとつ失敬したミシェルが、たまたまひとりでいたクロエのところにやって来た。

「もう一度、おめでとう。(アンコール・ドゥ・フェリスィタスィオーン)すごいよ。(セ・メルヴェイユ)君なら当然だけど(テュ・ル・メリテ)」

「ありがとう、(メルシ)ミシェル。ほんとに優しいのね(トゥレ・ジャンティ)」

「有名になっても友達のことを忘れないでくれよ(メ・ヌブリエ・パ・テ・ザミ・カン・テュ・ドゥヴィエン・セレーブル)」

「あなたを忘れるですって?(トゥブリエ)そんなこと、ありえないわ(ジャメ)」

ふたりは冗談半分の会話をしばらく続けた。ホアンとヴィクが寄って来たので英語に切り替えたが、じゃれ合うような調子はそのままだった。お互いにそれが自然だったのだ。罪のない、ほんのおふざけだもの。クロエはシャンパンを少しずつ飲みながら、4人でのとりとめのない会話を楽しんだ。気のおけない小さなグループでからかったり笑ったりしているうちに、初めのころのかすかな緊張感はすっかり消えた。トムはとっくに自分のオフィスに引っ込んでいる。あとの人たちも三々五々抜け出してラボに戻って行く。なんたって普通の平日なんだから、当然ね。

◆　◆　◆

　クロエはまだ目覚めていて、一日の最後のひとときを味わっていた。ふたりがいるのは彼女の部屋。隣に横たわるマーチンはもう眠っている。こうして眠っている姿からは、公の場でのマーチン、才気煥発なマーチンはなかなか想像できない。トスカでのディナー、ふたりだけのお祝いのことが頭をよぎる。楽しく心地よい夕べだった――大部分は。クロエが求職申し込みに触れたため、ふたりの将来という微妙な問題が顔をのぞかせることになった。そうなると、いつも気まずい空気が流れる。ふたりとも、どうしても身構えてしまうのだ。でも状況は、はっきりしている。クロエはいい職に就きたい。だから、一流のところに応募する。それがどこにあったとしても。マーチンだって、もし彼女の立場だったらきっと同じことをするだろうし、別のもっとよい職に移る準備ができるまでは、特別研究員という誰の干渉も受けない恵まれた地位に留まるつもりであることも確かだ。ふたりとも、お互いへの敬意が大きすぎて、相手にそれ以外の道を期待することなんて考えられない。というわけで、普段は将来についての会話はさらりと流すようにしている。マーチンは冗談半分に、タイミングさえよければ僕は君の行くところどこにでもついて行くよと言う。そしてクロエはそれを信じるふりをする。それはふたりとも承知のうえでするお芝居だ。いつもはそれで緊張が和らぐ。けれど今夜は、彼女の進路がほんの少し現実味を帯びてきた。もう、お芝居を続けることはできない。たぶん、悲しく思うべきなのだろう。でも実際には、あまりにも興奮しすぎていて、悲しい気持ちになんかなれない。輝かしい将来への道が、ついに開けようとしているのだ。

　クロエは彼の両方のまぶたにそっとキスすると、寝返りを打って背を向けた。たちまち眠りが訪れ、彼女を遥か遠くへ運び去った。

第3章

朝早く、街の空はまだ暗い。薄暗い大学の建物はほとんど無人のようだし、研究棟のほうも同じだ。カレンの靴音がやけに響く。受付に近づいて行くと、警備員がちらりと目を上げて顔を確認し、ブザーを押して中に入れてくれた。エレベーターで3階に上がり、足早に廊下を進む。ラボはがらんとして、ぼんやりした灯りに照らされている。誰もいない。これまでのいくつかのラボでも、いつもこうだった。こんなに早く出てくるのはカレンだけ。少なくとも、毎日決まって早朝出勤なんていう人はいない。このひとりきりの静かな朝の時間が、カレンは好きだ。集中力を要する仕事をするのにもってこいだから。邪魔は入らないし、装置だって独占できる。カンペキ。

天井灯のスイッチを入れると、まっすぐ自分のデスクに向かう。バックパックを下ろし、いつものようにデスクの上の写真にチラッと目をやる。数年前に珍しく遠出をしてビルとハイキングに行ったときのものだ。鮮やかな秋色の景色を背景に、ふたりとも楽しそうに笑っている。この写真を見ると、毎朝、笑顔になれる。デスク周りで個人的なものはこの写真だけで、あとは実験の手引書やノート、いつか読もうと思ってコピーした論文など、無味乾燥なものばかり。ちょっとごちゃごちゃしているけれど、いま進行中の実験がすぐわかるようになっていると、自分では思う。あまりにも整理整頓が行き届いたデスクは好きじゃない。そうかといって、何カ月分、何年分ものデータシートや書類が山のように積み重なったデスクも、いいとは思わない。そんなデスクでまともな仕事のできる人がいるなんて、想像できない。いかにも研究に没頭しているように見えたとしても、それはただの見せかけだ。浮世離れした天才や、画期的な実験を思いつく科学者のデスクならさもありなんと思うかもしれないが、それは違う。研究は地味できつい仕事だ。ワクワクさせてくれるし、ときには思いがけないアイディアが浮かぶこともあるけれど、たいていは、とてつもない集中力を要するきつい仕事なのだ。

顕微鏡のところに行く前に、日課となっている工程をいくつかスタートさせておかなければならない。今朝はいつもよりも気がせいて、先にこっちを片づけるにはいくらか自制心が必要だった。昨夜セットした実験がどうなったか、知りたくてたまらない。でも、あと15分くらい遅くなっても、結果が変わるわけじゃないし。まずは、クローニングした大腸菌からプラスミドＤＮＡを精製――ミニプレップ――するための培養を始める必要がある。行っていたのはわりあい標準的なクローニングで、プレートを取り出して見ると、予想通りの結果だった。処理したプレートのほうが対照群のプレートよりコロニー数が多い。クローニングがうまくいったからといって小躍りするほどのことではないけれど、それでも、うまくいくとやっぱりうれしい。いまコロニーを拾ってしまおう。そうすれば、午後には抽出とその次の段階まで済ませてしまえる。仕事が一日分、早く進む。

カレンは廊下の中ほどにある組織培養室に素早く入ると、頭上の青い紫外線灯を消した。紫外線灯のおかげでいかにも無菌になっているように見えるけれど、ほんとうにそうかどうかは疑問だと思う。カレンの「フード」（無菌作業のための実験台）は入り口から一番遠くにあって、ほかのフード同様に空っぽだ。腕時計と指輪を外して念入りに手を洗ってから、フード内の紫外線灯を消し、ファンをつける。狭い空間はたちまち、ごうごうという音で満たされ、培養器の立てるもっとかすかな音が掻き消される。フード内部と冷蔵庫から取り出した瓶の表面を，ともに70％アルコールで拭く。作業のあとで，またアルコールをスプレーして拭き取ることになる。自前の特別な細胞株にコンタミ——汚染——が起こっては大変なので，慎重を期して，一番神経を使う培養の作業は朝やることにしている。みんなが出て来て，バタバタ走り回って埃を巻き上げる前に済ませるに限る。

やっと顕微鏡のところに行ける。胸がドキドキする。期待しすぎちゃだめと自分に言い聞かせてはみるけれど，あまり効果がない。誰もいない廊下を小走りに急ぐと，足がもつれてつまずきそうになる。カレンは苦笑いしてかぶりを振り，足取りを緩めた。

顕微鏡室は組織培養室よりもさらに狭い。暗くひっそりとしている。唯一，光を放っているのは右手の顕微鏡につないだコンピュータだ。一晩中，低速度撮影させておいた動画の最後のコマが表示されている。実験はうまくいったようだ。でも，ひとつのコマだけでは心許ないので，腰を下ろして画像を逆にスクロールし，昨夜の詳細な記録をたどり始める。細胞を観察して何年にもなるが，いまだに魅了される。録画すると，細胞のありとあらゆる奇妙な振る舞いを捉えることができる。ぐーんと伸びたり，丸まったり，ときには動き回ることさえある。離れていた細胞が互いに触れ合うこともあって，それは一時的な接触の場合もあれば，そのままずっとくっついている場合もある。適切な刺激を与えられると，しっかりくっつき合って，もっと大きくて複雑な構造体になる。こうしたできごとはすべて，細胞に多彩な標識を施すことで，はっきり観察できる。今日の実験では，蛍光標識のおかげで，細胞の輪郭だけでなく内部構造まで見える。カレンが観察していると，内部ケーブルが作られて，いったん引っ込んで作り直されたり，周囲を包む膜が移動したりして，変化するさまざまな力に対応しているのが見て取れた。細胞の構造はそれぞれ，独自の論理に従って独自の機能をこなしている。普通は，観察から理解に至る道は遠く，細胞がいったい何をしているのか，なかなかわからない。重大な転換点、突然すべてに意味の通る瞬間が訪れるのは、ごくたまのことだ。とはいえ、観察抜きでは何事も始まらない。それに、カレンは細胞を観察するのが大好きだ。

昨夜の4本の動画のそれぞれについて、カレンは起点となるべきところを探し出した。顕微鏡をコントロールしているコンピュータに、5分ごとに同じ4つの場所に戻って、一晩中撮影していた画像を積み重ねるよう指示する。積み重ねたものがそれぞれボックスとなる。順を追って再生すると、各セットは低速度撮影の3D動画のようになる。選択した細胞群が昨夜どんな動きをしていたかを見せてくれる動画だ。それをひとつずつ見ていく。各動画の最初の画像では、かすかな長い線、ひとつの細胞から別の細胞への細いつながりが見て取れる。この細胞と細胞の結合、そしてそれが何をしているのかが、カレンが興味を持っているものなのだ。ひとつの動画では、結合は壊れる。つまり消滅する。ところがほかの3本の動画では、結合は保持されている。その場合、結合の始点となった細胞はとても元気がよく、さらに別の結合も作っているようだ。これはあとでもっと詳しく見てみよう。結合を作られたほうの細胞は、3本の動画すべてで、健康なままだ。細胞にはあらかじめ、細胞死を示す蛍光標識が組み込んである。記録された領域のあちこちでその標識が発光しているが、カレンが注目している細胞ペア、つまり結合したペアには発光は見られない。すばらしい。期待通りだ。「とってもいいわよ、おチビちゃんたち」カレンはにっこりして、よしよしというようにうなずいた。

この現象はこれまでにも2回、目撃している。でも、たった2例では偶然ということもありうるから、もっと実例を集めるために、いくつか並行録画を実施したのだ。この新しいデータセットで確信が持てた。実にすばらしい。あと必要なのは、徹底的な分析を行うのに十分な数の事象を捉えることだけだ。そうすれば、研究所の来週のセミナーで、確実な結果として発表できる。「たかが」研究所の内輪のセミナーだけれど、最高のプレゼンテーションをしたい。これこそ、まさにそのために欲しかった結果だ。今日の動画のひとつは発表の際に使えるくらい鮮明で、何が起こっているかが一目瞭然だ。厳密には、起こっていると彼女が考えていることという意味だが。先走りは禁物。でも、とても期待できそうに見えることは間違いない。今晩、新たに細胞をセットして録画してみてもいい。明日も、場合によっては土曜日にも録画ができる。週末は、もしほかに顕微鏡を使いたい人がいなければ夜間に加えて日中も録画ができるから、都合がいい。そうすれば、セミナーの前になんとかしてあと4回か5回、記録が取れる。もちろん、動画はすべて分析し、統計処理もしなければならない。だが、発見の興奮がすでにカレンを捉えていた。何かをつかんだのだと、直感的にわかる。それはそこにある。ここは慎重のうえにも慎重を期す必要がある。ラボに戻る前に、動画ファイルをサーバーに保存することを忘れないようにしないと。一度それを忘れたことがあって、次に顕微鏡を使った人に間違ってデータを消されたことがあったのだ。あんなミスを繰り返してはならない。毎日早く来るのはそれもあるからだ。自分より早く顕微鏡を使う人がいないように。

観察結果にすっかり気をよくして、カレンは組織培養室に取って返し、やり残した仕事に取り掛かった。細胞をチェックして、栄養を与えたり、新しい培養皿に植え替えたりする必要がある。ただのルーチン作業だけれど、いまはそんな作業もただただ楽しい。思いは自然と動画に戻る。細胞は、そうなってほしいと思っていた通りの振る舞いを見せてくれた。接触を保った細胞は死なない。それが、観察された細い結合の役目ではないのだろうか。細胞を死から護るのだ。それ以外の細胞は、すべてではないにしろ、死ぬ。実際、結合を持たない細胞のうちかなりの数が、この実験のために設定してあったストレス条件下で死ぬ。もちろん、死ぬ細胞の割合が、結合を作るかどうかによってほんとうに異なることを示すには、たくさんの実例が必要だ。午後にでも、死んだ細胞の数をいまある動画で数えて、統計処理を適切に行うにはあとどれくらいの数の記録が必要か見積もることにしよう。

もし統計で好ましい結果が出れば、彼女の考えを支持する重要な根拠となる。ただし、たとえそうなったとしても、それは最初のステップに過ぎない。相関関係があると証明されたに過ぎないのだ。カレンは次の段階を考え始めた。どんなタイプの実験をすれば、次の段階に進めるだろう？　正の相関関係が証明されれば、次に必要なのは因果関係の証拠だ。ふたつの事象、つまり細胞の接触と生存が結びついていることがわかったからといって、一方がもう一方を引き起こしている証明にはならない。接触が細胞の生存をもたらしているとはっきり示すことができれば、そのときこそ、ほんとうに王手をかけたと言えるだろう。組織培養用フードのファンがブンブンと唸るなか、カレンは次の段階の実験のアイディアをひとつずつ検討して、ぴったりのやり方を見つけようとした。

２時間後、カレンはその日の培養作業を終えた。細胞はすべて、温かく湿度の高い培養器に戻されている。今晩、顕微鏡での動画撮影に使う細胞は一番手前に置いてある。ファンを回したまま、メインラボに戻ってエッツコを探す。

エッツコは自分のデスクでコンピュータの前に座り、短い動画を繰り返し再生しているスクリーンを真剣に見つめていた。カレンには、エッツコはほんとうに小柄に見える。あごの長さの髪を花や動物をかたどったヘアクリップで後ろにまとめていて、それがフリルのついたトップスやスカートと相まって、少女のような印象を与える。でも、もう学校に入るくらいの子供がいるはずだ。だから実際には、カレンなんかよりずっと人生経験の豊富な大人なのだ。それに、少女っぽい見かけにもかかわらず、真摯に研究に取り組む科学者だ。

「それ、すごいわね」スクリーン上に切れ目なく繰り返される動画に、カレンが言う。

「そう思う？　新しいセンサーを作ってみたの。ほんとうに正確かどうか、自信がなくて」

エッツコはいつもとても慎重だ。際限なくテストを繰り返して修正を加えるそのやり方が、ときどきトムを苛立たせる。結果を述べる前にあまりにも多くの断りを連発するので、グループミーティングではしびれを切らして、「君が見たことだけを教えてくれ」と遮ることもある。「考えられる問題について心配するのはそのあとでいい」

「フードが空いてるわよ。あなたが使うと思って、ファンはつけっぱなし」とカレン。

「あら、わざわざありがとう」エッコは軽く会釈した。「誰かに取られる前に始めたほうがいいわね」

ユキも自分のデスクにいる。エッコの隣だ。長い黒髪を後ろでまとめて、いつものようにポニーテールにしている。顔立ちはまったく違うけれど、エッコもユキも小柄で、服装も似ている。いつになっても髪の長さに頼ってふたりを見分けているなんて、我ながら情けないとカレンは思う。アジア人の顔がみな同じに見えるのは、大柄でたいていはブロンドのスウェーデン人が住む町で、外の世界をあまり知らずに育ったせいかもしれない。そんな言い訳が成り立つとしても、やっぱり悩みの種だ。名前も厄介だ。日本人の名前はそれほどむずかしいわけではないのに、ユキの名前を言おうとすると、惨めな失敗に終わる。「おはよう、イーチ」いまのところそれが精一杯。ユキはにっこりする。気にしていないようだ。わずらわしさを避けるために簡単な西洋人名を名乗る日本人もいるが、絶えずめちゃくちゃな名前を呼ばれても、ユキは平気らしい。

博士課程の途中で米国へ来てから、カレンはあらゆるところから集まった人々のまじり合いをとても好ましく感じている自分に気づいた。トムのところのような米国のトップレベルのラボは国連に似ている。世界中のあらゆるところからひとりまたはふたりが来ているからだ。でも国連と違って、法令によってそうなっているわけではない。科学のラボのこのすばらしい異種混交ぶりは、身体より精神の重視、慣習より好奇心の重視を表しているように、カレンには思える。そう、それに科学者がどこでも仕事ができるという事実の表れでもある。ラボは基本的に世界中どこでも同じだ。また、大志を抱く科学者なら、チャンスを求めてどこにでも行く気があるのが普通だ。どんなに違うところがあっても、エッコとユキにはカレンとの共通点がたくさんあるのだ。

◆　◆　◆

午後にラボの祝賀会が開かれることになった。クロエの論文が『ネイチャー』に受理されたらしい。ラボのポスドクなら誰にとっても、『ネイチャー』のような有名誌に筆頭著者としての論文が掲載されるのは一大事件だ。キャリアも、自信も、大きく後押ししてくれる。お祝いするのは当然だとカレンも思う。カレンには、大学院生時代の仕事で筆頭著者としてのすぐれた論文が2本ある。受理されたときにどんなにゾクゾクしたか、いまでも覚えている。ただし、どちらも『ネイチャー』ではなかった。カレンはまだトムのラボからは論文を出していない。まだクロエほど長くここにいるわけではないからしかたがない。それに、今朝の結果から明らかなように、何かをつかみつつあるという気がする。

権威のある雑誌に論文が載ることは、研究責任者、つまりトムのようなラボのリーダーにとっても、大きな意味を持つ。でもトムはもう、自分の名前もついているそういう論文をすでに数多く出しているので、今日は気前よく賛辞を呈する気分だったらしい。時間になるとラボ全員の前で、論文に書かれた膨大な仕事をクロエが全部自分でやっただけでなく、アイディアもすべて彼女のものだと持ち上げた。さらに冗談交じりに、自分はただそれに便乗して勘定を払っただけだとつけ加えた。少しばかり卑下しすぎではないだろうか。カレンの祖国スウェーデンだったら、そんな冗談を言えば、賛辞も嘘っぽく聞こえるだろう。侮辱とさえ受け取られかねない。トムが、自分で言っているよりもずっと多く手伝ったことは間違いない。クロエの論文はＭｙｃがん遺伝子に関するトムのラボの以前の研究をそのまま引き継いだものなのだから。それなのにあんなことを言うなんて、嘘をついているという自覚がないのだろうか？　ときどき、米国人のことがわからなくなる。クロエがこの研究に関して驚くほどの量の仕事をこなしたことは、ラボのミーティングの際の話からカレンも知っている。だからたぶん、クロエはこの論文に値するだけのことをしたのだろう。もちろん、そうに決まっている。でも、トムは大げさすぎる。ほんのちょっとだけれど。

乾杯のあと、みんなはしばらくクロエの周りに集まって、質問をしたり、お祝いを述べたりした。いつものようにヴィクラムがばかをやらかしている。ヴィクラムって、ほんとにおかしな人。お調子者のふりをするのが好きなのだ。でも、その道化ぶりの陰には並々ならぬ闘志が潜んでいることを、カレンは知っている。彼はラボの夜型人間のひとりだが、朝カレンが来たときにまだ仕事をしていたことが幾度かあった。それに自分の研究について話すときにはまじめそのもので、とても真剣だ。博識なうえに頭の回転も速い人のように思われる。それなのに、解除ボタンが押されればいつでも、苦もなくおふざけモードに突入する。どこの出身か正確には知らないが、アクセントからすると英国に違いない。ヴィクラムに加え、ミシェルとホアンもクロエの周りにたむろしている。目が離せない様子だ。まるで言い寄っているみたい。いったいどうやって、クロエはあれほどの関心を引き寄せているのだろう？　身体的な魅力が重要な役割を演じていることは、疑いの余地がない。でも単にそれだけではない。クロエにはやすやすと人を惹きつける力がある。カリスマと言ってもいい。米国のジョブ・マーケットでは当然、大きくものを言う資質だろう。そして仕上げが『ネイチャー』の論文――最強の組み合わせだ。

カレンはグラスを置いた。ほんの少ししか飲んでいない。シャンパンは好きだし、クロエがほんものを買っておいたことにも気づいた。『ネイチャー』論文のお祝いにドイツのスパークリングワインってことはないものね。でも、まだ仕事が残っている。実験台へ向かいながら、実験結果を見て感じた今朝の興奮をまた思い出す。わたしの研究はもっと独創的なものだ。ラボでは誰も、こういう研究はしていない。そしていま、努力が報われようとしている。でも、実験の次の段階、因果関係をどうやって証明するかについては、知恵を絞る必要がある。それがうまくいけば、有名誌に載る論文も夢じゃない。実験台に戻ったカレンは、その日のうちに済ますべき作業をざっと考えた。不意に、クロエにお祝いを言うチャンスがなかったことを思い出した。でも、誰もが口々に声をかけていたんだから、かまわないわね。だいじょうぶ。いまはとにかく、次の録画の準備をしなければならない。ランチのあとで計算してみたら、統計的に有意な結果を得るにはあと少なくとも5回分、肯定的な実験結果が必要だとわかった。多ければ多いほどいい。来週までに、無理をしてでも、できるだけ多くの実験をしよう。この新しい観察結果があれば、研究所の今度のセミナーでの発表はすばらしいものになる。前回トムからは、「よさそうだ」とか「期待がもてそうだ」というような、ずいぶん及び腰の褒め言葉しかもらえなかった。今度こそ、みんなをぎゃふんと言わせてみせる。

第4章

「ちょっと仕事をしに行かなきゃならないの」カレンは申し訳なさそうに切り出した。

「今日?」とビル。「土曜日だよ? それにエリクが来ることになっていたよね。ディナーにはアショクも来るし」

「ごめんなさい。週末はなるべく仕事をしないことにしようって決めたのはわかってるけど」

「平日あれだけ残業続きなんだから、当然だろう?」

「もちろんそうよね。ただ、週末だとキュストナー・ラボの顕微鏡が使えるの。ほら、わたしの特別な実験に使うレーザー微細加工ができるやつ。あの人たちのスケジュールに合わせなきゃならないのよ」

「ああ、そうだったね。でも、もうぶっ続けに3週もだよ?」がっかりした悲しそうな顔。カレンはもう少しでくじけそうになった。焦げ茶色の瞳、とびきり温かな優しい瞳が、悲しそうに彼女を見つめている。こんな目にあわせるなんてあんまりよね、世界一すばらしい夫なのに。

「2時間しかかからないわ。約束する。今夜のための準備は全部いまのうちに済ませておけばいいでしょ? あなたが買い物に行っているあいだにわたしが掃除をしておく。それに、わたしが車を使っていいなら、移動の時間が1時間節約できるし」駆け引きと和平の一挙両得。ビルが掃除を大嫌いなことを、カレンは知っていた。

「ああ、いいだろう。ただし、君が時間内に仕事を終わらせて、2時にエリクを空港で拾えるっていう自信があるならね」

そんな自信はない。車はビルに使ってもらうしかないだろう。週末はバスの便が少ないから、帰宅には1時間余計にかかることになるが。

「ごめんなさいね、あなた。これはどうしてもやってしまわなくちゃならないの。あなたがエリクを迎えに行ってくれない？」

エリクはカレンの友人だから、ビルに出迎えを頼むのがフェアでないのは、カレンにもわかっている。でもビルは承知してくれた。ここはひとつ、言葉だけじゃなく行動で感謝を示さなくちゃね。カレンはビルのほうに手を伸ばして、いたずらっぽく頭をかしげた。土曜の朝の親密なひとときのための時間は、まだいくらかある。

◆　◆　◆

週末のラボはいつもとまるっきり感じが違う。みんな好きな時間に出てくるし、普段よりリラックスした雰囲気を漂わせている。カレンにも、週末に仕事をするときの特別なルールがある。やりたいことしか、やらないのだ。近頃はそこに、組織培養室でのルーチン作業も含まれるようになった。週末のうちにそれを済ませておけば、翌週の仕事で有利なスタートを切れるのだ。紫外線灯を消し、ファンを回してから、培地を取り出して温める。ビルに言ったように、キュストナー・ラボの顕微鏡での仕事があるのはほんとうだが、ここにいるからにはほかの作業もしてかまわないだろう。やるべきことがあまりにもたくさんある。2週間ほど前に有望な結果が出て、研究所のセミナーで好評を博して以来、カレンは四六時中ラボにいたいと思うようになっていた。もっとたくさん実験したいからだ。

腰を落ち着けて細胞培養の作業に取り掛かる前に、顕微鏡をチェックするために2階に下りる。ベッティナ・キュストナーにこの顕微鏡を使わせてもらえることになったときは、ほんとうにうれしかった。たぶんトムが持ち前の気さくな魅力でちょっと口添えしてくれたのだろう。最初は、この顕微鏡のための細胞加工用レーザーやその他もろもろの装備を作ったグレッグが、何時間もつきっきりで使い方を教えてくれた。たぶん、自分の貴重なマシンをど素人の手に委ねるわけにはいかないと思ったのだろう。いまはグレッグの信頼を得て、ひとりで顕微鏡を使っていいことになっている。培養ボックスはスイッチを入れて少なくとも1時間しないと温かくならず、実験を始めることができない。時間のことでビルに安請け合いをしなくてよかった。午後2時の出迎えに間に合うように終わらせるなんて、到底無理。これはむずかしいうえに重要な実験だし、お客がいようといまいと、顕微鏡を使える時間は残らず使いたい。

カレンは薄暗いキュストナー・ラボのドアを開けて中に入った。不思議ね、週末というとこのラボはいつもがらんとしている。ここは成功しているラボで、ベッティナ・キュストナー博士はとても高く評価されているのに。このラボですごく気の利いた顕微鏡テクニックがいくつか開発されたと、研究所のセミナーで聞いた覚えがある。わたしたちと働き方が違うのは、ここにはエンジニアや物理学者が多いからかもしれない。仕事の大半はコンピュータが相手で、実験台に向かって退屈な作業を何時間も繰り返す必要なんてないのだ。毎日2、3時間もみっちり働けば十分なのだろう。それに、コンピュータ作業ならどこにいてもできる。たったいまも自宅で仕事をしている人だっているのかもしれない。そう考えると、なぜか納得できた。顕微鏡室に入ると、精巧な機械を扱うというもっと実際的なことがらに注意が切り替わる。気を引き締めてかからないといけない。特注の装置がどっさりついたこの顕微鏡を使うのは一仕事だ。それにまだ最適な実験条件を模索中なので、考えうるあらゆるパラメーターに注意を払う必要がある。いったん実験が軌道に乗れば、自分の考えを最終的にテストすることができるだろう。ワクワクする――そしてちょっぴり恐ろしくもある。正否を決定するような実験にはそうしたリスクがつきものだ。すばらしい結果が出て、自分の考えの正しさが裏づけられるかもしれない。あるいは、誤りだったとわかるかもしれない。「英雄かヤギか」とカレンは思った。ラボのジョークの受け売りだが、その由来は、実はよく知らない。

◆ ◆ ◆

ようやくカレンが帰宅したのは夕方近くで、言い訳の言葉も練習済みだった。だが、キッチンからは楽しそうな声や笑い声が聞こえてくる。ビルとエリクはどうやら仲良くやっているようだ。

「ああ、帰ってきた。実験の虫がやっと戻ったぞ」。冷やかしはいい兆候。どうやら、怒られずに済みそうだ。カレンはビルにキスしてバッグを下ろすと、開けたビールの缶を片手に持ったエリクに向き直った。どう挨拶しようか迷ったが、スカンジナビア人特有の遠慮が本能的に頭をもたげるのを無視して、ちょっぴりぎごちなくハグした。エリクの馴染み深い顔を見ると懐かしさがこみ上げ、思いがけず、昔を恋しく思う気持ちに襲われて戸惑ったせいもある。そんな感情は湧き起こったのと同じくらいすばやく消え去った。でもエリクは、ぎごちなかろうとそうでなかろうと、こんなふうに歓迎されて喜んでいるようだ。だから、あれでよかったのだろう。

「エリク、会えてとてもうれしいわ。向こうはどうなってるの？　ラボはどう？　研究会はどうだった？」

矢継ぎ早のせっかちな問いにも、エリクは動じていないようだ。ビルなら、遅くなった気まずさを取り繕おうとしているのだなと思うところだが、エリクはカレンのそんな気持ちを知ってか知らずか、スウェーデンのニルスのラボの最新事情を話し始めた。エリク自身の小さな研究グループとそのプロジェクトについて説明し、その分野の趨勢や研究会での発表内容にも少し触れた。カレンはなんとか身を入れて聴こうとするが、相槌を打ったり、時折簡単な質問を差し挟むのが精一杯。さっきの思いがけない感激が嘘のように、いまはニルスのラボがあまりにも遠く、あまりにも取るに足りないものに感じられる。大学院生としてのスタートを切ったとき、ニルスのラボはカレンの全世界だった。その後、ここボストンの共同研究者のラボに来て、1年ほどになる。カレンにとっては、まさに天啓を受けたような体験だった。持ち前の能力と努力、骨身を惜しまず研究にまい進する姿で、たちまち受け入れられ、一目置かれるようにさえなった。無言の敵意もなければ、自分が人よりすぐれていると思ってはならないというあのスカンジナビア特有の「ヤンテの掟」もない。なんという解放感。いまは、こうして受け入れてもらえたことに日々感謝して過ごしている。ここは第二の祖国だ。

エリクの言葉が途切れがちになってきた。ここらで何か言わなくては。

「その分野の最新事情にはうとくて。いろんなことが起こっているようね。ところで、ウッラは博士課程を終えたんでしょう？　それにトーステンも。ふたりがどこへ移ったか知ってる？」期待に反して、エリクは以前の院生仲間についての気楽なおしゃべりには乗って来ない。

「状況はほんとうにきびしくなってきてる。雰囲気もよくない。まともな雑誌に論文を発表するのはほとんど不可能だ。少なくとも僕にはね。雑誌の編集者なんて、『新しい識見が十分ではない』とかなんとか言うばかりで、まったく上っ面しか見ていないんだよ。彼らに何がわかるって言うんだ」辛辣な口調で言う。「ほかのラボの論文のほうがましだとは思えないのに、そっちが掲載されるんだ。ニルスが連絡担当著者だったときのほうが楽だった。まさに大御所だったからな」

カレンはこういう話題にはあまり深入りしたくない。実は以前の研究分野の近況には注意を払っていて、エリクやニルスの仕事、つまりかつてのカレンの専門分野そのままの研究は、少々時代遅れになりつつあると思っている。でも、エリクには絶対、そんなことを言うわけにはいかない。彼の気持ちを傷つけたくない。彼は古巣にとどまって徐々に梯子を上って行くという安全な道を選んだ。院生時代もポスドクとしても、ニルスのもとで過ごし、いまは准教授になっている。ニルスはきっとエリクをとても高く評価しているのだろう。だがそれは、エリクがニルスのオリジナルである小胞研究にずっとべったりだったということでもある。細胞遺伝学が取り入れられるようになってはいるが、大きな革新は望めない分野だ。既存の道から踏み出すことなくやってきて、ふと気づくと周りはもう踏み荒らされた地面だけというわけだ。カレンにはそんなふうに思えてしかたがなかった。

話題を変えようと、カレンはビルに顔を向けた。「わたしの料理長さん、何か手伝えることはない？」ビルはかぶりを振った。とてもおいしそうな匂いがし始めている。おなかがペコペコ。わたしの好きな中東風のベジタリアン料理ができあがるところらしい。

「ごめん」とエリクが言う。「愚痴って悪かった。研究会に出たせいで不安になったんだと思う。あまりにもいろいろなことが起こっていて、ついて行くのがやっとなんだ。専門分野のなかでさえもね。それに、僕がやろうと思っていたのと同じようなことをやっている人がどっさりいて。だからその……」

「実は、わたしはここしばらく研究会には出てないの」カレンはまたエリクに向き直った。「まだ発表するような中味がなくて。ポスドクになってから掲載された論文もまだないし」

「でも、少なくとも君はトーマス・パーマーのラボにいる。研究環境としちゃ、申し分ないよ。アメリカにはいろんな可能性があるしね」

「そうね。確かにチャンスには恵まれたほうね。それでも、何でも自分でやらなくてはならないのよ。手伝ってくれる技官の大群がいるわけじゃないから。それにトムはプロジェクトを企画したり主導したりはしない。わたしたちポスドクは自分でテーマを見つけなきゃいけないのよ」まるで、今度はカレンが泣き言を言ったり、エリクに張り合って愚痴ったりしているように聞こえてしまいそうだ。でもそんなつもりはない。「もちろん、いまの状況に不満があるわけじゃないのよ」とすばやくつけ加える。「いずれにしろ、定職のある夫がいてよかったわ」見るとビルが面食らった顔をしている。ちょっと浮ついた発言だったかしら。

「なんにしろ、きっといい結果になると思うよ。それに、いざとなったらすごい論文が出るんだろうな」エリクが如才なく言う。

「そうだといいけど。ちょうどいま、おもしろいことをやろうとしているのよ」と言いつつ、研究内容についてあまり話したくないと思っている自分に気づいて愕然とする。そこで、冷蔵庫の扉を開いて、開けてあったワインを自分のために一杯ついだ。

「テーブルをセットしましょうか?」とビルの背中に声をかける。「そろそろアショクが来るころよね」エリクのほうを向いて、「アショクとは気が合うと思うわ。すごくおもしろい人。ビルの同僚なの」とつけ加える。

するとまるで合図を待っていたかのように、ブザーが鳴る。「きっと彼だわ。もうそんな時間になっていたなんて気づかなかった」出迎えようとドアに急ぐ。

カレンはふたりを引き合わせた。生き生きした黒い目、背が低く針金のように痩せたインド人のアショクが、驚くほど大きくて毛むくじゃらの手を、長身で色白、わずかに及び腰のスウェーデン人に素早く差し伸べる。質問と答えが二言三言交わされると、相手の仕事やカレンやビルとの関係について、お互いに納得がいったようだ。ビールよりワインが好きだと知っていたので、カレンはアショクのためにワインのグラスを取りに行った。戻ってみると、アショクはもう、家族についてエリクに尋ね始めている。アショクは人生行路のすべてに関心があるようで、何か壮大なプロジェクトにでも取り掛かるかのように、一つひとつのできごとを位置づけたり分析したりする。ひょっとするとそんなプロジェクトがあるのかもしれない。定かではないけれど。少なくとも、お客同士の気楽な会話にはちょうどいい。カレンは喜んでアショクに会話の主導権を譲った。

手伝いが必要かどうか見ようと、カレンはキッチンに戻った。手伝いはいらないとわかったが、そのままキッチンに残って、ビルに追加のハグをする。エリクをどう思ったか、小声で訊いてみる。答えの代わりに、いろいろな料理をひとくちずつ差し出された。ビルは紳士だから、人を性急に判断しがちなカレンの尻馬に乗るようなことはしないのだ。了解。カレンはそれ以上追及せずに、カラフルな盛り合わせや香ばしい料理をディナーテーブルに運び始めた。

ビルの中東風料理は大好評で、それから2時間ばかり、一同はゆっくり食事を楽しんだ。追加のフラットブレッドを温めるためにカレンは時折キッチンに引っ込んだが、会話を聞きのがしたくなくてすぐにテーブルに戻った。アショクが、お気に入りのテーマのひとつである科学的探究の本質のほうへと、会話を引っ張る。

「いいかい、ここにはほんものの科学者がふたりいるんだよ」ビルが人懐こい笑顔で煽る。「僕を勘定に入れなくても。だから、へたなことは言えないよ」そしてエリクに向かって説明する。「アショクは僕らよりずっと科学に詳しいんだ。なにしろ、科学について考えるのが仕事だから。科学哲学についてのとても興味深い講座の担当でね。たぶん、専門課程向けの講座では一番高度な部類に入るね」

「お世辞はよしてくださいよ、ビル。一番人気の講座でないことは確かですね。でも、僕は実際、科学が大好きなんです。科学を研究することがね」

「でも、あなた自身が実際に科学をするわけではないんですね？」エリクが尋ねる。

「実験はしません。それはあなたやカレンのような人たちに任せますよ。僕が惹きつけられるのは、知識を獲得する過程とでも呼ぶべきもの、とりわけ科学的な手法です。実に驚くべき、予想外の働き方をしますからね」

「どうして予想外なんですか？」

「それはですね、愚直だからですよ。世界について、少しばかりの論理的形式を別にすれば何も知らないと言明することからスタートするという意味で、愚直なんです。数学のような理論科学を除けば、科学的な手法で世界を理解することは、いわば愚直で手際の悪いやり方なんですよ」アショクはおもにエリクに向かって話している。エリクの疑わしそうな表情にも、一向にめげる気配はない。

「自然界を理解するには、まず観察をする必要があります。その上に推論や仮説を構築するわけです。人はものごとが特定の順序で起こることに気づく。サッカーボールをある角度で蹴ると右前方へ飛んで行くというように。そうしたできごとが重なると、ある結果を予想し、因果関係についての仮説を立てられるようになるわけです」

「でも、どうしてそれが愚直なんです？」

「しばしのご辛抱を。いまからそれを言うところですから。素人であれ、科学者、はたまた狂信者であれ、誰もが因果関係に頼って、ものごとがなぜ起こるかを説明します。ここで大事なのが、何があなたに、ある説明が真実であると受け入れさせたか、そして次に、どのようにしてあなたは単純な因果関係を超えて、自然界を記述するのかということです。何もかも説明できる手の込んだ理論を構築しますか？　宗教ならこうしたことすべてをしてくれますがね、もちろん」

「宗教なんておとぎ話ですよ」エリクが断言する。

「たぶんね。肝心なのは、無数の説明があるかもしれないことです。どの神が、いつ、どうやって、といった具合に。それに代わるのが、科学的な手法を使うこと、つまり、知らないということからスタートし、次に観察し、測定し、問いを発することですね。最後に、なんであれ推論、あるいは予想を実験で検証します。そして答えを尊重します。ただし、実験で直接明らかになることしかわからないということを受け入れなければなりません。それ以上は決して知ることができないのです。これがつらいところです。自分がほんの少ししか知らないと認めなければならないからです」

「たいていの人は、科学のおかげで人類はたくさんのことを知っていると言うのでは？」とエリク。

「たくさん知っているか、少ししか知らないかは、一概には言えないのではないでしょうか。でも、技術的な部分を、より深遠な知識から切り離して考えてみましょう。僕たちはたいてい、因果関係があれば気づきます。たとえ、因果関係がなぜ、あるいはどのようにして働くのか完全には理解していなくても、ちゃんと使える程度には知っているわけです。でも、世界についてそう考えるようには教えられていません。ウォルパートを読んだことがありますか？　彼の著書『The unnatural nature of science』はこのテーマを扱った実に興味深い本です。科学について学校で教える際には、身につけるべきその他すべての知識と同じものであるかのように教えます。だから学生には違いがわかりません」

「何と何の違いです？」

「何かを真実だと確信しているのは、それが真実だと教えられたからか、それとも、証明されたことで真実だと納得したからなのか。そのふたつのあいだの違いです。DNAを例にとってみましょう。いまではほとんどの人が、個人の特定や特徴づけにDNAが使えることを知っています。高等教育を受けた人なら、どのような仕組みになっているのかさえ、ある程度知っているかもしれません。でも、そうした知識と、憲法や大統領職、民主主義の価値などについての知識とどこか違いがあるのかどうか尋ねられても、答えることができないでしょう」

「そうは思わない」とカレン。「人々はちゃんと違いがわかっていると思う。DNAは科学に属していて、その役割は証明できる。政治的な見解、あるいは信仰の問題については、多少の事実とたくさんの意見があるけれど、証明されたことはひとつもない。きっとそう答えるわ。ある説明が正しいと教えられることと証明されることのあいだには違いがあるって、わかっているのよ。たとえ、誰もが科学的な証拠を直接評価できるわけではないとしてもね」

「オーケー、そうかもしれませんね。でも僕が言いたいのはこういうことです。科学的な証明が実際には何からできているのか、人々は理解しているのでしょうか？」

「証拠、実験」とエリク。

「そうです。でも実験はふつう、科学的な仮説の誤りを立証するためにしか使えないし、まさにそのことを目的にデザインされるべきものです」一同をリードしてここまで引っ張って来たことにアショクはご満悦のようだ。「もちろん、科学者であるあなたがたなら、ご存知ですね。それに、あることが誤りだと証明されたからといって、その逆が正しいと証明されたわけではないこともご存知でしょう。考えもしなかった妥当な説明がありうるのです。科学的に受け入れられた説明が、その後誤りだったと証明されることがよくあります。用いられる手法の性質からして、当然ですがね。これは、科学が最終的な説明を与えてくれるものではないということも意味します。入手可能なデータといまのところ矛盾しない、ひとつの有力な解釈を提供するだけなのです。オッカムのカミソリの譬えはもちろん、ご存知ですよね」

「考えられる説明のうち、一番単純なものが好ましい」カレンが律儀に答える。

「もっと正確には、必要な前提条件の一番少ないものということです。それが、最初に取り組むべきものです。あなたはその説明が誤りであると証明できるでしょうか、それともそれは観察結果と一致するでしょうか？　でも、たとえある説明が誤りであると証明できず、したがって受け入れるしかなかったとしても、その説明はのちに正しくないと判明するかもしれないわけです」

「そうですね」とエリクが譲歩する。「しかしそれはあくまでも理論上のことだし、それだと、科学があまりにも成り行き任せのように見えてしまいます。まるで、僕たちにはごくわずかな知識しかなく、しかもそれさえも時の審判に耐えられないかのように。それは正しくありません」

「その気持ちはわかります。でもそんなふうに思えるのは、ひとつには、僕たちが世界についてのデータを非常に多く持っているからです。それが、世界についての現在の解釈にきわめて大きな予測力を与えているからなのです。もちろん、生物学の存在が事態を複雑にしています。それについてはビルにいろいろ教えてもらいました」

ビルがここまでの会話の意義を認めるようにうなずき、短く要約する。「可変部分があまりにも多く、未知の要因があまりにも多い」

「そうです。さまざまな要因を残らず予測することはできません」アショクはいったん言葉を切ってから、これまでとは違う、かすかに揶揄するような調子で続けた。「さぞかしつらいことでしょう、統計学に頼って、誤っている可能性がそう高くはないと教えてもらわなければならないなんて」

「なんとかやっていけるわ」カレンは自嘲気味に答えた。アショクとは以前にも統計学について議論したことがある。意見が合わないという点で意見が合ったのだった。

「でも、僕は心配なんですよ」アショクはまだ真剣な議論を続けるつもりらしい。「誰もが統計学を使ってものごとを検証し、その結果、答えが得られたと考えるなんて、どうかと思いますね。自分の解釈が正しいということにはならないのに」

「ここはフェアに行きましょうよ」とカレンが抗議する。「誰でも知っていることだけど、統計学はさまざまな理由から必要よ。たとえば、統計を使えば、偶然にも都合のいいできごとが起こったせいで効果があったと早とちりしているのではないと、確信が持てるわ」

「ああ、たぶんあなたにはわかっているんでしょう。でも僕は科学者一般についてはそこまで信じきれないんですよ。それにもっと広い意味で、多くの科学者は科学的な手法の原理や限界についてごくわずかしか知らないように思われます。あなたがたの多くが、適切な理論的基礎知識もなしに科学という専門職の実践を許されているなんて、少しばかりショックですね」アショクはいたずらっぽくほほ笑んだ。

エリクはまだ、当惑したような顔をしている。何か言いたいことがあるようだ。一瞬ためらったあと、アショクのほうを向いた。

「となると、現状にはあまり満足していないように聞こえますね？　何事も証明されず、統計学は誤って使われている。それならなぜ、あなたは科学的な手法をそれほど好ましく思うんですか？」

「失礼して横道にそれることをお許し願えるなら、そう、僕は科学的な手法が好きです。実はふたつ理由があります。ひとつは自然や宇宙への敬意です。あなたがた科学者は、何かを知っていると決めつけたりはしない。世界へのそうしたアプローチのしかたは、心を解き放つものであると同時に謙虚なものでもあると思うのです。とりわけ、多くのひねくれた野心家と比べるとね。一部のグループなど、自分たちはあらゆる人にとって何が正しくて最善かを知っていると思い込んでいるのですから」

「科学者のこともそんなふうに見ている人が多いようですが」

「科学者個人についてなら、ひょっとするとそうかもしれません。でも、科学の手法については、違います。先ほども言いましたが、何かを科学的に研究する場合、あなたがたは常に、答えを知らないと認めるところからスタートします。観察し、もしものごとに因果関係があるようなら、それはどのような関係なのか、仮説を立てます。ただし、それは第一段階に過ぎません。その後、その仮説が誤りであると証明できるような実験を行って、自分の考えを検証する必要があります。そして、たとえ結果が自分の考えに合わないものであっても、実験結果を尊重しなければなりません。あなたは間違っているとデータに告げられたら、それを受け入れる義務があるのです。そうした結果は、前進するための足掛かりでもあります。あなたがた科学者は勇敢にそれを受け入れなければなりません」

「僕らの大半がそれほど勇敢かどうか、自信がありませんね」とエリク。「自分たちのささやかな実験で現在の世界観に挑戦しているというわけではありませんから。細かな部分に色づけしているというほうが近いですね」

「何か思いもかけないことを見つけるまでは、ということでしょう?」アショクがニヤリとする。

「予想通りの結果はつまらない。違いますか?」

「あら、これであなたが実験大好き人間じゃないことがはっきりしたわね」カレンが見るからに満足そうに言う。「首を長くして結果を待つのは、ほんとうにワクワクするものよ。つらい作業も報われるわ。あることがどう働くのか、何かアイディアがあると想像してみて。あなたはまだ誰も気づいていないつながりに気づいたのかもしれない。そこで、そのアイディアを検証しようとする——果してあなたは正しいのか、間違っているのか——それはまだわからない。もし正しいということになれば、自然界の一部がどのように働くのかについての説明を見つけたことになる。それは驚くほどの満足感を与えてくれるの」。アショクが口を挟もうとするが、カレンは彼の反論を見越している。「わかってる。手にしたのは事実と矛盾しないひとつの説明であって、必ずしも正しい説明とは限らないって言いたいんでしょ？　でも、いまやアイディアはもう単なるアイディアではなくて、実験結果という証拠の裏づけがあるのよ。アイディアを思いついて、しかもそれを実験で裏づけるなんて、信じられないくらいすごいことだわ」カレンは「しかも」を特に強調した。「そういうことを何かで読むのより、遥かにワクワクする。科学の実践がこれほど特別なのは、それがあるからよ」そして急いで続けた。「そのほかにとても大きな満足感を与えてくれるのは、すばらしい実験をデザインする部分ね。〝どんぴしゃり〟の実験を考え出せたとわかったときは、それこそ、〝やった！〟って思うの。実行可能で、エレガントで、アイディアを疑問の余地なく検証できる実験をね。わたしにとってそれは、それこそ、夢のような瞬間よ」一呼吸置いてから、思いついたようにつけ加える。「正直に言うと、そうした瞬間に出会える可能性がないとしたら、ラボで働くのは恐ろしいほど退屈でしょうね」

「でも君はいつもラボに戻って行くじゃないか！」とビルが反論する。

「それはわたしがいま、自分の実験をしているから。わたしのアイディアを検証中だからよ。ただ実験をしているのとは違う。実際、技官として働いていた数カ月は、実験がいやでたまらなかった」いったん言葉を切って続ける。「ごめんなさい。ちょっと興奮しちゃったみたい」アショクのほうを向いて、「で、科学が好きなふたつ目の理由って何？　それとも、科学的手法がって言うべきかしら」と言う。

「ああ、実はひとつ目と関係があってね。予想外の結果が出る可能性ですよ。僕たちはたいしたことを知らないわけだから、何かまったく新しいことを発見する可能性が常にあります。すでに答えを手にし、それを固く信じているなら、もうどこにも行く所はありません」

「原則として、賛成ね」とカレン。「実際には、その時代のパラダイムから大きく外れる人はめったにいないわ。幸い、小さな発見にもそれなりの意義があるから」

「思うに、大きな発見はたいてい、仮説の検証中に出た予想外の結果というより、偶然観察されたことが引き金になっていますね」とエリク。「ほら、抗生物質が発見された経緯を考えてみてください。まるで夢物語だ。それに、シスプラチンのような薬がどのようにして見つかったか。いまではがんの治療に広く使われている薬です」

「でも、そうした観察結果もやはりこのカテゴリーに入るのではないでしょうか？　予想外の結果というカテゴリーに」とアショクが尋ねる。

「そうですね。でも現実の世界では、つまりラボでは、細かい部分が予想ときっちり一致しないということがとても多いものです。大半は人為的なミスとかなんらかのばらつきに原因があります。そうした予想と一致しない結果のうち、どれが真剣に取り上げるべきものなのか、見分けるのはむずかしいですね。もちろん、わたしたちは誰でもそんな発見を望んでいますよ。新たな抗生物質とか、RNAiによる遺伝子機能抑制技術（ノックダウン）の発見のようなものをね」エリクの言葉には希望より後悔が込められているようだ。

「ここで頭に浮かぶのが、実験科学に君臨する強力な支配者ね」カレンは注意を促すようにいったん言葉を切った。「それは再現性。あることに気づいたとしても、あなたはそれを再現できるか？もちろん、ここでまた統計学が顔を出すわけだけど、再現性は基本ツール、闇を照らす光だわ」からかうような笑みをアショクに向けてから、まじめな顔に戻って続ける。「でも、データ、つまり実験結果を尊重することについては、あなたの言う通りね。データに手を加えたり、誤解を招くような提示の仕方をしたりしてはいけない。そこは絶対に守らなきゃ。都合が悪い結果を受け入れるのはつらいわ。自制心がなくてはできない。でも、それができないなら、それは科学とは言えない。実験結果に対する敬意は神聖なものなのよ」

「つまり、真実が神聖なのではなく、手法が神聖なのだということですね？」アショクが指摘する。

「そんなところね」カレンは急に関心を失ったようだ。アショクがやんわりと促す。

「当ててみましょうか。あなたの仮説を検証する決定的な実験が進行中なのではありませんか？」

「ええ、実はそうなの。そのことが頭を離れなくて」

「それはぜひ、聞きたいですね。でも、昔ながらのゼネラリストのために簡単に願いますよ。しゃれた専門用語は抜きで。僕にはちんぷんかんぷんですから」

「わかった。発想は実はとても単純なのよ」とカレンは話し出した。「細胞が、正常な組織内のようにほかの多くの細胞と一緒にいるとき、生き続けるか、それとも死ぬ、つまり自殺するか、どうやって決めているのか？　わたしはそれを理解しようとしているの。分泌因子ならそれを制御できる。細胞の周囲に当たり前に存在する分子で、一部の細胞によって作られ、その他の多くの細胞に影響を与えるものね。心配しないで、細かいことまで触れるつもりはないから」カレンはアショクにチラッとほほ笑んだ。ビルはテーブルの上を片づけ始めた。この話はもう知っている。

「わたしはもともと細胞生物学者としての訓練を受けたの。一部は彼のおかげね」カレンはエリクのほうにうなずいてにっこりした。「だから、小さな人工組織片を作ったとき、死ぬ細胞と死なない細胞とのあいだの挙動の違いを探そうと思ったわけ。細胞に標識をつけるのにある方法を使ったら、一部の細胞のあいだに、とても細くて、とても長い結合部分があるのに気づいたわ。その後、山ほど動画を撮ったら、そうした結合を持つ細胞がその他の細胞よりもずっとよく生き残ることがわかったの。すぐ隣の細胞よりもずっと遠くの細胞との接触を可能にするような結合ということよ」

「その〝結合〟というのは何なんだい?」エリクが明らかに引用符つきとわかる質問をした。

「ええと、新しい種類の結合よ。わたしの知る限り、まだ記述されたことはないわ。ほんとうに細いの。いまは、こうした結合がどのように作られるか、何からできているか、そしてどんな動きをするかについて、細かいことがいくらかわかったところね」

「ワオ、すごいね」エリクが思わず声を上げた。

「そうよ。実際すごいの。とにかく、相関関係を示す統計学上のしっかりした証拠があるのよ。結合があれば、細胞は死なない。でも、結合を持たないその近くの細胞は死んでしまう。関与している分子については、ストーリーを現代細胞生物学で十分受け入れられるものにできる程度のことは、わかっているわ。それでも、この細い結合そのものが細胞の生存に必要だと証明しなければならないのよ」

「では、あなたの一番大事な実験というのは因果関係に直接関わるものなんですね?」わかったというようにアショクが言う。

「そう、まさにその通り。わたしがやろうとしているのは、ピンポイントで標的を狙えるレーザー光線で結合を切断して、細胞がその後、異なる挙動をするかどうか見ることなの。ほかの細胞のように死に始めるのか? もちろん、切断はとてもそっと行わなければならない。言ってみれば、傷口から出血しないようにね」

「そしてもし結合を切断したあとも細胞が同じ挙動をするなら、あなたの仮説が誤りだと証明されるわけですね?」

「その通りよ。科学の標準的な手法ね。仮説が誤りであることを見事に証明できるというわけ。でなければ、仮説を支える根拠が手に入る。仮説が正しいという証拠が得られるわけでないのはもちろんよ。結合が切断されて細胞が死んだとしても、別の理由で死んだ可能性もありうるのだから。でも、もしこの実験がうまくいって、思った通りの結果になったとしたら、それはほんとうにすごいことだわ。だから、わたしがなぜ、予想通りの結果が出てほしいと言うかわかるでしょ? もしそうなれば、とても説得力のあるストーリーが手に入るのよ」

「じゃ、切断をまさにするとなったら、ずいぶん興奮するに違いありませんね」

「そうよ」とカレンは笑う。「興奮と恐怖。それを交互に感じるわね。技術的にむずかしい実験だし、条件をまだ完全に正しく設定できたとは言えないし。でも一生懸命がんばっているわ」いったん言葉を切って続ける。「要するに、もし仮説が誤りだと証明されたら、もし結合が切断されようとどうしようと細胞は気にしないというなら、わたしはもう終わりだってこと。このプロジェクトはおしまい。形の上では、理屈の上では、一歩前進になるのかもしれない。でも現実には、発表すべきものが何もないということになる。出発点に逆戻り、3年間の仕事が無駄になるのよ。論文発表もなし、就職の見通しもなし。だから、そう、とても怖い。これが大胆なプロジェクトの現実ね」最後の言葉の重苦しさとは裏腹に、カレンは覚悟を決めたようなほほ笑みで話を終えた。

「興味深い話だね、カレン」エリクが先ほどよりいくらか冷静になった口調で言う。「その結合の構造に興味があるし、どんな分子が関与しているのかも知りたいね」アショクのほうをすばやく一瞥して、つけ加える。「よかったら、明日の朝、話してくれないかな?」

「もちろん」とカレンは請け合ったものの、かすかな不安を覚えた。エリクは細胞生物学の学会と1万人の熱心な科学者のもとへ向かうのではなく、家路につこうとしているのだし、第一、彼は友人だ。それでも、これはまだ全然発表していないことなのに、教えてしまっていいのだろうか?

「トルコ・コーヒー、どうかな?」ビルが美しい銅のポットとそれに合う小さなコーヒーカップ、おいしそうなサクサクのバクラバを山盛りにしたお皿を持って、戻って来た。話題が変わって助かった。

第5章

「クロエ、トムが来てほしいそうよ」

トムの秘書のダイドラがクロエとホアンの区画の端に来て立ち止まり、実験台から安全な距離を保つようにして言う。

「何かしら？　あなた知ってる？」

「いいえ、トムは何とも言ってなかった。でも、大事なことみたいよ」

ダイドラがなぜ、ラボで行われていることをそんなに怖がるのか、クロエにはさっぱり理解できない。だが、不必要にラボに引き止めないだけの親切心は持ち合わせていたので、すぐに立ち上がって、ダイドラの後についてラボを出た。

行ってみると、トムは見た目のよい男性と丸テーブルを囲んでいた。男性は30代後半と思われ、髪は焦げ茶色、きちんと整えられた頬ひげが目を引く。アイロンのかかったオフホワイトの麻のシャツを身につけているが、ネクタイはしていない。古風な剥ぎ取り式のメモ帳にメモを取っている。ということはたぶん科学者ではないし、間違いなく管理スタッフでもない。クロエが入るとふたりとも立ち上がった。

「ほら、彼女がそうですよ」トムがうれしそうに顔を輝かせる。「クロエ、こちらはフランク・ロックウッド。『ニューヨーク・タイムズ』の科学記者だよ。君の『ネイチャー』の論文について取材したいそうだ」お客のほうに振り向く。「ところで、論文は1カ月前に受理されたんですが、掲載されるのは1月初めになると思います。報道解禁日とか何とか、もろもろのことについてはご存知でしょうね?」

「ええ、もちろん」とフランク。落ち着いた気持ちのいい声だ。「記事は解禁日のすぐ後、その週のうちに出すつもりです」片手を差し出しながらクロエのほうに歩み寄る。きびきびと握手しながら浮かべたほほ笑みには、ほんものの温かみがこもっているようだ。「お会いできてうれしいです」

「わたくしも」

「この論文は君の手柄だって、話していたところなんだ。だから、わたし相手に時間をつぶすより、君と話してもらったほうがいいと思ってね。ラボについては少し紹介しておいたから、君は論文について話すといいよ」

「はい、喜んで」『ニューヨーク・タイムズ』にはしっかりした科学記事のコーナーがあることをクロエは思い出した。では、フランクはちゃんとした人で、科学を理解し、その価値がわかる科学記者に違いない。トムはどうやら別の用事に取り掛かりたいらしく、立ったままだ。そう気づいたクロエは、フランクを廊下の先の小さな会議室に案内した。彼を残して急いでデスクに取って返し、ラップトップを取り上げる。

戻ってみると、フランクはメモを読み返していた。真剣な意欲満々の表情ですばやく目を上げる。すばらしい、とクロエは思った。もう有名な教授が相手ではないとわかっても、がっかりしていないようだ。ふたりだけなので、クロエはフランクの横に腰を下ろし、一緒にスクリーンを見られるようにラップトップを置いた。パワーポイントを使ったプレゼンテーションを開くと、フランクが手振りで待ったをかけた。

「クロエ、時間を取っていただいてほんとうに感謝しています。でも、まずこちらの狙いをお話ししておいたほうが、実り多い取材になると思うのです」。クロエにはピンと来た。たぶんこの人は、すぐにパワー全開で研究発表をしたがる科学者の習性を知っていて、なんとかその45分のセミナーを避けようとしているのだ。「あなたの論文はもう読んであります。パーマー博士がコピーを送ってくださったので。内々に、ですよ、もちろん。いま知りたいのは、この発見に対するあなたの思い、あなた自身の言葉で語られるストーリーです。Ｊｍｊｄ10をどうやって見つけたのか、それがＭｙｃを介して作用すると、どのようにして考えついたのか、がん細胞にとってこれがどのような意味を持つと考えておられるのか、その辺のことを話してください。さらには、この薬の将来性についてもお聞かせ願えれば幸いです」。しっかり予習をしてきたようだ。大変結構。

「もしあれば、ちょっとした裏話もあるといいですね。それから、差し支えないようでしたら、ところどころで質問をさせてください。易しい言葉に言い換えたほうがいい場合があるかもしれませんから。一般の読者にも理解できる記事にする必要がありますからね」少し言葉を切ってから続ける。「ところで、見事なお仕事ですね。僕はがん生物学で博士号を取ったので、今回の取材はまさに勝手知ったる小道なんです。いや、〝でした〟と言うべきかな。僕自身が研究にのめり込んでいたのはもう8年も前のことなので。これはほんとうにすごい研究だと思いますよ」一息ついて、「ですから、この研究をひとつの論文にまとめる際に重要だと思われたことは、どんなことでも話してください。そこから僕が、あなたの発見の科学的側面と人間味あふれる側面との両方を読者に伝えられると思うものを抜き出します。半ページの記事に盛り込める量はたかが知れていますから。印刷に回す前に、あなたとパーマー博士には記事の草稿をお送りしてチェックしていただくつもりです」

というわけで，安心したクロエはスライドを使わずに話し出した。

「わたしは，腫瘍の増殖を制御する遺伝子を探し始めました」

「では，そこを出発点にしましょう。細胞の成長やがんの増殖に影響を及ぼす遺伝子はすでにたくさん見つかっていますね。なぜ，さらに探そうと思ったのですか？」

クロエは一瞬，言葉に詰まった。意表を突かれたのだ。自分の仕事に正面切って疑問を投げかけられるとは思ってもいなかった。でも，考えてみればもっともな疑問だったから，できるだけありのままに答えようとした。

「正直に言うと，わたしの望みはただ，何か新しいもの，何か将来性のあるものを見つけることでした。そうすれば，独自のささやかな研究分野を開拓できるから。でもわたしには，探究したい制御遺伝子を見つけるための具体的なアイディアもあったの」

フランクがうなずく。

「ヒトゲノム中のあらゆるタンパク質コード遺伝子を対象としたスクリーニングを設定したのよ。それらの遺伝子の発現をノックダウンして，腫瘍細胞の生存や増殖に特異的な効果を及ぼすものを探したわけ」

「なるほど。その途方もないスケール，2万近い遺伝子を調べたということを読者に知ってもらう必要がありますね」

「ええ，でも一つひとつ調べたわけではないのよ。まず，それぞれ20個の遺伝子を標的としたプールを使った。それでも，調べるべきプールは千以上もあるわけだから，大仕事だった。終わりがないように思えたものよ。ともかく，おっしゃるように，多くの腫瘍関連の制御遺伝子がすでに同定されている。ノックダウンスクリーニングを使う手法も、目新しいものではないわ。わたしが思いついたのは、体内と同じような条件のもとで腫瘍の増殖を調べるというアイディアなの。プラスチックの培養プレートの平らで硬い表面ではなく、組織に似た柔らかい3次元の、つまり3Dのゲルの中で細胞を増殖させることにしたのよ。このように物理的にまったく異なる条件のもとでは、細胞はとても違った挙動を示す。だから、プラスチックプレートを使わないことで、新しい道が開けるのではないかと思ったわけ」

「もっともな線ですね。他の研究者はなぜ、そうしてみなかったのでしょう?」

「定番のプラスチックプレートはとても使いやすいからでしょうね。袋から取り出すだけでいいし、細胞も毎回きちんと増殖する。3Dゲルで実験をするのはずっとむずかしくて、結果も一定しないのよ」クロエは詳しく説明してからつけ加えた。「もうひとつ、通常と違うのは、ただ増殖率の低下を調べるだけでなく、アポトーシスを起こして死ぬ細胞を直接探したことね」

「細胞死、細胞の自殺ですね」

「そう、探したのはそれ。腫瘍細胞を騙して自殺に誘い込むってわけ。その方法を組み込むのに余分な手間がかかったけれど、いったん始まると、有望なプールを拾い出すのはずっと楽なことがわかったの。細胞死を示すマーカーのおかげで、はっきり見分けがついたから」

「確かにそうですね。これで、あなたの手法の考え方をうまく紹介できそうです。標準化されていないやり方でこうしたことすべてをするには膨大な量の仕事が必要だったことも、さりげなく伝えられるようにしましょう」

「膨大な量、まさにそうね。人生の2年間を、何度も何度も検定を繰り返す以外、ほとんど何もしないで過ごしたようなものだもの」思い出して、かすかな笑みを浮かべてかぶりを振る。「でも、実は、こういうふうにして新しい遺伝子を特定できるっていうヒントが前もってあったの。そうでなかったら、こんなことするなんて、正気の沙汰じゃなかったでしょうよ」

「で、当たりはいくつあったんですか？　どれに集中すべきか選ぶのは簡単でしたか？　あなたが選んだ……」メモ帳を見て「Ｊｍ：ｊｄ10は他とはどこか違っていたんですか？」

クロエは笑い声を上げた。「わたしはいつもジム・ディー・テンって呼んでいるの。そのほうが言いやすいでしょ」

フランクはそのニックネームが気に入ったらしく、メモを取った。クロエはジム・ディー・テンをどのようにして同定したか、それについてどんなことがわかったかを説明した。

「だから」と締めくくる。「要するに、ジム・ディー・テンは腫瘍細胞が３Ｄゲル内で増殖するときにだけ、必要なの。同じ細胞が平らな組織培養プレートで増殖するときには、そんなものなくても平気なのよ。とても興味深いわ。わたしがやったようなスクリーニングがすぐれたアイディアであることもわかったし。それに、何よりすごいのは、正常細胞、つまり腫瘍化しない細胞もジム・ディー・テンを必要としないように見えることなのよ」クロエは思い出したようにニヤリとした。

「なるほど。完璧なターゲットが手に入ったとわかったわけですね。腫瘍細胞には必要だが正常な細胞にはなくても平気な遺伝子が。すばらしい」

「その通り。マウスの体内ではどうなるかも調べたわ。幸い、ジム・ディー・テン突然変異マウスを作っている会社があったの。このマウスはまあまあ正常なんだけど、軽い急性放射線症候群にかかっているように見えるのよ。ほら、消化管とか髪とか血液のように、細胞が絶えず交代している組織に問題を抱えているわけ。もっと詳しく話してもいいけど、一番大事なのは、こうしたマウスはもともと多かれ少なかれ腫瘍ができやすいこと」

「ええ、いまは腫瘍に焦点を絞りましょう」

「そうね。化学発がん物質を使えばマウスの皮膚に腫瘍を誘導することができるわ。ちょっとかわいそうだけど、とても信頼性の高い試験法なの。ジム・ディー・テン突然変異マウスには原則として腫瘍ができなかった。これは驚くべきことよ」クロエはじっと彼の顔を見て、ちゃんと注意を払っていることを確かめた。「ジム・ディー・テンを少ししか持っていないというだけで、腫瘍ができずに済んだのよ。ついにやったと思ったのはこのときね」歓喜の表情がクロエの顔をさっとかすめた。

「ちょっと整理させてください」とフランク。「あなたは、腫瘍細胞が3Dゲルの中で生き残り増殖するのに特に必要な遺伝子を見つけたわけですね。その遺伝子を取り除かれたマウスは発がん物質に抵抗性を示し、それはヒトのがんとも関連があるという有力な根拠となる」

「効果を発揮しているのは、その遺伝子によって発現する酵素だということも忘れないでね」クロエが遮る。

「もちろんです。医薬品とは、酵素の働きを妨げる小さな分子であることが多いという説明をつけ加えることにしましょう。ジム・ディー・テンは薬のうってつけの標的になりうるわけですね。そしてあなたは確か、ジム・ディー・テンの阻害剤である小さな分子を実際に特定したんですよね」

「ええ、わたしが、というかわたしたちがね。でもちょっと先を急ぎすぎ。ジム・ディー・テンの実際の働きをわたしがどうやって突き止めたか、説明させて」声に思わず誇らしさがにじむ。ここは大事な部分だ。

フランクには、この後に続く説明の大半は記事には使えそうもないとわかった。クロエは基礎生物学に関わる部分をもっと掘り下げて話したがっている。彼女にとってはワクワクする話題なのだ。記事にするには詳細すぎるとしても、使える部分があるかもしれない。そう思ったフランクはクロエの好きなように話させ、専門分野というと薀蓄を傾けたがる傾向が自分にもあることを思い出した。そしてクロエは、思わず引き込まれるような物語を語り始めた。ジム・ディー・テンの作用を理解するために、膨大な観察結果を総合し、推測を検証するための巧妙な実験をデザインしながらたどった旅の物語。まるで高度な犯罪捜査のようだ。フランクは途中でいくつか質問を差し挟み、よく知られたがん遺伝子のＭｙｃに対するジム・ディー・テンの作用に話が差し掛かると、またメモを取り始めた。

「するとジム・ディー・テンはＭｙｃに作用を及ぼすんですね。トムはさぞかし喜んだに違いありませんね。ずいぶん前から取り組んでいた分子が再び脚光を浴びることになったわけですから」

「ええ、トムはその時点でプロジェクトにとても興味を示すようになったの」クロエはいったん言葉を切った。

「そうでしょうね。では、阻害する小さな分子に戻りましょう」とフランクが促す。

「もちろんわたしたちは、Ｍｙｃ活性に必要な酵素を操作できる可能性には気づいていたわ。ジム・ディー・テンの阻害剤なら、すぐれた抗がん剤になるはず。本学の化学者のクマール・シンが、そうした酵素を阻害する小さな分子を開発していたので、彼の化合物をテストしてみた。そうしたら、そのうちのひとつがジム・ディー・テンのすぐれた阻害剤であることがわかったのよ。そしてわたしの細胞アッセイでは、この阻害剤の効果はまさにわたしの予想通りだった」クロエはにっこりしたが、すぐに溜息をついた。

「論文に阻害剤のことを含めたとたん、査読者たちはもっと多くを要求するようになったの。遺伝学的に腫瘍を誘導したマウスでテストさせたがったのよ。それは少しやりすぎのように思えたわ。つまり、わたしは培養した腫瘍組織片で阻害剤の効果を確かめ、ジム・ディー・テン突然変異マウスが発がん物質に抵抗性を示すことを証明した。だから、腫瘍の増殖にジム・ディー・テンが必要なことは完全に明らかだわ。それに、ほかのグループに先を越される心配もあったし」

フランクは最先端の研究にこうした俗っぽい側面を加味できることを歓迎して、急いで書きとめた。どんなに実のある仕事をしても、それを有名誌に論文として発表するには、最後にもうひとがんばり、苦しい試練が待っているというわけだ。

クロエの話は続く。「査読者は、特定の種類の腫瘍をテストして、Ｍｙｃとのつながりをもっと強固なものにしたらどうかと言うのよ。幸い、必要なマウスは持っていたの。実は、もともとトムのラボで作られたマウスなのよ。で……」

クロエの話は尻すぼみになり、しばらく中断した。「ともかく、最後にはすべてうまくいったわ」肩をすぼめて皮肉っぽい笑みを浮かべる。「それに、何も心配する必要はなかったのよ。競争相手はまだまだ、論文を書くところまでは行っていなかったらしいわ」

「そうすると」メモを見ながらフランクがゆっくり言う。「こう言っていいわけですね。この阻害剤はすでに存在する腫瘍を退縮させる、つまり患者のがんを小さくする。マウスの実験をもとに、そうあなたは考えていると？」

クロエはうなずいて答え始めた。「そうなればいいと思っているけど、ご存知のように、ラボで効果の認められた薬が患者さん向けの薬になるまでの道は遠いわ。わたしは……」

フランクの携帯電話がブーッと鳴った。ちょっと失礼と言うようにクロエを見てから、電話を取り上げる。「はい。いいえ。だいじょうぶです。そちらに行きます」

「カメラマンでした。いまこちらに来ているんです。もう十分お話を伺ったと思うので、移動しませんか？　ラボでお仕事中の写真を撮って、記事に添えたいと思うので」

「わかったわ」とクロエ。失望を見せまいとしているのにフランクは気づいた。

「撮影のあと、外でコーヒーでもいかがですか？　もっとお話を伺いたいですね。こうしたことすべてを今後どのように追究して行くおつもりかということも含めて。もちろん、オフレコでね」

クロエはすぐに同意した。

ふたりはカメラマンの待つトムのオフィスへ向かった。

◆　◆　◆

ひとりはラテ、ひとりはアメリカンと、それぞれのコーヒーを手にしたクロエとフランクはカフェの奥のほうに静かなテーブルを見つけた。

「それで、この研究はこれからどこへ向かうのでしょう？」フランクが尋ねる。クロエは答えようとして躊躇した。「だいじょうぶ、心配いりませんよ」フランクは笑いながら言う。「すぐに駆け戻って空き時間に実験しようなんていう気はありませんから。記事にしようというのでもありません。もうネタは十分すぎるほどいただいています」

「そうね、そういう話題に慣れておいたほうがよさそう。まもなく仕事の面接（ジョブインタビュー）が始まれば、競争心旺盛な大勢の科学者相手に、わたしのアイディアやプランについて話すことになるんですもの。秘密主義になっている場合じゃないわ」自分の大切なアイディアがいよいよ公開され、人目にさらされるのだと思うと、ちょっぴり気を揉まずにはいられない。そうでない人なんている？　もしかすると、誰かがアイディアを拝借しようとするかもしれない。でもフランクの言う通り。彼のことは心配しなくていい。

30分ばかり、今回の仕事から生まれた興味深い疑問を取り上げ、それらにどう対処するかを説明したあと、クロエは冷めてしまったラテをすすって笑い声を上げた。「永遠に話し続けられそう。きっと退屈でしょ?」頭をかしげて、強調するように軽くフランクの前腕に触れる。

「いいえ、全然。新しいアイディアを追求する嵐のような興奮に、またどっぷり浸らせてもらいましたよ。あなたの熱意には感染性がありますね」フランクはメモ帳をざっと眺めた。「あなた自身について教えてください。経歴とか」

「わたしの経歴? 記事にするつもりじゃないでしょうね?」警戒するような態度に戻って、クロエが言う。

「あなたが望まないかぎり、それはありません。ただの好奇心ですよ」

「でも、どうして?」

「ええとですね、かすかななまりが聴き取れるんですが、わたしには、どこのものかわかりません。で、どこのご出身なのかなと思いまして。それに、何かに打ち込んでいる人たちには興味があるんです。そうした関心や意欲はどこから来るんだろうってね。ご家族のみなさんも科学者ですか?」

「いえ、いえ。父はごく普通の医者をしているわ。ハイデルベルクで」

「じゃ、あなたはドイツ人?」

「ええ、そう。わたしはドイツ国民よ。でも、父はハンガリー人」いったん言葉を切って続ける。「母がドイツ人で、わたしはドイツで育ったの。インターナショナルスクールにしばらく通ったわ。博士号を取るためにアメリカに来たのよ」

「それで、ほとんどなまりがないんですね」

「きっとそうね。小さいころからさまざまな国の言葉に接してきたから。ドイツ語、ハンガリー語、フランス語、それにイタリア語もちょっぴり。父はわたしに英語で話しかけることもあった。父のなまりがどんなにひどいか気づいてからは、やめてと頼んだけど。ちょっぴり生意気なチビだったんじゃないかしら。学校の友達の手前、父のなまりが恥ずかしかったの」申し訳なさそうな笑みをチラッと浮かべる。「父が英語を学んだのは、１９５６年に学士号を取るためにアメリカに来たとき。でもアメリカでメディカルスクールに進学することはなかった。で、ドイツってわけ」また言葉を切る。「だから、わたしがアメリカに来るのはほぼ当然の成り行きだったんじゃないかしら。ただし、まずゲッティンゲン大学で学位を取得したわ。24歳で」

「それは早いですね」フランクが言うと、その通りというようにクロエがうなずく。

「そのあと、一番興味深い科学が生まれているところに行きたいと思ってアメリカの博士課程に応募したら、入学を許可されたの。プリンストン大学の有名なラボとのあいだで、内定が得られたのよ。最善の選択肢のように思えたわ」ためらったのち、続ける。

「博士論文のための研究中に、細胞死と多細胞生物の体内でのその役割にとても興味を持つようになったわけ。すごくおもしろいのよ。あなたならきっと知っていると思うけど、以前は、細胞死と腫瘍を結びつけて考える人なんて誰もいなかったわ。がんというと、増殖がすべてだった。増殖するかしないか。いまでは信じられないことだけど」

「確かに。研究の世界にも変化はつきものですね。間近で見ると、科学の歩みはごく小さな漸進的なステップでしかないように見えます。ところが、もっと大きな変化も起こるわけです。細胞の自殺の役割や、その過程が解明されたように」

「まさにそれが、わたしの博士論文のテーマだったのよ。わたしはアポトーシスの主経路を担う最後の一要素であるＣＥＤ-14を見つけたの。もちろん、見つけたのは線虫の体内だったけど、ヒトの細胞でどう働くかも明らかにしたのよ」

「なんと、じゃ、あれはあなたの博士論文の研究だったんですか？」フランクは顔を輝かせた。「すごい。すばらしい仕事でしたよね。論文を読んだときのことを覚えています。なんてエレガントで明快な論文なんだろうって、感心したものですよ。実際の研究現場を離れたことを後悔しそうになったほどです。自分にもこんなことができたかもしれないってね。では、当時はハワード・ウィルソンのラボにいたわけですか？」

「いいえ、プリンストン大学のハンナ・シラーのラボにいたわ」クロエの声には、かすかな冷ややかさが感じ取れた。

「でもてっきり……論文を読んだときの記憶は、はっきりしています。『ネイチャー』のレターでしたよね？」

「ええ、そうよ。ウィルソンのラボの論文が『ネイチャー』の速報性重視の短報として出たわ。わたしも論文を書いたけど、『デベロプメント』誌に何カ月かあとに掲載されただけだった」

「ああ、申し訳ない。論文がふたつあったとは知りませんでした」密かに自分自身を呪いながら言う。

「ええ、普通の人は知らないわ。みんなの目に留まるのは『ネイチャー』の論文だけ。そして、CED-14の発見はウィルソンのラボの功績にされるのよ」クロエの声に苦々しさがこもるのは無理もない。フランクはしばらく何も言えなかった。

「でも、いまはあなたの論文が『ネイチャー』に掲載されようとしている。しかもフル・ペーパーで。だから、めでたしめでたしじゃないですか」と、なんとか修復を試みる。「お父上も、医者というお立場からして、あなたをとても誇りに思われるに違いありませんね」

「そうかもしれない。でも、どうしてわたしの両親にそんなに興味があるの？　わたしは自分で自分の道を見つけたのよ」。明らかに苛立たしそうだ。いったん間を置いて、調子を変えて言葉を継ぐ。

「で、あなたは？　博士号を取ったあとで研究の道を離れたことに、ご両親は満足なさってるの？新聞記者になったことに？」

「つまり、〝落ちこぼれ科学者〟でも気にしないのかって、言いたいんですね？」

「そんな意味じゃないわ」

「たぶん、そんな意味だったんだと思いますよ。それが、学問の道から外れた人間に対するごく普通の反応です。面と向かって言う人はほとんどいないでしょう。じかにそんなことを言う人はいませんよ。でも、そう言われてもしかたがありません。先ほどのは、出すぎた発言でした」しばし間を置いて言う。「ところで、わたしの親たちはたまたま、息子の名前を『ニューヨーク・タイムズ』の署名記事に見つけると大喜びするクチなんですよ。彼らにとってはすごいことなんです。それに、わたしは自分が選んだ道にとても満足しています」

「もちろんそうでしょうね。それはわかるわ。それに、まじめな科学ジャーナリズムは重要ね。でなければ、税金を払っている一般の人たちは、そのお金で何が行われているか知りようがないもの」

「ありがとうございます。わたしが今回の取材の仕事をものにしようと目いっぱい努力したのも、科学的な発見を正確に伝える機会を得られるからなんですよ。あることがなぜ、そんなにもワクワクさせられるのか、わたしがはっきり伝えられれば、読者は好奇心を刺激されて、最後まで読んでくれます。もちろん、新しい抗がん剤が開発される可能性があるとなれば、さらに関心が高まります」

「当然ね」

「そうです。ほんの少し〝人情味〟を加えることも役に立ちます。何か重要な発見をした科学者には、誰でも興味を引かれるものです。そこで、経歴やなんかをお尋ねして、掘り当てた貴重な情報を記事に含めたりするわけです。この仕事の役得と言いましょうか、取材中に、興味深い科学者に大勢出会えますからね」フランクはにっこりしようとしたが、クロエはまじめな表情を崩さない。

「でも、ラボが恋しくない？　発見をしたいと思わない？　何か新しいこと、重要なことを見つけたとわかったときの快感は、そりゃすごいもの」

「たまにはね」と疲れたような笑みを浮かべて応じる。「でも、成果が挙がるまでのつらい日々も思い出すわけですよ。いや、わたしはいまのままのほうが幸せです。この仕事でも、学ぶべき新しいことや興味深いことは常にありますからね」

それはクロエにもわかる。新しい発見を次々に探し、その中心人物にインタビューするのは、それなりにおもしろいに違いない。だが、自分がそんな仕事をするなんて考えられない。彼女は発見する側でなければならない。

「フランク、コーヒーをごちそうさま」立とうとしながら言う。「でもわたし、もう戻らなくちゃ。仕事があるの」

クロエの意識は、今日スタートさせたい実験に徐々に戻っていた。ちょっとしたひねり、テストすべき別の特性がちょうど頭に浮かんだところだ。そうよ。完璧だわ。できるだけ早くラボに戻らなくては。

「時間を取っていただいて、改めてありがとうございます」とフランク。「仕事の面接がうまくいきますように。あなたならきっと、面接官たちをたちまちとりこにしてしまうでしょう」

その通りだといいけど。来週、最初の面接がある——そして1月中にあといくつか、控えている。しばらくは、慌ただしくてワクワクする時間が続くだろう。

第6章

頭に血が上ったカレンは凍えるような1月の寒さにもほとんど気づかない。ブザーが鳴って中に入ると、まっすぐにキュストナー・ラボに向かう。とにかくこれを済ませてしまおう。顕微鏡室の中は何もかも、昨夜彼女が出たときのままだ。残念なことに、スクリーン上の画像まで、昨日と同じに見える。恐れていた通り、夜通しの録画は蓄積されていない。ほんとうに、昨夜操作したあとでプログラムの起動を忘れたのだ。こんな簡単なことを忘れるなんて。いったいどうしたっていうのよ。自分に悪態をつきながら、カレンはドサッと腰を下ろした。ばか、ばか。

しばらくして、片づけを始める。1回分の実験が無駄になっただけよ、と自分に言い聞かせる。どっちみち、うまくいってなかったかもしれない。細胞が傷ついたかもしれないし、つながりが完全に消えていなかったかもしれない。実際、この切断実験はとてもむずかしいことがわかってきた。2カ月近くも挑戦しているのに、まだ信頼性のある実験ができていない。ほんとうにイライラする。トムにはもう論文を書いたほうがいいと言われている。手持ちの観察結果と相関関係の証拠を合わせれば彼女の考えを裏づけることができ、まずまずの論文を書くには十分だろう。トップクラスの雑誌への掲載は無理かもしれないが、活字にする価値があるのは確かだ。問題は、彼女がトップクラスの雑誌への掲載を必要としているということ。それに、適切な実験をして答えを手に入れる満足感も必要としている。この実験をいったん思いついて以来、それ以下の結果でお茶を濁すのは責任逃れのように思えるのだ。きっとやり遂げてみせる。今夜、もう一度実験をセットできるし、今朝のようなことは二度と起こすまい。忍耐が鍵だ。

次に立ち寄るのは組織培養室だ。まだがらんとしている。カレンは手を洗い、予熱のために培地を取り出して、フードを消毒薬で拭いた。今回の実験のためにふたつの特別な細胞株を作成してあり、さらに試験をセットするにはどちらも良好な状態でなければならない。培養器から組織培養フラスコをふたつ取り出す。ひとつ目は正常に見えるが、ふたつ目は色がおかしい。液体が赤でなく黄色だ。培養器の扉を閉め、フラスコを傾けて頭上の灯りにかざす。黄色い色はトラブルを意味する。よく見ると、色がおかしいだけでなく濁っている。コンタミが起こったのかもしれない。カレンはすばやくフラスコを密閉した。ああ、そんな。そんなことありえない。でも、事実だ。フラスコを顕微鏡に載せてもっとよく見てみると、大きくて不活発な細胞のほかに、小さな棒状の物体がたくさん、培地の中を跳ね回っている。酵母菌だ。ああ、もう！　影響を受けたのはたぶんこのフラスコだけよ。最初のフラスコの色はだいじょうぶだったもの。ところがなんと、それもダメ。顕微鏡は特徴的な小さな棒が動き回っているのを暴き出した。意気消沈して、培養器を開け、もっと奥のほうにあるフラスコも取り出す。顕微鏡はさらに同じ光景を見せた。跳ね回る小さな棒が、栄養豊富な培地の中でぬくぬくと増殖している。コンタミは広範囲にわたっていた。酵母菌を取り除くのは無理だ。よりによってこんなことが起こるなんて、考えられない。カレンは後ずさりして壁にもたれると、ずるずると腰を落として床に座った。憎たらしいフラスコのひとつを手に持ったままだ。そのまま動くことができない。こんなふうに一日が始まるなんて許せない。ちっともフェアじゃない。顕微鏡室でのへまに加えて、今度はこれ。ときどき、研究を続けるのがほんとうに嫌になる。

　数分後、カレンはやっとのことで体を引っ張り上げ、フラスコやプレートや培地をバイオ廃棄物袋(オートクレーブバック)に捨て始めた。必要な作業だ。前へ進むにはタフになるしかない。全部捨てて、もう一度やり直すのだ。

　大虐殺がほぼ終わるころ、アリソンが入って来た。

「おはよう」と声をかけたところで、余分なオートクレーブバックとカレンの表情に気づく。「あら、どうしたの？」

「酵母菌よ。わたしの細胞株全部に。培地か何かを汚染したらしくて、すっかり広がってしまったの。全部捨てなきゃならない」

「でも、どうして全部？　いくつかはだいじょうぶかもしれないわ」

「やるだけ無駄よ。一度試したことがあるの。だいじょうぶそうに見えるフラスコで実験を続けたあげく、1週間後になってやっと、コンタミの程度が低かっただけだって発見する羽目になった。酵母菌がたった1個あるだけで十分なの。そうとは知らずに、未使用の試薬や細胞をせっせと汚染することになるのよ。ちゃんとやらないとダメ。何もかも廃棄。液体窒素に貯蔵されている新しい細胞から、スタートしなきゃならない」

「大変ね。でも冷凍細胞があるんだから、何もかも失われたわけじゃないわね」

「失われたのは、わたしの人生の1週間だけね」とカレンは言ったが、自分の声の恨みがましい響きに気づいた。「ごめんなさい。ほんとに最悪の朝だったから。それどころか、最悪の1カ月ね」

「切断実験はまだうまくいかないの？」

「依然として悪戦苦闘中。そこへ今度はこれでしょ。やれやれよ。ほんとに落ち込んじゃう。ラボの仕事がときどき嫌になるわ。どうして人は科学者になんかなるのかしら？」カレンはかぶりを振った。「こんなこと、あなたに言ってもしかたがないのに。ごめんなさいね」なんとか、アリソンのほうに弱々しい笑みを向ける。「あなたのほうはどう？」

「順調だと思う。アレックスは新しい仕事で超多忙なの。わたしがそばにいなくてのびのびやれるほうがいいみたい。毎晩、話をするのが助けになっているわ。わたしの実験もうまくいっていて、もうじき終わりそう。博士論文を書き上げる準備はほぼできているの。でも、待って。そのコンタミをわたしも心配しなくちゃいけない？」

「そうは思わない。試薬類はわたし専用のを使っているから」どうかその通りでありますようにとカレンは思った。もしほかの人たちの実験にまで影響が出たら、たちまち嫌われ者になってしまう。

「あなたも手を洗ったら？　ちょっと確かめてみましょうよ」

すぐに、アリソンの培養物はすべて問題ないと確認できた。コンタミはなし。ふたりともほっとした。カレンは片づけ作業に戻り、オートクレーブにかけるために廃棄物袋を密封した。その仕事ぶりは妥協を許さない徹底的なものだった。

「10時のセミナーに出る？」アリソンがカレンの背中に言う。「シナプス記憶に関するほんとにすごい内容らしいわよ。体験はどのようにして、短期および長期にシナプスを変化させるか。演者はソーク研究所のヘンリー・グリーンよ。わたし、ポスドクには、彼のラボに応募してもいいかなって考えてるの。それに、話がとても上手だって聞いてるわ。ね、お願いだから来て。そうすれば、彼のことや彼の研究をどう思ったか、あなたの感想が聞けるし」

この災難からカレンの気をそらそうとしてくれているのだろうか。どんなにすばらしいセミナーだろうと、とても聴きに行くような元気はない。でもアリソンの気持ちはうれしかったので、がっかりさせまいと決心した。

「おもしろそうね。行ってみるわ」

◆ ◆ ◆

セミナーのあと、カレンはひとりで早めのランチを食べていた。アリソンが請け合ったようにセミナーはすばらしかった。憂鬱な気分に負けて、もう少しで行かないところだったけれど、行ってよかった。すぐれた研究の話を聴くことは、いま直面している実際的な問題をちょっぴり大局的な見地から見るのに役立った。どうしようもないほどダメになったわけじゃない。少し余計な時間がかかるだけよ。午後の仕事の段取りを思い浮かべながら、カレンはトレーを片づけるとラボへ向かった。

ラボへ続く廊下で、掲示板に新しいものが加わっているのに気づいた。新聞の半ページ分の切り抜きのようだ。掲示板のちょうど中央に来るように貼られているため、嫌でも目に入る。近くに寄ってみると、「実験台に向かう科学者」と題した写真にまず目が行く。実験着をスマートに着こなしたクロエが、手袋をはめた手でX線画像のなかの何かを指差している。ごくかすかな笑みを浮かべ、いかにも自信たっぷりだ。何と言ってもクロエは写真写りがいい。まるで科学者に扮したモデルのようだ。でも、これはほんもの。しかも『ニューヨーク・タイムズ』に載っている。クロエの『ネイチャー』の論文についての記事に違いない。今日の新聞に記事が載っているからには、論文自体はもう『ネイチャー』に掲載されているのだろう。見出しは「若き科学者が腫瘍細胞の弱点を発見」とある。記事は読まない。内容は知っている。カレンは足早に通り過ぎた。

午後は忙しいが、カレンの考えがクロエの新聞切り抜きにふらふらと戻るのを妨げるほどの忙しさではない。今朝あれほどの挫折を味わったあとでは、クロエの自信に満ちた笑みがこちらを嘲笑っているように思える。無力感がこみ上げ、自分にはできない、必要な地点には到達できないという確信に不意に襲われる。たぶん、自分には向いていないのだ。どうしてクロエには、あんなにたやすいのだろう？　どうして誰もが彼女の論文をあんなにもてはやすのだろう？　単に、Ｍｙｃがどのように制御されているのかという謎に別の視点をつけ加えただけで、根本的に新しいものなんて皆無なのに。でもクロエはそれを『ネイチャー』に持ち込み、いまや『ニューヨーク・タイムズ』の紙面からあらゆる人に魅力的な笑みを振りまいている。たったいまも、おそらく求職市場の全員を魅了している最中なのだろう。カレンは深呼吸をしてかぶりを振った。もうやめなさい。しっかりしなきゃ。今日は悪い日だった。ただそれだけのこと。ビルがいつも言うように、すべきことをするのよ。無理に笑顔を作ると、少しは効果があった。

◆　◆　◆

その夕方、カレンはいつもより少し早めに帰宅した。狭い玄関口から、キッチンにいるビルの背中が見える。キッチンカウンターの上に袋があるから、買い物をして来てくれたらしい。カレンが入って行くと振り向き、うれしそうな温かい笑みを浮かべる。

「やあ、早いね。いいことだ」今朝の重苦しい沈黙は跡形もない。「おいしいディナーを作ろうとしていたんだ。ワインを飲んでもいいね。明日も講義はあるけど」

食べ物に向き直る前にチラッとこちらに投げた目つきからすると、彼も自分と同じくらい、昨夜の口論を忘れたがっているらしい。

「すてき」と言いながらビルの背後に近づいて、特別に長いハグをする。どっと緊張が緩んで、思わず泣きそうになる。今日という日は、ビルが家にいてくれてほんとうによかった。「わたしがワインを開けるわ。すごく飲みたい気分。ほんとにひどい一日だったの」

冷蔵庫にシャルドネがあるのを見つけてめいめいのグラスに注ぎ、ビルの分をまな板の横に置く。キッチンテーブルの空いている部分に腰かけて、その日の嘆かわしい顛末を語り始めた。まず、顕微鏡を昨夜セットし忘れた。でもそのショックはもう薄れている。酵母菌コンタミのほうがずっと深刻だ。「新しい細胞で、またすっかりやり直さなくちゃならない。少なくとも2週間は後戻りね。自分がすごく間抜けでどうしようもない人間に思えるの。もう、どうしていいか、わからない」最後のほうは消え入りそうな声になってしまう。ビルが調理の手を止めて振り向く。「運が悪かっただけさ。間抜けだからじゃないよ」

「でも、そう感じるの。間抜けだって。わたしくらいの経験があれば、こんなミスをしちゃいけないのに」

「さあさあ、元気を出して」とビルがなだめる。「誰にだって起こりうることさ。ポールのラボでのこと、忘れたのかい？　僕は4年間に2回もそういう目にあった。1回はちょうど君があそこにいたときだったよね。僕だって、何もかもやり直さなくちゃならなかった」

「そうだったわね。あなたが細胞の解凍法を見せてくれたんだった」思い出して、かすかにほほ笑む。「わたしは来たばかりだった。博士課程の3年目だったわ。いま思うと、ほんとうに恥ずかしい。初心者じゃないところを示そうと固く決心していたのよ。たぶんあなたにも、とても遠まわしとは言えない言葉で言ったんじゃないかしら。ほら、ニルスのラボでは初代細胞の培養をしたことのある唯一の人間だったって。なんて世間知らずだったのかしら。それとも傲慢だったのか」

「でも僕の解凍法のほうがすぐれていた」

「あなたのやり方のほうがすぐれていた。ちゃんと覚えているわ。いまも使っているもの」

「懐かしきビル、少なくとも彼は、見学に来た学生に細胞の解凍法を教えることはできたわけだ」とビル。冗談交じりの卑下には、隠しきれない苦々しさが滲んでいる。だがカレンの回想は別の方向へ向かった。

「ボストンへ来たころのことを思い出すわ。頭がよくて自信満々の科学者でいっぱいのラボにね。ラボ自体は最初のラボとそう変わらないように見えた。それどころか、カロリンスカにいたころと比べてポールのラボでは、フードは古いし、装置類は時代遅れだった。それでも、このすばらしい新世界には衝撃を受けたわ。誰もが、とても頭がよく、しっかり芯があって、努力家だった。圧倒されたわ。でも、刺激的でもあった。突然、生きているって強く感じたの」カレンの思いは遠くさまよう。

「でも、そんな優秀な若い人たちだって、酵母菌コンタミを起こした。わたしだけじゃないんだわ。アキラにピーターにキャサリン、全員がちゃんと実験を続けた。わたしにはいいお仲間がいるってわけね」

カレンはしばらく無言だった。

「それでも、わたしの注意が足りなかったからだって、どうしても考えてしまう。この2、3カ月、何もかもうまくいかないの。もう、駄目なのかもしれない」

「そんなことないさ。駄目だなんてことはないよ。ちょうど悪い時期なのさ。前にもあっただろ。そんなに落ち込むなよ」

「いつもやり直しばかりしているような気がする。今日は特にひどかった」溜息をつく。「でも、わたしのこと、自慢していいわよ。取り乱したりはしなかったから。すべきことをしたの。何もかも捨てて、きれいにして、新しく始めたのよ」

「考えたことはないかい――」ビルが優しい声で切り出す。「こんなふうにうまくいかないのは全部、君が根(こん)を詰めすぎているせいかもしれないって」。カレンは何も答えない。「今年はクリスマスにも休まなかったじゃないか。ありえないよ」

「でもね……」とカレンが口を開く。

「わかってる」とビル。「休日には顕微鏡が空いてるとか、そういうことだろ。でも、あんまり無理をしすぎると、誰だってそのうち疲れてしまう。2、3週間のんびり構えていれば、そのあいだに新しい細胞がちゃんと育つよ。週末にはどこかへ出掛けてもいいし」

ここは折れて、配偶者らしい思いやりを受け入れるべきだとカレンにはわかっていた。彼の言い分が正しい。

「そうね。週末には何か楽しいことをしましょう。駄目になった細胞のことでくよくよするのはやめるわ。とりあえずいまはね」テーブルから滑り降りる。「じゃあ、刻むのを少し手伝いましょうか?」

◆　◆　◆

ディナーのあと、カレンの思いはラボでのさんざんな一日のほうへと戻り始める。ビルにまだ話していない部分があった。

「クロエについての記事を見た?『ニューヨーク・タイムズ』の」

「いや、今日はまだ新聞を読んでいないんだ。どんな記事?」

「有能なクロエが魅力的なほほ笑みで世界をとりこにしたの――それにがんを治すんですって。今週、『ネイチャー』に論文が出たようね」

「そのせいで、なおさら今日は機嫌が悪いのかい？」

「たぶん。ちょっとはね」

「いいかい、それは君にはなんの関係もないことだろ」

「わかってるってば。ただ、自分がますますダメ人間に思えてしまって。クロエは『ネイチャー』に論文を発表する。わたしは酵母菌を生やす」

「君はパン屋さんになるべきかも」ビルは弱々しい笑みを浮かべた。「ほらほら、元気を出して。クロエと同じものを研究していたんなら、君が動揺するのもわかるよ。でも、君の研究はまったく別だ」。カレンはうなずいた。「それに、ずっと独創的だ」にっこりしてつけ加える。

「ビル、こんなに支えてくれてほんとに感謝してる。わたし、やるわ。でも現実は、彼女は就職の面接を受けているのに、わたしはまだグルグル走り回っているだけ」

「でも同じ場所にとどまっているわけじゃない。そのうちに君の番が来るさ」

「そんな日が来るなんて、いまはとても信じられない。現実を受け入れるべきなのかもしれないわね。世の中には、ありとあらゆる幸運と魅力を持ち合わせていて、いい仕事を全部ひとり占めする人っていうのがいるのよ。彼女は見た目までいいんだもの。科学のイメージキャラクターにぴったり」

「そんなのばかげてるよ。彼女の容姿なんて誰が気にする？　それに、新聞記事なんて、この業界では重要じゃない。君だって知ってるはずだよ」ビルが反論する。

カレンは何も聞かなかったかのように続ける。「そのほかの人たち、平凡な人たちは二流なの。つまらない論文を書いて、どこか名もない場所のつまらない仕事に就く。何をしようが、誰にも関心を持たれないのよ」

「いよいよ理屈に合わないことを言い出したな。君は平凡な人じゃない、二流なんかじゃないだろ。それに、クロエの論文が一流誌に載ったことなんか、この際、まったく関係ないよ」

「その通りね。もちろん、わかってる」カレンは言ったものの、納得したようにも、気分が上向きになったようにも、全然見えない。しばらくすると立ち上がってテーブルを片づけ始めた。ビルにはカレンの気持ちがわかりすぎるほどわかっていた。その自信喪失ぶりはあまりにも常軌を逸していたが、今夜はこれ以上追及しないほうがいいだろう。

◆　◆　◆

翌朝、カレンはいつものようにラボに一番乗りした。どこにも、人っ子ひとり見えない。ビルは口を酸っぱくして、もっと朝はゆっくりしたほうが彼女のためだとわからせようとした。だが、彼女は固く心に決めていた。できることをやり続けなければならない――少なくとも、再び何もかもきちんと掌握するまでは。週末はこれまでとは違うものにするというはっきりした約束を取りつけたあと、ビルはカレンの好きなようにさせた。

ラボの天井灯のスイッチを入れると、ずらりと並んだデスクと実験台がパッと目に飛び込んできた。たいていは、自分のところへ向かう途中にあるほかの実験台には目もくれない。その日にすべき実験のことで頭がいっぱいだからだ。ところが今朝は入り口から2番目の区画で足を止めた。ホアンとクロエの場所だ。きちんと整頓された成功者の実験台に、引き寄せられるように近づく。この実験台の一部が、あの〝仕事中〟のクロエの写真に写っていたっけ。カレンは指を2本、縁に沿ってすべらせた。いまは何の動きもなく、静まり返っている。クロエは長い面接ツアーに行っているのだ。実験台の上の棚にある透明な瓶に目をやる。濃度10ミリモルのpH7・4のトリス緩衝液、リン酸緩衝生理食塩水、10％SDS。全員の実験台にあるのと同じものだ。ここには何も秘密はない。もちろんあるわけがない。ごく普通の瓶がたくさん並んでいるだけ。下の引き出しにはマーカーペン、色つきラベル、マニュアル類など、あって当然のものがごちゃごちゃと入っている。もっと下の小型冷蔵庫には、どれもぎっしり入ったスライド立てがいくつか重ねてあり、その下に細菌のプレートとカラフルな試験管のラックが収めてある。カレンは冷蔵庫の扉を静かに閉じると、さらに区画の奥にそっと入り込んだ。そうよ、デスクこそ、研究と成功の秘密へ至る鍵だわ。きちんと積み重ねられた印刷物の山が片側にある。そっとひとつ取り上げ、さらにもうひとつ取り上げてみる。最近『セル』に載った別のラボの論文と、トムと前任のポスドクによる最近の概説がある。なるほど、クロエはボスの知識を残らず吸収していたらしい。このふたつもその下にある論文も、よく読み込まれているようだ。ページの角が上に反り返り、アンダーラインや書き込みがたくさんある。デスクの上には8インチ×10インチのグレーの実験ノートもあり、何も書いてない背の部分をこちらに向けてきちんと並んでいる。デスクの上のボードに留めてある月めくりのカレンダーが目に留まる。1月の分が誇らしげに掲げてある。〝UCSF〟（カリフォルニア大学サンフランシスコ校）、〝スタンフォード〟と、それぞれ赤と青のペンで書いてあるのが見える。ほかにもいくつか、読みにくい字で記入がある。カレンはもっと近づいて読もうとした。

「何か探しているのかい？」

カレンは反射的にすばやく後ずさりした。ホアンが入って来て、区画のもう一方の端に立っている。

自分のデスクへ行こうとしていたようだが、クロエのデスクにカレンがいるのを見て、明らかに驚いている。

「わたしはただ……ただ、クロエはいつ戻るのかなと思って」声にはパニックの気配がある。必死に言い訳を探しているのが、たぶん見え見えだ。「彼女にちょっと訊きたいことがあったの」

ホアンはカレンをしげしげと見る。明らかに疑念を持っているが、気まずさも感じている。とうとう、「クロエは2日前に出掛けたばかりだ。あと3週間は戻らないと思う」と言う。近づいて来ようとはせず、ただそこに立って、じっと見つめている。しばらくのあいだ、ふたりとも麻痺したように動かない。

カレンはうつむいて「ありがとう」とつぶやくと、クロエの実験台の前をすばやく通り、ホアンの横をすり抜けて、息苦しい囲いと化してしまった場所から出た。振り返ることなく自分のデスクに急ぐと、椅子に深く沈み込んで姿を隠す。うずくようなパニックがいまにも爆発して、目に見える震えか、もっと悪い形となって現れそうだ。両方の腕をデスクに載せて体を支え、バッグを膝に引き摺り下ろす。

カレンは長いあいだデスクを凝視しているが、目には何も映っていない。ホアンはトムに言うだろうか？　それともクロエに？　それとも誰かに？　ほかの人のデスクをコソコソ嗅ぎまわったわけじゃないわ。絶対そんなことはしていない。でも、ホアンはいつ入って来たのだろう？　もしかすると、自分が何を見たのか、よくわかっていないかもしれない。今日は一日、彼を避けよう。できるだけ長く、顔を合わせないに限る。いったい、何を考えていたんだろう？　どうかしている。ほんとにばか。ホアンがいつもと変わらない動きをしていると確信が持てるまで、デスクで仕事をしている振りをする。その後ようやく、人目につかないようにラボから出ることができた。いつもの習慣で組織培養室に急ぐ。ホアンはこのごろここを使っていない。しばらくはここにいよう。実験台の掃除、細胞のチェック、忙しくしていられるなら何でもいい。ラボに戻って普通に振る舞えると自信が持てるまで、ここにいればいい。そのあと、今日一日をどうにかして切り抜けよう。

第7章

3台のフードはどれも稼働中だ。組織培養フラスコ、試験管、瓶、ピペットを巧みに操る手は片時も休むことがない。小さな部屋にこもる騒音は耳を聾するほど。会話がほぼ不可能なため、各フードは孤立した小空間と化し、邪魔されずに好きなだけ考えごとにふけることができる。

アリソンが椅子を転がして後ろに下がり、あたりを見回す。息抜きがしたくなったのだ。

「カレン、調子はどう？　ほんとに災難だったわね」

「あら、アリソン、どうも。調子はいいわよ」カレンの意識は遥か遠くにあったが、邪魔された苛立ちをなんとか抑えようとした。アリソンたら、いったい何が言いたいのかしら。と思ったところで、この前組織培養室で顔を合わせたときのことを思い出した。2週間前、コンタミした培養物や試薬を捨てているところを見られたのだ。

「もっとひどい目にあったことだってあるもの」と続ける。「そんなものよね。落馬したらすぐまた跨がれって言うでしょ？　好きな実験だもの、また前に進む覚悟はできてるわ」

「じゃ、いつもの働きすぎモードに戻ったわけね？」

「そんなところね。この実験はどうしても成功させる必要があるの。そうすれば、論文を仕上げられるから」いまでは、ひどい目にあって中断を余儀なくされたことをありがたく思っている。ビルの言う通りだった。一歩下がって状況を見つめ直す必要があったのだ。そのおかげで、過酷な実験にまた挑戦する勇気が湧いたのかもしれない。

「今度は絶対にうまくやらなくちゃ。どうすればいいか、わかったように思うの。ほら、ベッティナのラボに顕微鏡を扱っている男の人がいるでしょ。彼に話してみたら、いくつかいいアイディアがもらえたのよ」

しばらくはふたりとも黙って作業を続けた。

「あとでランチに行かない？」とカレン。

「いいわよ。いつも通り、12時15分前ころ？」

1時間後、メインラボに戻ったカレンは、まっすぐ前を見据えて、一直線に自分の実験台を目指す。ホアンとクロエの区画には目もくれない。この2週間というもの毎日、絶対にそちらを見ないようにしてきた。それでも、脇を通るたびに、恥ずかしさで身がすくむような思いがする。コソコソ嗅ぎまわるなんて、頭がどうかしていたとしか思えない。あまりにも落ち込んでいたため、一瞬、判断力を失っただけ。いまはもう、だいじょうぶ。幸い、ホアンを避けるのは簡単だった。そしてクロエはまだカリフォルニアから戻っていない。このまま遠くにいてくれたら、と思う。どこかほかのところで成功者の道を歩んでくれるなら、そのほうがいい。クロエのほがらかな顔をまた目にしたり、熱意あふれる自信たっぷりの声を耳にしたりすれば、あのおかしな朝を忘れるのがむずかしくなるだけだ。

「ネコとかサルとか、そういうので仕事をする気はないわ」とアリソン。「分子や細胞レベルの仕事を続けたいの。すぐれた細胞モデルがいくつかあるし。アメフラシニューロンの単純な反射とかね。ほんとうにすごいのよ」ぐっと目を見開く。「C・エレガンスでもいいわ。遺伝学的なツールがいろいろあるし、いまでは光のパルスでニューロンを活性化させることもできるのよ。ほら、いわゆるオプトジェネティクス、光遺伝学といわれるものね。たいしたことないように見えるけど、巧みな行動がいくつかできるの。移動するときとか」手を前に突き出して、想像上の障害物を避けるようにくねくね動かす。「神経回路をマッピングして、それが学習や記憶でどう変化するかを見つけられたら、すごくクールだわ」

ランチをとりながら、ふたりはアリソンのポスドクのプランについて話し合っていた。

「とてもおもしろそうね。もうどこかのラボに手紙を出した？」

「まだよ。論文が受理されてからにしたいの」

「あら、あまり遅くならないほうがいいわよ。人気のあるラボに入るには時間がかかるから」

「でも、まず、いい論文が必要なんじゃない？」

「トムに頼めばいつでも、論文はすぐ出るからって、一筆書いてくれるわよ。先方はトムの判断を信頼して、面接くらいはしてくれるでしょう」

「でも、論文が受理されて活字にならないうちは、確かなことは言えないでしょ。そう思わない？もしほかの人に出し抜かれたら、助成金をもらうことはすごくむずかしくなるわ」さっきまでの意気込みはどこへやら、アリソンはすっかり弱気になってしまったようだ。

「どうして、出し抜かれることが急にそれほど心配になったの？　もちろん、誰かがまったく同じ研究をしていない保証はないけど、そんなことはめったに起こらないものよ」

アリソンは椅子の中で姿勢を変え、次第に苦しそうな表情になった。

「わたしのこと、怒らないって約束してくれる？」と小さな声で言う。

「怒る？　どうしてわたしがあなたに腹を立てなきゃならないの？」

「もっと前に言うべきだった。でも、悪い知らせを伝える役をしたくなかったのよ」

「いったい、何の話？」カレンは座ったまま、体を起こした。

「先週号の『サイエンス』にポーランドの研究グループの論文が載ったの。あなたは知ってるんだと思ってた」

「知ってるって、何を？　どの論文？」

「ナノチューブと細胞の生存に果たすその役割についての論文よ」アリソンは一語一語はっきりと発音した。じっと手を見つめたままだ。

鋭く息を吸うと、カレンはアリソンを凝視した。それからかぶりを振り、瞬きをして目を宙にさまよわせ、何も言わない。

「もう！」ようやく言葉を絞り出す。「わたしは出し抜かれたってわけね？」じっと座ったまま、身じろぎもしない。「ポーランドで研究してる人がいることさえ、知らなかった」

アリソンは無言だ。

「ちょっと見てみたほうがよさそうね」カレンは強いて静かな声で言いながら、ランチのトレーを持って立ち上がった。落ち着きを失うまいとして体をこわばらせ、遠くを見つめたままだ。トレーもアリソンも目に入らない。口が開いたままのボトルが倒れてテーブルが水浸しになり、そのまま滴り落ちる。することができてほっとする思いのアリソンが、かいがいしく後始末を始めた。

自分のデスクに戻ると、カレンは〝今日の単語〟の陽気なディスプレイを解除してコンピュータを起動させた。おしゃれな単語をもうひとつ学ぶなんて、いまの彼女には全然お呼びじゃない。『サイエンス』のサイトに行くと、確かにその表題がある。〝超微細なナノチューブが遠方の細胞をつなぎ、細胞の生存を制御する〟。カレンはためらう。こんなもの、消えてほしい。悪い夢だかなんだか知らないけれど、覚めてほしい。でもダメ、まだそこにある。腰を下ろしてクリックすると、本文がスクリーンに現れた。図が添えられ、書式もきちんと守られている。幻じゃない。受理され、活字になって、その存在はもはや否定できないのだ。そしてもちろん、彼女の論文ではない。カレンは短い論文をすばやく流し読みし、図をさっと検めた。中心となる事実と所見を頭に入れるのに長くはかからなかった。なによ、これ。サイアク。デスクの上にあった電話を取り上げ、ビルの番号を打ち込む。どうか、どうかお願いだから、いてちょうだい。

「生物学部。ビル・スミスです」

「わたしよ」囁くような声で言う。「いま、話せる?」

「やあ、スウィーティー、どうしたんだい? いいよ、オフィスにひとりだから」

「ねえ、聞いて。わたし、出し抜かれたの。わたしの研究が。もう、どうしようもない」

「ちょっと待った。出し抜かれた? どうしてまた。君のほかは誰もそのテーマを研究していなかったんじゃないのかい?」

「先週の『サイエンス』に論文が出たの。アリソンに言われて、いま見たばかり。聞いたこともないグループよ。よりによって、ポーランドだなんて」

「でも、内容は? 君のとまったく同じなの?」

「使っている細胞は違うし、検証方法も違う。でも基本的な所見は同じよ。彼らも細い結合部分を見つけたの。ナノチューブと呼んでいるわ。そして、結合を持つことが細胞の生存にとって重要であるという証拠を、と言っても実はお粗末な証拠なんだけど、挙げているの。相関関係がある。そこはいいわ。でもあとはいい加減なろくでもない証拠ばかり」急に怒りがこみ上げる。「彼らは粗雑な遺伝子操作をして、結合が、つまりナノチューブが影響を受けることを発見した。そして細胞の生存も影響を受けることがわかった。それだけ。そこから、ナノチューブが生存に必要だと結論づけているの。それはただ、ふたつの効果が同時に起こったに過ぎないわ。結合そのものがほんとうに生存を左右しているという明確な証拠ではないのよ。それなのに、『サイエンス』への掲載を許されたなんて。信じられない」

「ちゃんと発表するにはもっと研究を進める必要があるって、君は断言してたよね。何度もそう聞かされたのを覚えてるよ」

「そうだったわね。どうやら、わたしはひどい思い違いをしてたみたい。でも、トップレベルの雑誌に投稿したかったから。そのあげく、この聞いたこともないグループがこんなお粗末な証拠でまんまと掲載に成功するなんて。ほんとうに信じられない」

「ああ、かわいそうに。なんてひどいんだ。でも、君が持っている証拠のほうがずっといいんだから、まだ論文を発表することはできるだろ? いまやっているすごい実験もあるんだし」

「それはまだ成功していないのよ、忘れた?」と言う声はうわずり、甲高くなる。「まだ挑戦中なの。情けない結果しか出てないの。第一、どんなにすばらしい証拠を揃えたって、いまとなっては、どこかのつまらない雑誌に〝模倣〟論文として載るのが関の山よ。いったん一流誌に掲載されたら、それは〝既知〟とみなされる——たとえ、手っ取り早くていい加減な仕事でもね。あなただって知ってるはずよ」見当違いの相手に怒りをぶつけているのはわかっていたが、抑えが利かない。「わたしの論文を発表するには、あと1年はかかるわ。たとえ、二流の雑誌にでもね。そして、もし誰かに読んでもらえたとしても、『サイエンス』の論文からアイディアをもらったんだなと思われる。これがわたしのアイディアで、わたしが観察したことだなんて、誰も気づかないのよ。二番煎じの哀れな論文がもうひとつ出たな、くらいにしか見てもらえない。そんなの、絶対にごめんよ。誰かの二番煎じなんて。ときどき、この世界が大嫌いになる」

カレンは不意に言葉を切った。「ごめんなさい。あなたのせいじゃないのに。こんな忌々しい研究、もう投げ出したい気分。ほんとにやめてやる。トムに話すつもりよ」

「少し待ってみたら？　明日まで待てば、そのあいだに考える時間が持てるだろ」ビルが良識のある指摘をする。「荷物をまとめて帰っておいで。僕も1時間かそこらで家に着く。トムには明日話せばいい。カッとした勢いで大げさな反応をしちゃいけないよ。いいね？」彼こそまさに理性の声。それにすごく思いやりがある。だから、こんなにも彼を愛してるんだ。だから、彼に電話したかったんだ。彼の言う通りにしよう。

カレンは立ち上がり、誰とも目を合わさないようにしながら帰宅の準備をする。みんな『サイエンス』の論文をもう読んだのかもしれない。それなら当然、カレンの研究計画を思い出して、窮地に追い込まれたことを察しているはずだ。同情や憐れみは欲しくない。きっとみんな、出し抜かれたのが自分じゃなかったのでほっとしているのだろう。当然だ。みんなに悪意はないし、カレンだって誰にも悪意は抱いていない。ただ、誰とも話したくないだけ。話しても、なんの助けにもならない。

午後早くの太陽に照りつけられて、研究所の大きなガラスのドアは光の防壁のようだ。必要以上の力を込めてドアを押し開けると、外は冷たくまぶしい冬の午後。仕事のために今朝ここに入ったのが、何年も前のことのように思える。ようやく、気持ちが少しはましになったところだったのに、またもや、すべてが引っくり返ってしまった。打ちのめされ、粉々になった気分。彼女の大論文は横取りされ、2年分の仕事が無駄になった。完璧な実験を目指した長い闘いが無駄になったのだ。ひどすぎる。あのグループの運の強さときたら、とても信じられない。あんなあやふやな証拠しかないのに『サイエンス』に論文が掲載されるなんて。査読者は居眠りしていたに違いない。でも、たとえそうだったとしても、なんの違いもない。起きてしまったことを変えることはできない。

どこを歩いているかも気づかないまま、カレンはバス停へのいつもの道をたどっていた。意外にも、すぐにバスがやって来た。乗り込んで、後ろのほうに席をとる。支えてくれるビルの温かさにすっぽりくるまれて過ごす午後と夕方のことだけを考えるようにする。その支えがなかったら、どうなっていただろう? 急に足をすくわれて、いったいどこまで落ちていったかわからない。ひょっとすると、重い鬱病になっていたかも。助成金が尽きた時点でこの国を去り、完全な敗者として故国に帰らなければならないかもしれない。でも、敗者だったとしても、彼女にはビルがいる。いや、敗者になんかなるもんか。不意に、強い思いがこみ上げる。何か方法を見つけなければならない。たとえ、まったく新しい研究で再出発しなければならないとしても、必ず、やり遂げてみせる。ところが、固い決意は現れたのと同じくらいすばやく消える。『サイエンス』の論文がまた頭に浮かぶと、周りの空気が吸い取られたように息が苦しくなる。切断実験をめぐる悪戦苦闘を思う。どうして、もっと早く論文を発表しようとしなかったんだろう。トムにはそう勧められたのに。それに、どうして実験を成功させられなかったんだろう。情けない、ほんとに情けない。いったい、何様のつもりだったのか。ビルは彼女をすごいと言うけれど、客観的な第三者とは言えない。彼にはわからないんだ。ラボのほかのポスドクたちを見ただけで、一目瞭然なのに。完璧な経歴を持ち、常に正しい行動をする人たち。忌々しいクロエみたいに。わたしなんて、ほんのど素人。カレンは座席にぐったりともたれた。ここから、この恐ろしい落とし穴から這いあがる道はあるのかもしれない。でも、とても険しい坂道だ。挑戦する勇気があるかどうかわからない。

◆　◆　◆

2日後、カレンの思いはまだ、激しく揺れ動いていた。あるときは、何もかも投げ出して研究をやめ、ラボを去り、科学の道を永遠に捨てる覚悟を固める。次の瞬間には、落ち着いた実際的な態度を取り戻して、研究から何が救い出せるかを考える。トムは遠くへ行っていて、助けを求めることはできない。なお悪いことに、今日はグループミーティングを持つことになっている。ラボ全員の前に立って、研究になんの進展もないことを話すなんて、気が進まない。『サイエンス』の論文のことがあるから、誰も彼も、彼女を憐れむだろう。ますます嫌だ。グループミーティングを延期できないか、トムにメールを出してみた。だが、トムは聞き入れてくれない。今日戻るつもりだし、グループでのブレーンストーミングこそ、彼女に必要なものだと言われた。何が何でも前に進むべきだというのだ。みんなの前に立ちながら話すべき内容がほとんどないというのがどういうものなのか、彼にはわからないのだろう。でも、もうほかに道はない。すでに午後2時近い。

グループミーティングは長時間続いた。カレンはこれまでの結果を報告し、今後進むべき道についてのグループ討論の叩き台として、『サイエンス』の論文を簡単に紹介した。これはトムの考えで、昨日メールで伝えられたものだ。カレンとしては、果たしていい考えかどうか、まだ確信が持てない。まるで、カレンには独自のアイディアがなく、ほかの人のアイディアに頼らなければ前に進めないような印象を与える。これほど恥ずかしいことはない。それに、もし何も提案が出なかったら？　なお悪いことに、役にも立たない、時間の無駄でしかないような提案しか出なかったら？　誰かの気分を害さずにそうした提案を無視するなんて、自分にできるだろうか？　でも、経験豊富なのはトムだ。藁をもつかむ思いのカレンはトムに言われた通り、『サイエンス』の論文の説明を始めた。できるだけ客観的に紹介するように努め、論文で明らかにされたことを述べるとともに、ナノチューブの役割とされるものを直接検証した実験が欠けていることなど、いくつか不十分な点を指摘しようとする。

驚いたことに、カレンが言い終えないうちに、トムがイライラと横槍を入れる。苛立ちの対象はカレンか、それともこれまで沈黙を守っていたグループなのか。あるいはその両方かもしれない。

「いいかい、カレン。もし彼らがそうした問題に取り組んでいたなら、もっといい論文になっていただろうことは認める。だが、そんなことをあげつらっていても、我々はどこにも到達できない。いま我々が問うべきなのは、君の手持ちの材料から、どうやって、雑誌に載るような論文を書くかということなんだ。たとえ、切断実験にまつわる問題を解決したところで、それだけでは、十分に掲載可能なストーリーにはならない。いまのところ無理だ」いったん言葉を切って続ける。「データをすべて見直し、君独自の視点と言えるものは何かを見極めなければならない。そのうえで、その視点に基づいて、論文を支えられるだけの首尾一貫した結果を引き出せるかどうか見てみる。もしそうした結果が得られるなら、新規性が損なわれたデータをストーリーの一部として発表できる。で、彼らの論文になくて君が持っているものは何かな?」

「そうですね、わたしの検定における正常細胞とがん細胞とのあいだの違いではないかと思います。でもこの方面はそれほど深くは追究していません。細い結合は、〝ナノチューブ〟だかなんだか知りませんけど、がん化した細胞では数も動態も明らかに変化します。ただ、そうした違いに意味があるのかどうかはわかりません」

「そして細胞の生存は?」

「もちろん、正常細胞とがん細胞とでは違いがあります。たいていはそうです。でもそうした実験では生存センサーを使わなかったので、がん細胞において生存が結合とどのように関連しているのか、確かなことはわかりません。でも、もちろん、やってみてもいいです……」ためらいがちに提案する。

「それで、『サイエンス』の論文ではこのことに触れているのかな?」

「いいえ。いや、はい。がん細胞ではナノチューブが異なるかもしれないと示唆していますが、データはありません。ただの推測です」

「推測なんか誰にでもできる」トムの口調にはさらに熱がこもる。「実際にデータを示すのとは大違いだ。では、この点についていいデータをいくつか、早急にまとめてみたら？　もちろん、がん細胞にセンサーを適用して３Ｄアッセイをするほかにね。それは僕もいいアイディアだと思う。みんなからも何か提案がないかな？」熱心にテーブルを見回す。直接問いかけられてみんなやる気が出たのか、いくつか提案が出た。ひとつは、マウスの腫瘍モデルからデータを取ってみてはどうかというものだった。『サイエンス』の論文には組織や動物のデータがなく、細胞培養のデータしかないことに気づいた人たちがいたのだ。だが、トランスジェニックマウスを作ったり、よそから手に入れたりするのは時間がかかる。すぐに論文を投稿するには、何か手っ取り早い方法が必要だ。

結局、一番いい提案をしてくれたのはヴィクラムだった。

「クロエが論文のために使ったＭＭＴＶ-Ｒａｓ＋Ｍｙｃマウスを使ってみては？　ＭＭＴＶ-ＲａｓとＭＭＴＶ-Ｍｙｃのキャリアをただ掛け合わせて、二重に遺伝子導入された子で腫瘍を探すだけでいいんじゃないかな。信頼性のある腫瘍モデルとして何年も使われているよ。このラボで開発されたんでしたよね、トム？」トムはうなずいたが、口を挟もうとはしなかった。「腫瘍はすぐにできる。しかも乳腺にできるので、皮弁術で組織を画像化できる。ここにはそのための設備があると思うよ。同じ方法で正常細胞を調べることもできるし」

「試してみてもいいかもしれません。皮弁術の画像化は前にやったことがあります」カレンは目を細め、考えながら言う。「たぶん可能です。わたしが使っている細胞結合のマーカーはとても鮮明で、いまは短期の形質導入用にウイルスベクターに入れています。細胞死はいくつかの方法で検出できます。あと必要なのは、組織内の腫瘍細胞を認識することだけです」

「ああ、それは簡単だよ」ヴィクラムが素っ気なく手を振る。

「どうやって始めたらいいのか、教えてくれませんか?」ヴィクラムをまっすぐに見て言う。助けを求めている自分に、自分自身が驚く。ヴィクラムはもちろん、と言うように肩をすくめる。カレンはトムのほうを見る。「ただ、ダブルトランスジェニックマウスが必要になります」

「問題ない」トムが言う。「両方の系統の育種集団があるはずだ。クロエの論文の査読者からこの種の実験を求められたので、わりあい最近にそうしたマウスを使った。クロエはまだ戻らないが、アンディがそのマウスを持っているはずだ。彼に頼むといい。分けてもらえるものがあればすべて君に渡すように僕が言っていたとね。すばらしいアイディアだよ、ヴィク。実にすばらしい」

「ありがとうございます」ヴィクラムはおじぎをするように頭を傾けた。「お役に立てれば幸いです」

「ええ、とても助かるわ。どうもありがとう」とカレン。

ミーティングはそのあとまもなくお開きになった。アンディが帰宅してしまう前につかまえようと急いで部屋を出ながら、カレンはトムに尋ねた。「明日の朝の面談はまだ必要ですか?」

「もちろん必要だとも。僕のオフィスで9時ごろではどうかな?」

地下のマウス飼育施設に行ってみると、アンディの小さなオフィスには姿が見えない。奥にいるに違いない。今日のうちに行動を起こす必要があると感じたカレンは、作業衣を着て施設内に入ることにした。小さな着替え室で清潔な共用のサンダルに履き替え、服の上に使い捨ての青い上下を重ねて、髪を覆うフードを被る。手を2回洗い、安全のための青い手袋をはめると、中へ入る準備が完了した。アンディと話をするだけなのに、大げさすぎるような気がする。だが、これが決められた手順だし、誰かの気に障るようなことはしたくない。いまはダメ。助けが必要なんだから。

アンディは2番目の飼育室にいた。ケージからマウスを取り出していないので、話しかけてもだいじょうぶだろう。

「アンディ、こんにちは。お邪魔してすみません」。アンディが戸惑ったような顔で振り向く。青い上下のせいで、誰だかわからないのだ。「カレン・ラーソンです、トムのラボの」

「ああ、そうか。僕に何か用かい？」

「MMTV-RasとMMTV-Mycのダブルトランスジェニックマウスが必要なんです。トムが、あなたのところに行けば必要なものがあるかもしれないって。ヘテロ接合のシングルトランスジェニック系統として、両方の系統を維持してらっしゃいますよね？　交配させられるそれぞれの系統のオスとメスが必要なんです」。アンディはじっとカレンを見ながらうなずいた。もっと説明してほしいようだ。「トムは、あなたがまだ両方の系統を持っているのではないかと考えています。クロエが最近使ったものです。トムが言うには、あなたが分けてくださるだろうって。ぜひとも、できるだけ早く、交配を行いたいんです。6組くらいかしら？」必要な数を考えながら、いったん言葉を切る。「ひと腹の子の数にもよりますよね？　ダブルトランスジェニックの子が10匹か12匹欲しいんですけど」

「わかった。ところで、ダブルトランスジェニックはむずかしいから、そんなにたくさん必要なら、前もって注文する必要がある。使う3カ月前に知らせてくれないか。頭数を殖やして、交配し、それから3週間すれば、実験用の子が手に入るよ。当時クロエにも言ったように、そういう手順になっているのでね」

「でも、クロエはすぐに実験できたってトムが言っていました。わたしはあと3カ月も待てません。

クロエにとってと同じくらい、わたしにとっても大事なことなんです」めそめそ泣きついているように聞こえるかもしれないことは百も承知だが、結果が出るまで半年も待ってはいられない。

「そうだな、通常はそういう手順なんだが、君はツイてるかもしれないぞ。ちょっと見てみよう」

アンディは廊下のコンピュータのほうに歩いて行く。カレンも急いで後を追う。

「ほら、クロエには、あのとき分けてやれるだけの数を渡している。ＭＭＴＶ-Ｒａｓのオスと交配するためのＭＭＴＶ-Ｍｙｃのメスは２匹しかいなかった。妊娠したメスの１匹は、子を産む前に死んだように記憶している。ともかく、両方の系統を殖やしてあるから、君は運がいい」と肩をすくめる。「クロエはもう、カンカンだったよ。使えるマウスをもっとたくさん用意できなかったのでね。もっと貰いにくるだろうと思っていたんだが、しばらく姿を見ていないな。トムがいいと言ったのなら、使えるだけ持って行っていいよ」

「どうもありがとうございます。感謝感激です。すぐに交配できるのは何匹くらいですか？」

「何匹もいるよ。ダブルトランスジェニックマウスの子が確実に10匹必要なら、成熟したＭＭＴＶ-Ｍｙｃのメスが10匹は必要だろうな。Ｍｙｃの母親が産むひと腹の子は少ないうえ、Ｒａｓとの掛け合わせではさらに少なくなる。ダブルトランスジェニックということになると、生きている子４匹につき、１匹がそうならましなほうだ」

「うまくいきそうですね。準備をお手伝いしましょうか？」

「交配の面倒は見られるし、妊娠したメスが子を産むまでちゃんと目を離さないでおけるさ。君には遺伝子型判定をしてもらうよ。それがトムとの取り決めなんだ」

「もちろんです。なんてお礼を言ったらいいか。ほんとうに助かります」

「今回は何も問題が起きないように、依頼書をすぐに事務方に出すのを忘れないでくれれば、それでいいよ。トムのサインを貰ってね」

「はい、必ず」

作業衣を脱いでいるとき、アンディの言葉が思い出された。２匹のメスがいて、１匹が死んだ。それでどうやって、まともな実験ができるだけのダブルトランスジェニックの子を手に入れられたのか？　どこか腑に落ちない。

デスクに戻って、クロエの論文のＰＤＦを開いてみる。図７の最後、図７Ｆ。単純な実験だ。薬物を投与したのとしないのと、それぞれ３匹のＭＭＴＶ-ＭｙｃとＭＭＴＶ-Ｒａｓのダブルトランスジェニックマウス。薬物の効果は明確なので、それぞれ３匹ずつで十分だ。だが、そうすると６匹のダブルトランスジェニックマウスが使われていることになる。生き残った１匹のメスから、どうやって６匹も手に入れることができたのか？　たとえひと腹の子の数が多かったとしても、どうしたって不可能だ。

カレンはコンピュータのスクリーンにはっきり映し出されたグラフをじっと見つめた。こんなことは不可能だ。クロエはこの最後の実験で何か手抜きをしたに違いない。もしそうなら、もし彼女が数字をでっち上げたなら、とんでもないことだ。でも、早まってはダメ。アンディが間違えたのかもしれない。記憶より多くのマウスがいたのかもしれない。でも、ああ言ったとき、アンディは記録を見ていたのだから、２匹という数字は確かだ。それなら、メスは両方とも生き残ったのかもしれない。でも、たとえメスが２匹いたとしても、ダブルトランスジェニックマウスが６匹も生まれるなんて、とてもありそうにない。ひと腹の子の数が少ないなら、特にそうだ。いずれにしろ、１匹のメスが死んだというのはとても記憶に残るできごとだ。彼にはそんなことで嘘をつく理由がない。マウスが何に使われるのかも、どういう論文なのかも知らなかった。知っていたのはわたしたちだけ。トムとわたしたちだけだ。トムにこのことを言わなければならないだろう。トムは知る必要がある。でも、待って。口を出すべきではないのかもしれない。アンディはメスが1匹死んだと断言したわけではない。メスが2匹いれば、6匹のダブルトランスジェニックマウスが得られる可能性もないとは言えない。それでも、とてもありそうもないことは確かだ。確率を計算してみることもできる。でも、そんなことをしても役に立つとは思えない。クロエは信じられないほど運がよく、宝くじに当たるほどの幸運を引き当てたのだろうか。それとも、ズルをしたのだろうか。

第8章

クロエはセミナー聴衆のほうに顔を向けた。大きな講堂なのに、もうすっかり満席だ。遅れて来た人たちが上階の通路を埋め始め、階段にも立っている。すてき。こんなにも大勢の人たちがわたしの話を、わたしの研究についての話を聴きに来ているなんて。みんな期待に満ちた顔をしている。ゾクゾクする。中央通路にはカメラもセットされ、まっすぐに彼女に向けられている。〝今日、出席できない人のために〟録画もするという。それとも、巻き戻して、あら探しでもするつもりかしら。カメラの目も聴衆のひとりに過ぎないと思えば、もう気にはならない。紹介が終わり、聴衆が静かになる。いよいよだ。

深呼吸をひとつして、話し始める。「がんはひとつの病気ではなく多くの病気の集まりだと、よく言われます。そう考えると、がん研究の〝至高の目標〟、つまり腫瘍の生存には必要でも正常な組織の維持には不要な細胞活動を発見することは、手の届かないゴールであり神話だと思われるかもしれません。さらにそのうえ、その活動を標的とする薬剤を見つけようとするのは、大それた野心と言えるでしょう。本日は、このゴールに到達するためのわたくしの最近の研究についてお話ししたいと思います」

ちょっと大げさな切り出し方かもしれないとは思ったが、効果はあった。聴衆はますます好奇心を掻き立てられたようだ。彼女の論文が世に出て3週間になるから、この人たちはたぶん、内容はすでに知っている。ところが驚いたことに、興味を失うどころか、いっそう彼女の話を聴きたくなったらしい。

練習を重ねた言葉が、ほとんど意識することもなく滑らかに流れ出る。前のほう数列の聴衆と緩やかなアイコンタクトをとる。すると彼らはいっそう話に引き込まれてさまざまな表情を見せるので、その反応を見て、クロエは話しぶりを微調整する。1カ月以上前の最初の就職面接のときとは雲泥の差だ。あれ以来、スライドを注意深く整え、完璧なものにした。話すほうも、大声で何度も練習してきた。今朝もホテルの部屋でやってきたばかりだ。この1カ月、人前で話すたびに少しずつ修正を加えて、流れを妨げるでこぼこを取り除いてきた。何度も練習したり発表したりしても、慣れっこになって平板な棒読みになったりしないのは驚きだ。毎回きっちり同じということもない。まったく逆だ。コントロールできている、次に何が来るかわかっているという自信があるので、もう原稿は必要ない。ストーリーと事実を、人を惹きつけるように伝えることに集中できる。それが功を奏した。聴衆はすっかり魅了され、話が終わると熱狂的な拍手が起こった。

すぐさま、いくつもの手が挙がる。発表がすばらしかったしるしだ。前2列からの質問に答え始める。この人たちは全員が教授会のメンバーのように見えるし、幾人かは選考委員会のメンバーだろう。彼らのなかにはとても聡明な科学者がいて、クロエにとっては的を射た質問を受けるいい機会となる。よい質問は、探りを入れるようなものであれ、示唆に富む、あるいは度量の広いものであれ、もし彼女が賢く使うことができれば宝の山となる。ここは一瞬も気が抜けない。

「Jm:jd10とそれによるMyc活性の調節が腫瘍の増殖と生存にとっていかに重要かを示された

お話は、きわめて説得力のあるものでした。確かに、この活性は宿主、つまりわたしたちにとって有益であるという理由で、進化したものに違いありません。そこで、ふたつ質問があります。ひとつは、成長あるいは生理機能にとって、Ｊｍｊｄ10の通常の役割は何かということ。もうひとつはいくらかそれと関連があるのですが、もしあなたの薬が特異的なものなら、Ｊｍｊｄ10の阻害にはなんらかの意味で害はないのではないでしょうか？　ああ、最後にもうひとつお聞きしたい。抵抗性についてはどうですか？　ほかの非常に多くの潜在的な薬剤標的に見られるように、腫瘍細胞は自然にＪｍｊｄ10にも依存しないようになるのではないでしょうか？」

どれも、よくぞ訊いてくれたと言いたいような質問だ。こうした質問に答えることで、発表の内容を超えて今後の計画を説明することができる。それこそ、彼女が一番ワクワクする話題だ。まだ活字になっていない予備データをいくつか紹介する機会も得られる。申し分のないスタートだ。心の中で、あの新聞記者のフランクに感謝する。将来の方向についての考えを彼に説明したことがきっかけで、重要な実験を早期にスタートさせることができた。すでに有意義な予備データがいくつか得られているのはそのおかげだ。複合質問をした１列目の発言者は、クロエが答えていくあいだ、なるほどといようような笑みを浮かべてうなずいていた。彼にはどこか見覚えがある。誰なのか、あとで調べてみよう。また手が挙がり、彼女は次の質問に対応する。

たくさんの質問と答えが交わされたあと、進行役のマット・ローゼンが打ち切りを宣言した。まだ幾人か質問の手を挙げている人がいて、注意を引こうと手を振っている。「申し訳ありません。このような活発な質疑応答を終わりにするのはまことに心苦しいのですが」とマットが言う。「本日のプログラムを先に進めなければなりません。申し込みをされた学生のみなさんには３階で演者との昼食会が用意してあり、まもなく始まります。そちらでさらに質問できるでしょう。終わりに当たって、演者のクロエ・ヴァルガ博士には、このようなきわめておもしろく興味深いお話をしていただきましたことにお礼申し上げたいと思います」。また熱狂的な拍手がひとしきりわき起こった。

クロエは得意の絶頂だった。発表がうまくいっただけでなく、質疑応答もうまくこなした。就職面接の際には、売り込みトークの良し悪しと同じくらい、質問への受け答えが重要であることをクロエは知っていた。自分の頭で考える力があり、しかも独創的な考え方ができることを、今日彼女は証明したのだ。話を短くして質問のための時間をたっぷり残す戦略がうまくいった。もちろん、おもしろい質問ができる知的な聴衆に恵まれたことも幸いした。ニューヨークで訪問したメディカルスクールでのおざなりな関心に比べたら、遥かに上等だ。いまわたしは完璧な場所にいる。クロエはふと、そんな確信に襲われた。

人々が講堂から退出していくあいだも、あたりにはざわめきや活気が満ちている。そこには、今後の展開への抑え難い期待とともに、何か重要な意味を持つことが伝えられたのだという陶酔感がある。実り多い質疑応答がこの活気をもたらしたのだと、クロエは気づいていた。質疑応答にはそうした教育的な一面があり、発表に新たな次元をつけ加えるのかもしれない。それとも、知性と知性のぶつかり合いを目撃するスリルが、そうした活気をもたらすのだろうか。クロエにはよくわからなかったが、そのエネルギーは感じることができる。たくさんの人たちが講堂の前のほうを目指し、まっすぐクロエに向かって来る。たいていはただ、「とてもよかった」とか「すばらしい内容だった」というような短い言葉をかけて、去り際に簡単な自己紹介をしていく。こうした自然発生的な称賛の言葉は心からのものに感じられる。称賛を浴びる心地よさにひととき身を任せたあと、まだ残っている人たちに注意を集中する。彼らはさらなる質問や見解、あるいは研究の細部に関する具体的な問いをぶつけてきた。彼女は順番に相手をして、興奮の赴くままに気前よくアイディアを披露した。

永遠に続けられそう、とクロエは思うが、マット・ローゼンが明らかに別の意図がある様子で、そばを行ったり来たりしている。そして、クロエの日程を先に進めるべく、再び介入してくる。すでに彼はクロエのコンピュータバッグをまとめており、彼のオフィスへ運んでおいてあげましょうと言う。「実に印象的な発表でした」部屋を出ながら彼が言う。「立見席以外満員でしたし。前評判もかなりのものだったようです」

エレベーターを待つあいだに、マットはこれから彼女が会う大学院生たちについて話し始めた。この前の2カ所の訪問先でも、学生やポスドクとの会合が発表のすぐあとに組み込まれていた。クロエには願ったりかなったりだ。気の抜けない公開の場での発表と、もっとあとに予定されている一対一の重要な会話とのあいだのちょうどいい息抜きになる。それぞれの研究計画について尋ねながら、軽い昼食もとれる。これから待ち受けている長い一日を乗り切るための燃料が必要だ。

昼食会に参加した学生のうち、一番社交的なセリアが、次の面接場所への案内を申し出た。昼食会は盛況で、ひとりふたり例外はあったものの、学生たちはみな自信にあふれ、はっきり考えを述べた。思えば、別に驚くには当たらない。そんな彼らの期待に応えられたことをクロエはうれしく思った。この国で最も人気のある博士課程のひとつに在籍し、しかも自ら進んでこの場に参加していることを彼らは、どこの大学院生にもどうやら共通するらしい懸念も口にした。科学の分野でどうやって身を立てていけばいいか――それに、きつい仕事を続けるだけの価値があるのか。そんなふうに先のことをくよくよするのは、クロエにはまったく理解できない。彼女にはいつもはっきりしていた。当然、彼女は最高を望み、当然、そのためにはきつい仕事もいとわない。だが今日は寛大な気持ちになっていたし、この若者たち全員が自分と同じレベルの野心を持っているわけではないこともわかる。そこで、寄せ集めの常識的なアドバイスをちょっぴりするにとどめた。

このあとの面接は、こうした気楽な会話とはまったくの別ものだ。これから会うピーター・コナー教授は、彼女がずっと前からその研究に敬服していた人物で、以前一度会ったことがある。いまはちょうどいい時間帯だ。もう発表のことを心配しなくていいし、まだそれほど疲れてもいない。ニューロンに活を入れ、神経を研ぎ澄まして、打てば響くような答えを返すことができるだろう。

うれしいことに、ピーターは同じ研究会に出席したことを覚えていてくれた。

「クロエ？　また会えるとはうれしいね。それに、すばらしい発表でしたよ」

「ありがとうございます。こうしてお会いできて光栄です」

「さて、正常細胞におけるJmjd10の調節とそこでの役割に関するあなたのアイディアについて話をしたい。発表のあとでそのことに言及していますね」。ピーターが世間話をとばしてすぐに科学の話を始めたことは、クロエを喜ばせた。彼女の研究にほんとうに興味を引かれたからに違いない。そこで彼女は自分のアイディアと研究プランの詳細を、ほんものの熱意を込めて説明し始めた。彼はさらに質問したり提案したりして、好奇心と鋭い知性で、彼女の小さな宇宙に深く切り込む。彼に注目されているという感覚がクロエをさらに饒舌にし、速いテンポで会話が進む。話題は多くの分野に及んだ。気づくとピーターの研究分野について意見を交わしていることもあった。彼は自分のラボがいま注目している新しい領域について語り、最近得られた結果をいくつか示した。たまにいきなり方向転換することが、科学に対する彼のお気に入りのアプローチらしい。これまでにそうした転換を数回行っていて、そのたびに、新しい領域に大きな貢献をしている。トムのやり方とはまったく違うとクロエは気づいた。トムのラボは彼女の知る限り、いつも同じ疑問を追求している。もちろん、専門分野の研究は前に進み、テクノロジーは変化する。だが興味の中心は同じままなのだ。トムもピーターも成功しているのだから、どちらの戦略でもうまくいくものらしい。ピーターのラボの新しい方向に興味を引かれたクロエは、すかさず質問したり独自のアイディアを提供したりした。彼女の専門分野ではなかったものの十分な知識があったため、無理なく、建設的な発言ができたのだ。まるで対等な者どうしの議論のように感じられ、クロエは大きな満足感を味わった。彼のシステム内でクロエの提案がどのように生かせるかの検討にふたりで没頭していたとき、ドアにノックがあった。もう、次の面接の時間だ。45分があっという間だった。

キャサリン（キャシーと呼んでね）・アントン博士がクロエをピーターのオフィスから連れ出した。クロエより背が低くて5歳から10歳くらい年上、丸顔にカールした髪と知的な瞳の持ち主だ。初めて会う人だなとクロエは思った。親切そうだがきびきびした物腰。きっと子持ちで、仕事と家庭の両立に必要な効率の良さが身についているのだろう。「発表はとても聴きごたえがあったわ。すばらしかった」と最初に述べたあと、行き届いた配慮を見せて、化粧室を使う必要があるか、コーヒーが欲しいかと訊いてくれた。

クロエがキャシーのオフィスに戻ると、待望のコーヒーが用意されていた。また、コンピュータのスクリーンを、話し合いのあいだに両方が見られるような位置にセットしてあった。だが、まず訊かれたのは、カリフォルニアが気に入ったかどうかだった。

「これまでのところ、気に入っています」とにっこりして言う。「そうは言っても、大学のキャンパスをいくつか見ただけなので、まだカリフォルニアをほんとうに知ったとは言えないですね」

キャシーは笑って、自分は過去のある時点で〝ベイエリアの渦巻き〟につかまってしまったのだと言う。「わたしはここでの暮らしが大好きだし、ここは研究の面でもすごいのよ」と言う口調には熱がこもっている。「夫もここでいい仕事に就いているしね。まあ、要するにそういうこと」とすばやくギアチェンジする。「世間話なんかしている時間はないわね。ここのラボでどんなことをやっているか、説明しましょう」

話が科学のことになると、キャシーの名前は聞いたことがなかったとしても、そのラボの仕事は知っていることに気づいた。キャシーは最近、クロマチン修飾と広範囲の遺伝子発現変化に関する論文をいくつか発表し、高く評価されていた。クロエのいまの仕事や興味とそれほどかけ離れた分野ではなかったため、説明の途中で適切な見解や質問を述べるのは簡単だった。キャシーは口を挟まれることを楽しんでいるようで、それに応じてさらに情報や考えや見通しを熱心に教えてくれた。そうした研究計画について突っ込んだ討論をするとともに、研究現場が直面しているもっと一般的な問題についても触れた。とても満足のいく話し合いで、ふたりともずっと続けられそうだった。だがある時点でキャシーは話をストップし、コンピュータのスクリーンで時間を確かめた。

「あら、大変。もう2、3分しか残ってないみたい。あなたが連れて行かれる前にいくつか言っておきたいことがあるの。ちょっとした売り込みね。ここはすばらしい大学だし、すばらしい学部よ。正直言って、最高だと思うわ。たとえ、ベイエリアの魅力を割り引いて考えたとしても、わたしはここ以外の場所で仕事をしたいとは思わない。学生たちは優秀で、新しいラボに集まってくる。だから、ここであなたのラボを持つということになっても、何の問題もないでしょうね。わたしは6年ほど前にラボを立ち上げたのよ。去年は昇格したし。みんなとても力になってくれたわ」キャシーは学部についてさらにいくつか詳しい情報をつけ加えた。クロエにはうれしい話ばかりだったから、にっこりしてうなずきながら聴いていた。別にこの場所に疑いを持っていたわけではないが、キャシーの熱意と〝売り込み〟には、ほんとうに望まれていると感じさせる力があった。自尊心がくすぐられ、満ち足りた気持ちにさせられたことを認めないわけにはいかない。予想通り、次の面接官がクロエを連れに来たため、数分後には話をやめなければならなかった。

次の話し合いはまたがらりと趣の違うものとなった。マイナー教授は60代だろうとクロエは思った。「ハンス・マイナーです。ハンスと呼んでください」と手を差し伸べながら言う。だが、〝マイナー教授〟のほうがふさわしいような印象を受ける。ひとつには年齢のせいもあるが、肩書にこだわる古い人のようだなと気づいたせいでもある。初対面の挨拶のあと、教授は向きを変えてクロエをオフィスへと導いた。活力の衰えをうかがわせるようなすり足で廊下を進んで行く。ところがひとたび専門分野について話し始めると、そうした印象はとんでもない思い違いであることがわかった。膜チャネルに関する研究を長く続けていて、その分野の浮き沈みをいくつも潜り抜けてきたが、いまこの分野には再び熱い視線が注がれている。クロエは話についていくのが一苦労だった。この分野を詳しくは知らないため、キャシーとのときに比べ、突っ込んだ討論がむずかしい。教授の言葉に全面的に集中するには、頭の中をくまなく調べて、どこかにあるはずの古い知識を探すかたわら、何でもいいから、興味を保つための材料が必要だった。教授の独演会ではいけない。会話にしなければ。そこで、構造変化のことや、考え得る中間段階をどうやって確認するかといったことを尋ねてみた。ほかにもいくつか、質問する機会を捉えた。教授は質問を注意深く検討し、懇切丁寧に答えてくれた。教授が話題を切り替えてクロエの仕事について尋ね始めると、クロエはようやく、もっと馴染みのある領域に退却することができた。といっても、気を抜くわけにはいかない。できるだけ、新しい視点につながるような答えを返すように努め、がんとの関連よりもメカニズムに焦点を合わせるようにした。こうすれば、彼女の仕事や考え方を高く評価してもらうのに役立つだろう。教授の質問は鋭いというよりは礼儀正しいものかもしれないが、少なくとも彼女のことを真剣に受け止めてくれているようだ。教授の地位を考えれば、これはいい兆候だとクロエは思った。束の間、学部のために人員を補充するとしたら、教授は彼女のような人間でなく構造生物学者をもうひとり雇うほうを選ぶのではないだろうかという考えが頭をよぎる。でも、そんなことをくよくよ心配したってしかたがない。彼女にできるのは、適切な印象を与えるように努めることだけだ。残りの時間はこの一点に注意を集中した。なかなかきびしかったが、うまく切り抜けた。おそらく。たぶん。

マイナー教授のオフィスを辞去したクロエは、髪がうすくなりかけた、中年もしくはほんの少しそれを超えた男性のあとについて行った。この人が次の面接官のトビー・アクマン博士に違いないが、自己紹介はしてくれない。彼の独創性に富む研究については、学生時代から知っていた。向かう先は地階らしい。

「僕らの一部はお偉方には受けがよくなくてね」かすかに笑みを含んだ声でうなるように言う。「僕らは地下に閉じ込められているのさ。身のほどをわきまえろというわけだ」

こぢんまりしたトビーのオフィスの乱雑さや彼の皮肉っぽいコメントは、クロエが覚えている彼の論文にはそぐわない。難解な論文は説得力があって折り目正しく、少々時代遅れの感があった。トビーは〝お偉方〟に不平を鳴らしたり楯突いたりするのを楽しんでいるように思われる。大学院生とその選択や能力には痛烈な非難を浴びせる。昇進委員会は、彼に言わせれば科学的な業績に対する〝思慮深い評価〟ではなく政治と助成金によって動かされており、これもまた非難の対象となる。当然、会話は弾まない。クロエがこうした言葉に何も言えないことは、トビーにもよくわかっているはずだ。もしかすると、わざとこんなことをして、彼女がどう反応するか見ようとしているのだろうか。それとも、地下の不良少年である自分は、何を言ってもかまわないと思っているだけなのだろうか。どちらにしても、居心地が悪い。疲れてきて、集中も途切れる。暗黒空間に滑り込んだり、出たりしているような感じで、ところどころで何秒か意識が飛ぶ。少しばかりゾッとする。クロエはなんとか疲れを寄せつけまいと奮闘した。

45分後、付き添われて地上に戻ったクロエは、ほっとする思いだった。いまや非常に長い時間を過ごしたように感じられる午後も終わりに近づき、次が最後の面接になる。〝ただのバリーでいいよ〟と自己紹介した最後の面接官は新人に違いない。クロエとほぼ同年齢で、エネルギーに満ちあふれている。長身で褐色の髪、とてもハンサムな顔に、真剣だけれどいたずらっぽい目をしている。彼はトビーについての冗談から会話を始めた。「彼の不平不満にすっかり恐れをなしてしまったんじゃなければいいけど。2、3年前に僕もやられたんだ。でも、ご覧の通り、僕には効果がなかった」。ふたりは廊下を進んで行った。「階段でいい?」と訊かれて彼女はうなずいた。たとえ数分でも、違う種類の活動は大歓迎だ。階段をいくつか上るうちに、バリーは元気いっぱいなだけでなくアスリート並みの体力もあるのだと、クロエは気づいた。

オフィスに着きもしないうちから、バリーは質問を始めた。今日は一日どうだったか、学部長でいつも一番に出勤するマットをどう思ったか。退屈だった? そうでもなかった? それにピーターやキャシー、ハンスについてはどうか? トビーについてはすでに話が済んでいる。彼の口ぶりを聞いていると、まるでふたりが共謀者であるかのようだ。その日交わしたほかの会話とはまるで違う。彼の気さくなからかいのところどころには、かすかな優越感が感じ取れる。それとも、疲労のあまり、彼の口調を誤解しているのだろうか。慎重に、と心の中で自分を戒める。わなに引っ掛かって、言うべきでないことを口走ってはいけない。なにしろ、バリーはすでにここでの職を手に入れているのだから、何でも言えるのだ。それでも、ほかの教職員についてのバリーのコメントにはほんとうに笑えるものもある。マットは確かに少々退屈だ。いったんは年寄り（オールドマン）と呼んだハンス・マイナーを、たちまち大御所（グランドオールドマン）に修正する。ピーターにはもっと手厳しい。関心のある新しい分野について、身を乗り出すようにして熱心に語るさまの物まねは、真に迫っている。新しい分野に取り組むたびに、まるで彼がじきじきにそれを発見したのかと思わせるような騒ぎなんだとバリーは言う。いくらかは当たっている。それでも、ちょっぴり残酷でもある。クロエはそんな思いを脇へ押しやった。明らかに楽しませようとしてくれているのだから、もっとリラックスして会話を楽しもう。アメリカ人は皮肉や当てこすりを不快に感じる傾向があって、それが西海岸ではさらに強いことにクロエは気づいていた。でもバリーに関しては、その心配はないようだ。

ふたりは2階にあるバリーの研究室に腰を下ろした。彼女の一日や抱いた印象についてのよもやま話の種も尽き、話題を切り替えて、科学について話し始める。発表や将来の計画についていくつか質問された。ピーターと同じく彼もJmjd10の正常な制御に関心があり、膜と結合したり遊離したりする際の性質について、考察を加える。クロエはその疑問に対処するためのアイディアとプランを説明する。部分的には、これはピーターとの討論の繰り返しだ。だが、自分がいつの間にかそのアイディアを拡張し、論証を改善していることに気づく。頭の働きとは奇妙なものだ。何かをどう説明するか考え、言葉にすることで、脳の中の歯車が回り出すらしい。以前に何度も何度も考えをめぐらしたその同じ問題なのに、こうして不意に新しいアイディアが飛び出す。これは別に目新しい現象ではない。そうわかってはいても、自らそれを体験し、アイディアが湧いてきて頭の中でひとりでに形を取るのを感じると、ワクワクさせられる。バリーがお返しに自分の仕事について話してくれる。彼は膜の脂質とタンパク質の相互作用について研究している。そのせいで、ハンス・マイナーに特別な敬意を抱くとともに、クロエの仕事のそうした特定の側面に関心があるのだろう。クロエは彼の仕事に興味を引かれ、さしたる苦労もなしに実り多い討論を続けることができた。

その後、割り当ての45分を過ぎてからも話が弾み、話題はサンフランシスコでの暮らしに移った。キャシー同様に、バリーも熱烈にサンフランシスコを愛している。クロエはいっそうリラックスして、自分がいる部屋の細部に注意を向け始めた。トビーの研究室を別にすれば、今日は周囲の環境にまったく注意を払っていなかった。バリーの明るい部屋にはエド・ルシェ[訳注1]の大きな写真プリントが２枚飾ってある。それを見て、彼をちょっとからかってやろうかという気になった。

「サンフランシスコがそんなにも好きだという人にしては、ずいぶんロサンゼルスに入れ込んでいるみたいね」と言いながら、人目を引くプリントのほうにあごをしゃくる。１枚は都市の夜景で、交差する街路灯の灯りが写っている。もう１枚は山の写真で、読んですぐ忘れるようなお決まりのちぐはぐな文章がついている。「あなたはあそこの出身なの？　ロサンゼルスの？」

「いや、いや。僕はただルシェが好きなだけだよ。大局観みたいなものを与えてくれるんだ。僕の出身地はニューヨークとイングランド。大西洋をまたぐ雑種というわけさ」いったん言葉を切って続ける。「ポスドク時代に一時ニューヨークに戻ったんだ。僕はサンフランシスコとニューヨークが好きだね。それにどうやら、ごく一部の少数派、つまりゲイでない独身男性の一員らしい。その利点を目いっぱい活用しているよ」かすかにワルぶった笑みを浮かべてつけ加える。「出掛けるのは好き？　それとも、ダンナさんが外出を許さない？」これは状況を考えればとんでもなく立ち入った問いかけだった。だが、とにかく答えは返そうとクロエは思った。マットにはすでに、〝二体問題〟はないと言ってあった。言い換えると、〝大切な他者〟つまり配偶者や恋人も求職中という状況は心配する必要がない。彼女のことだけを考えればいいということだ。

「夫はいないわ」とクロエは答えた。「でも、わたしなんか退屈じゃないかしら。仕事人間なの」

訳注１　ロサンゼルスを中心に活躍する現代美術家

「退屈？　僕らはみんな仕事人間さ。この世界じゃ当たり前だよ。じゃ、何か楽しいことをしよう。マットとの今夜の本格的なディナーの前にね。就職希望者をいつも近くのレストランに連れて行くことになっているんだ。たいしておもしろくもないよ」クロエの表情に気づいて続ける。「いや、だいじょうぶ。心配はいらない。いいレストランだよ。僕はただ、ちょっと変化があってもいいな、なんて勝手に思っただけなんだ。どっちみち、ここからそう遠くないよ。だから、もしどうしてもホテルに戻る必要があるっていうんじゃなかったら、途中に小さくていいバーを知っているから、ちょっと寄ってみてもいいよ。どうかな？　殺風景なホテルの部屋でのひとりぼっちの1時間か、僕と過ごす1時間か？」

「ちょっとぶらつくのは大歓迎よ、ありがとう」彼のふざけた態度がおもしろくて、短く笑いながら答える。「それに、このへんで軽く一杯っていうのも悪くないわ」

「よしきた。マットのオフィスにちょっと寄って、君のバッグを受け取りがてら、どこへ行くか伝えておこう。マットと学部のほかの大物連中はディナーに直行することになってるからね。連中はもう少し君を質問攻めにする気だぞ。だから元気をつけなくちゃ」。この〝我々対古株連中〟というゲームに彼女を引っ張り込むことを楽しんでいるようだ。別にかまわない。今日のいろいろなできごととディナーとのあいだに一段階挟むのはいい考えに思える。ストレス解消になる。ディナーもやはり、気の抜けないひとときになるだろうから。

バリーに連れて行かれたバーは地味な雰囲気で、活気はあるが、会話ができないほどの騒がしさではない。学生相手の店のようだが、熟年らしき顔も見える。クロエは地元のメルローワインをグラスで頼んだ。

「ここはニューヨークやロンドンに比べれば田舎だよ」バリーが認める。「でも、それを言うなら、どこだってそうさ。ボストンよりはましだと思うな」。クロエは別に、ボストンの名誉のために戦おうとは思わない。戦うなら科学のためだし、ボストンに特別愛着があるわけでもない。興味のあることや生い立ちに話が移ると、ひとりっ子であることから、あまり入れ込まずにあくまで素人としてモダンアートを楽しむことまで、たくさんの共通点のあることがわかった。バリーは寄宿学校時代のことも少し話してくれた。そんなに小さいころから遠くの学校にやられることを想像すると、口やかましい父親とおとなしい母親に対する自分のささやかな恨みなど、取るに足りないものに感じられた。彼女は多言語環境で育つことのむずかしさと楽しさについて話した。少しずつ交互に語るうちに、会話は彼女が予想していたのとはまるで違うものになっていった。おふざけは影を潜め、バリーの別の顔が垣間見えた。レストランに向かわなければならない時間になったときには、ふたりとも少し残念な気がした。クロエはまた強気な顔をまとう準備をし、バリーは軽い冷やかしモードに戻る。またもやマットとその想像力のなさをからかい、就職面接者とのディナーにレストランを選ぶなんてと言うのだった。

結局、そのレストランは今夜の目的にぴったりの場所だとわかった。小さなイタリアンレストランで、気さくで押しつけがましくないサービスをモットーとしている。半ば個室のような奥まった場所や人目につきにくい場所がたくさんあって、６人掛けの彼らのテーブルでさえ、周囲の騒音に邪魔されずに会話することができた。バーでは少しばかり年を感じさせられたクロエだったが、ここではディナーに連れて来てもらった子供のような気持ちがした。先輩教職員の前とあって、バリーの態度もいくらか控え目になっている。たぶん、今夜はクロエひとりが注目を浴びるべきであって、自分は出しゃばらないほうがいいと察したのだろう。ワインで少し緊張がほぐれていたクロエは穏やかな気分だったが、ディナーのあいだに飲むのは少量にとどめておいた。これは遊びではないのだ。ちゃんと頭を働かせ、よい印象を与えなければならない。

最初のうち、会話は予想通り、おもに彼女の研究や発表、最近出た論文、将来の計画などを中心に進んだ。この部分は簡単にこなせた。これまでの数回の面接とディナーの経験から、質問の中味は予想がついたからだ。唯一不愉快だったのは、グンナー・ニューベルク博士が不意に沈黙を破って声を上げたときだった。彼女の論文に彼の以前の研究をいくつか引用文献として挙げるべきだったと言うのだ。クロエには、どう弁明するのが一番いいのか、よくわからなかった。彼の研究を、説得力のある根拠を思いつくほどよくは知らなかったからだ。その窮地を救ってくれたのはマットとほかのふたりの教授だった。グンナーには同意できないと彼らは明言し、彼の引用記録にはたいした痛手ではあるまいと冗談を飛ばした。

先方には、採用したいという気がほんとうにあるのだと感じたのはこのときだった。彼女だけが、よい印象を与えようとしているのではない。逆に彼らのほうでもそう思っている。突然の啓示のように、そう気づいたのだ。確かに、キャシーもバリーも彼女に来てほしいと言ってくれた。でも、それとこれとは別だ。こちらは学部長と、おそらくは採用に重要な発言権を持つ人たちなのだ。じわじわと実感が湧いてくる。話題はトムと彼のラボに移っていた。この場の全員が少なくとも職業上は彼を知っており、近況を知りたがった。クロエは喜んで応じた。ついでに、トムがポスドクたちに独自のアイディアの追求を奨励し、ラボを出て行くときにはその研究計画の持ち出しを許していることを、自分がどれほどありがたく思っているか話した。その点を明らかにしても害はないだろうと考えたのだ。トムの話題はわりあいにすぐ種切れとなり、残りの会話ではそれほどクロエが中心となることはなかった。ちょっぴりリラックスできる。全員が自分の務めを果たし終え、いまはただ時間をつぶしているだけだ。マットがようやく勘定を頼み、早めにお開きにしようと言った。「明日も忙しい一日になると思うよ」とクロエに言う。そう言われて、ディナーが終わったことになんとなくほっとする。ちゃんと考えられないほど疲れる前に全部終わってよかった。いま必要なのは孤独なホテルの部屋とベッド、多少の睡眠だ。

◆ ◆ ◆

クロエはベッドに横になっていた。まだ、面接のために注意深く選んだ服装のままだ。ゆとりがあるけれども上品な細い縞のシャツに黒いリネンのパンツは、控え目ながらも彼女らしいスタイルにまとまっている。疲労困憊といった感じだが、神経が高ぶっていて眠れない。これから1時間ばかり、一日を追体験し、あらゆるできごとの意味を考えたり評価したりして過ごすことになるのだろう。これまでの面接でも、毎回そうだった。最初の面接、12月のニューヨークでの面接は悲惨だった。いや、ひょっとすると悲惨とまでは行かないかもしれないが、到底、満足できるものではなかった。すべて、鮮明すぎるほど鮮明に覚えている。メディカルスクールに行くのに病院の入り口から入ってしまったのがそもそもの始まりで、そこからすべてが悪いほうに転がり始めた。セミナーのために用意されていたのは薄汚い教室で、半分しか埋まっていない。発表後の質疑応答は低調で、医学的な関連性や細かな技術上のあれこれについての質問ばかり。あげくの果てに彼女の話とはまったく関係のない質問まで飛び出す始末だった。有名なパーク教授とのばかばかしい一幕を思うと、いまでも頭にカッと血が上る。発表を聴きに来もしなかったくせに、恐れ多くも自室でのお目通りをお許しくださったのだが、その間、当人はほとんど居眠りしていた。思い上がった嫌なやつ。しかしその面接で彼女が一番気に病んでいるのは、そこが期待外れだったことではない。悩みの原因は彼女にあった。やるべきことをちゃんとやれず、自滅してしまったのだ。あまりにも神経過敏になって、発表ではミスを連発した。よかったと言ってもらえたけれど、すばらしい出来とは言えないと、自分ではわかっていた。若手の教職員との面接はうまくいった。だが年配教職員が相手だと、自信のなさが露呈した。サンドラ・ハワード教授との面接は特にひどくて、自分を蹴飛ばしてやりたいくらいだった。サンドラのすぐれた研究を知っていたから、いい印象を与えたいと思ったのだが、会話は一向に弾まなかった。サンドラは延々と、もうひとり女性を雇うことの重要性について話した。クロエには嫌でたまらなかった。一目置かれ、雇われたいが、それはあくまでも一科学者としてであって、女性科学者としてではない。しかしサンドラ相手にそんな議論をするわけにはいかなかった。あの面接は失敗だった。それでもニューヨークはすてきだったし、ディナーでは若手の教職員や学部長と楽しいひとときを過ごした。でも、自分がチャンスをふいにしたのはわかっている。たぶん、あのポストをほんとうに望んではいなかったのだろう。あの奇妙な学部のポストは。それでも、うまくやれなかったことは彼女を大いに悩ませた。あんなことを二度と繰り返すわけにはいかない。そこで、発表とその後の面接でのやり取りのあらゆる側面を改善することに全力を注いだ。その結果、回を重ねるごとによくなっている。今日は何もかも、これ以上は望めないほどうまくいった。でも、漏れがあった。ディナーの席でグンナー・ニューベルクの難詰に答えられなかったのが、たったひとつ悔やまれる点だ。明日、朝食前に彼の論文を調べてみよう。彼が言っていた論文を探して、今後に備えよう。そうすれば、彼の仕事を知っていると言って敬意を払いながら、適切な弁明ができる。それでいい。対処すべき問題がもうないことに満足して、やっとのことで立ち上がり、ちゃんとベッドに入る準備に取り掛かった。

◆ ◆ ◆

翌日はゆっくり休めた気分で目が覚めた。何が来てもだいじょうぶ。中味の濃い一対一の面接にまた一日立ち向かう準備ができている。耳を傾け、機敏に反応する準備ができている。どこからでも、かかっておいで。

すべてを終えたあと、マットとの〝締めくくり〟の話し合いは予想外の展開となった。昨日の朝の話し合いでは、学部や大学施設、大学院課程などについて大まかな話をした。今日、彼は昨日一日の感想を尋ね、彼女の発表と最近の論文に対する称賛を繰り返した。『ニューヨーク・タイムズ』の記事も読んだと言う。クロエのほうは、フランクの記事を読まなくちゃと思いながらも、いつも忘れていた。記事が出たのが、この長い旅のためにボストンを離れた直後だったので、たちまち背後に押しやられてしまったのだ。ほかに考えるべきことがあまりにも多かった。だが、読んでくれた人はいたわけだ。とうとうマットが黙り込み、咳払いをした。何か重要なことを言おうとしているのだと察したクロエは、期待を込めて待ち構えた。

「今朝、わたしは選考委員会のメンバー全員とその他数名に話をしました。我々全員があなたとあなたの仕事に深い感銘を受けたことをお伝えしたい」と少し前かがみになる。「我々はあなたをここにぜひ迎えたいと思っています。細胞死の制御とがんとの関連に焦点を合わせているあなたなら、ここでの研究にしっくり馴染むことでしょう。ここの一員に加わっていただけることを、我々は心から望んでいます」と言っていったん言葉を切る。クロエは怖くて口を挟むことができない。「しかしながら、実はほかにも数名、面接希望者がいて、来月中に会う予定になっています。そういうわけで、残念ながらいまここですぐに職を提供することはできないのです。そうしたいのはやまやまなのですが。いくつかすばらしい場所で面接を受け、よい結果を残されていることと思います。ですから、おそらく引く手あまたということになるでしょう。しかし、我々の真意をご承知おきいただきたいと思います。状況を正しく理解したうえで、お帰りいただきたいのです。もしご興味があればですが」

この段階でのこの〝ほぼ確定〟は異例だ。それはどちらにもわかっていた。

「もちろん、とても興味があります」クロエはすかさず答える。考えるまでもない。「ここではほんとうに楽しい時間を過ごさせていただきました。有意義な話し合いもたくさん持てました。それにもちろん、ここの評判はそれはもうすばらしいものです。ですから、はい、断言できます。興味があると当てにしていただいて結構です」。マットは喜んだようで、学部や大学で今後予定されているさまざまな計画についてさらに話を進める。クロエの頭にはほとんど残らない。いまのところ、声がうわずったりはしていないが、実はびっくり仰天していた。うれしいびっくり仰天だ。ついにやった。アメリカでも最高の大学のひとつに、独立したポストを獲得したのだ。それに、ここは彼女が心からいたいと思える場所だ。いや、〝ほぼ、獲得した〟だと、心の中で訂正する。まだ完全にここの一員というわけではない。でも、うれしさを抑えることができない。マットの言葉にいちいちうなずきながら、ほほ笑む。ことによると、ここはクールに対応すべきなのかもしれない。大喜びするのはもっとあと、正式に決まってからだ。いまは、あまり盛大にニヤニヤしないように自制しなくては。頭のネジが緩んだ変人みたいに見えたらまずい。

第9章

約束の午前9時が来て、過ぎた。今ごろトムはカレンが来るのを待っていることだろう。カレンは早朝からデスクに着いていたが、落ち着かず、ほとんど仕事にならなかった。そしていま、約束の時間に遅れている。今日は彼女の研究をどういうふうに論文にまとめて発表するかについて相談することになっている。昨日のグループミーティングの続きだ。それはいい。特別ややこしい話ではない。だが、クロエのマウスについてアンディから聞いたことと、図７Ｆの数字のことが頭から離れない。トムに言うべきか。それとも、このまま何もせず、忘れるべきか。どちらかに決めなければならない。言う義務があるのだろうか？　わからない。それに、トムがどう反応するか、見当もつかない。そんな疑惑を指摘したら、どう思われるだろう？　でも、もう行かなくちゃ。さらに２、３分ぐずぐずしたあと、カレンは重い腰を上げた。

ラップトップを取り上げ、ラボをゆっくり通り抜けて廊下に出ると、数歩でトムの部屋だ。ドアは開いていて、室内からは何の音もしない。思わず足が止まる。そのときようやく聞こえてきた電話のベルや慌ただしくキーを叩く音に、ふっと力が抜けた。深呼吸をすると、開いているドアをそっとノックしながら中に入る。トムが目を上げて励ますようにほほ笑み、手ぶりでいつもの椅子を示す。

そして、真剣な表情になって話し始める。

「カレン、『サイエンス』の論文の件は恐ろしく運が悪かったね。まったく予想外だった。あのグループのことは一度も聞いたことがなかったよ。君があああしたアイディアを独自に持っていたのは確かだし、君の論文のほうがずっといいものになっていただろう。昨日のプレゼンテーションからもそれは明らかだ」

もっと早く論文を書き上げるようにと助言していたことには触れないでくれて、ありがたかった。〝だから言ったのに〟なんて言われたら、とても耐えられない。

「すごいショックでした。ほんとうに打ちのめされてしまいました。正直に言いますと、この数日は、すべて諦めよう、終わりにしようとすっかり覚悟を決めていたんです」

「よくわかるよ。いまは、科学に幻滅を感じているかもしれない。キャリアに夢を託す気には、とてもなれないだろう。でも、いますぐに何か重大な決定を下すことはしないと約束してほしい。いいね？　君ならこれを切り抜けられる。君はとても才能があるんだよ、カレン。大事なのは、自分でそう信じることだ」トムは身を乗り出してカレンの目をまっすぐに覗き込んだ。「僕のラボに来る全員が、必要な資質を持っているわけじゃない。だが、君にはある。科学の道で成功するための明敏さと粘り強さがある。それは研究の進め方を見ればよくわかる。そのうえ君には独自の知性がある。僕がアイディアを出してやる必要がないんだ」トムは再び、励ますような笑みを浮かべた。

この言葉にカレンは驚きの表情を浮かべた。トムが実は自分を認めてくれていたとは、思いもよらなかった。それに、彼女の能力にもずいぶん確信があるようだ。うれしかったが、すぐにはなんと言っていいかわからない。

「だから、諦めないでくれるね？　もし望むなら、自立してやっていけるいいポストに必ずつけるよ」少し間を置いて続ける。「さて、ストーリーをどう組み立てれば今年のうちに論文として発表できるか、問題点を整理してみよう。いまはまだ1月だから、十分に可能だ。論文を発表してから、その後君の研究計画をどこへ持って行きたいか考えればいい。助成金が切れることはあまり心配しなくていいよ。期間を延長してやれるからね。そうすれば、また別の論文を持って、よそへ移ることができる。君ならできる。この挫折を乗り越えさえすればいいんだ」また間を置く。「で、このストーリーをまとめるには何が必要かな？　昨日のプレゼンテーションからすると、それほど多くはないようだが。もしかするとすでに4つか5つ、図表があるんじゃないかな。がん細胞と正常細胞とのあいだの違いに関するデータを追加する必要があるだろうね。もういくつか結果が出ていると、昨日言っていたね。いま見られるかな？」

「ええ、わたし……」カレンはラップトップを開いた。だが何も言う間もなく、トムが話を続ける。

「それに、君が昨日指摘したように、3D培養実験をやってみるのはいい考えだ。正常細胞とがん細胞における細胞結合を可視化して、もちろん、細胞死センサーも導入しておく。最後に、ヴィクラムが提案したマウスの実験も、やってみる価値は確かにある。では、こうした部分を一つひとつ見ていこう」

具体的な項目に意識を向けると、カレンは緊張がほぐれるのを感じた。トムの激励も役立った。問題にもっと集中して意欲的に取り組もうという気が湧いてくる。ずいぶん長い間、とてもそんな気にはなれなかったのに。まとめておいた図表をトムと一緒に検討する。トムから2、3指摘があったが、長々と論じることはしない。がん細胞株でこれまでに得られたデータについて意見を交わす。この討論のおかげで、該当する結果の部分をどう書けばいいか、いいアイディアが浮かんだ。またそのおかげでカレン――というか彼ら――は、よりむずかしい3D実験をどの細胞株で試すか、決めることができた。このアッセイには多くの手間がかかり、顕微鏡も長時間使うことになる。だから、時間に余裕がない場合には前もって正しい選択をしておくことが重要なのだ。最後にマウスの実験の検討に移る。

「じゃあ、アンディには話をしたんだね？　君が使えるマウスがあるって？」

「はい、話しました。幸い、あるそうです。両方の遺伝子型のマウスがたくさんいて十分な数の交配をセットできるので、早く実験に取り掛かれそうです。たとえ、ひと腹の子の数が少なくても、ダブルトランスジェニックの子を十分に確保できると思います。もしかすると、いくつかの時点で実験を行えるくらい、多めに確保できるかもしれません」

「ああ、それはよかった。あのマウスを使ったときのことを覚えているよ。腫瘍がほんとうにすぐに発生するんだ。だから、3カ月以内に実験を終えられるはずだ。そのほかの実験もね。これで、一応の予定表ができたわけだ」

「そうですね。ウイルス精製キットを用意しておこうと思います。画像化の条件のチェックにも取り掛かれます。そうすれば、トランスジェニックマウスが使えるようになったときにはすべて準備ができていることになりますから。下の階の装置もチェックしましたが、問題ないようです。何もかもうまくいけば、生きたマウスでの画像化もできるでしょう。もし無理なら、腫瘍組織片の培養をしなければなりませんが、それも問題ないと思います。唯一の問題は、組織で〝ナノチューブ〟を見ることができるほど、シグナルが強いかどうかです。やってみないとわかりません」

「すべて考えてあるようだね。君ならきっと、最善をつくしてくれると信じているよ」といったん間を置いて、「それで、名称の件だが。我々もナノチューブという呼び方に慣れるべきではないだろうか。君の調べている構造が『サイエンス』の論文のものと同一ではないと確信しているなら、話は別だがね」

客観的に見て、カレンの〝細い結合〟が、ポーランドのグループが記述している〝ナノチューブ〟と同じ構造体であることはほぼ確かだ。それはカレンにもわかる。そこでカレンは、そう考える理由だけでなく、実験でそのことを確かめる方法もトムに説明した。トムがうなずく。そういうことなら、混乱を避ける意味で、同じ用語を使うのが一番いいだろう。

トムが自分のコンピュータのスクリーンにちらりと目をやり、カレンは立ち上がりかける。だがそこでためらい、また腰を下ろす。

「別の件で、先生にお話しすべきではないかと思うことがあるのですが」

トムが目を上げる。カレンにはまだ迷いがある。もしかすると、そっとしておいたほうがいいのかもしれない。いや、決めるのはトムだ。

「アンディが言ったんです。わたしのためのマウスについて調べているときに」

「はあ?」

「彼がいまそんなにもたくさん、そうしたマウスを抱えているのは、クロエがもっと必要とするだろうと思ったからなんだそうです。でもクロエは貰いに行っていません」

「当然だ。彼女の実験は半年も前に終わっている。論文の修正版のために必要なマウスは入手できたんだ」

「はい、わかっています。でも」とまた躊躇する。「アンディとは、わたしの実験には交配済みのメスが何匹必要か、話し合いました。そこから、わたしが前もって頼んでもいないのに、どうしてアンディがそんなにもたくさん、交配用のマウスを用意しているのかという話になったんです。彼が言うには、昨年の夏、クロエには妊娠したメスを2匹しか渡してやれなかったので、もっと欲しがると思ったんだとか。2匹しかなくて、クロエはとても憤慨していたそうです」

「ああ、たぶんそれ以上必要なかったんだろう。いったい何が言いたいのかな?」硬い口調になっている。こんなことを言うべきではなかったのだと、カレンは思った。でも始めてしまった以上、終わらせなければならない。言うつもりだったことを言って、できるだけ早くこの部屋を出て行かなければ。トムがこんな話を聞きたがらないことくらい、わかっているべきだったのに。それに、こんな情報をもたらした人間のことも、トムは好ましく思わないだろう。どんなふうに説明がつくのか知らないが、それがどんなものだったとしても、トムの心証を悪くしてしまったことは変わらない。

「アンディは、2匹のメスのうち1匹は死んだと思うとも言っていました。すると残りは1匹だけになります。わたしはクロエの論文を読み返してみました」。トムはデスクの上にある1枚の紙をじっと見つめていたが、ここで目を上げ、何を考えているのかわからない表情でカレンを見る。カレンは破れかぶれで突き進む。「そうしたら、彼女は最後の実験に6匹のトランスジェニックマウスを使ったことがわかりました。3匹が薬剤ありで、3匹が薬剤なしです」いったん言葉を切り、もっと言う必要があるのだろうかといぶかしく思う。だがトムは何も言わない。「妊娠したキャリアメス1匹からダブルトランスジェニックの子6匹を得ることはできなかったはずです。メスが2匹いたとしても、到底ありない数です。アンディは、ひと腹の子の数は少ないと言っていました」

トムは黙ったままだ。しばらくして、落ち着いた、わざと冷静さをよそおっているような口調で答えた。「もし論文に6匹のトランスジェニックマウスを使ったと書いてあるなら、6匹使ったのだ。はっきりしている」

カレンはこれに対してなんと言うべきかわからなかった。「すみません。わたしはただ、先生が知っておくべきだと思ったんです」立ち上がって、すばやく持ち物をまとめる。ドアへ向かいながら、閉めた。

「わたしは別に……」と言いかけるが、言葉が続かない。代わりに、ドアを背後でしっかりと静かに

トムはデスクの上の紙を凝視するが、実は何も見ていない。慎重に考える必要がある。もしクロエが６匹使ったと言うなら、６匹使ったのだ。疑うべき理由があるだろうか？　しかし、もしカレンの言ったことがほんとうなら、何かとんでもない間違いが起こったことになる。「くそっ、あいつめ」と大声でののしる。カレンのことを言ったのか、それともクロエか、自分でもよくわからない。両方かもしれない。立ち上がると、狭いオフィスの中を行ったり来たりし始めた。

問題のマウスが一度に少ししか子を産まないことはトムも知っていた。もし妊娠したマウスが１匹しかいなかったのなら、６匹もの子を手に入れられるわけがない。たとえ２匹いたとしても、うさんくさく思える。でも、クロエがデータをでっち上げたなんて信じられない。そんなことはありえない。何か別の説明がつくに違いない。一番ありそうなのは、アンディとのあいだでなんらかの誤解が生じた可能性だ。カレンは余計な口出しをすべきでなかったのだ。クロエの成功が妬ましくて、困らせようとしたのかもしれない。健全な競争心が不健全な妬みに変わるのを、彼は幾度も見て来た。カレンはいま、深刻な危機に見舞われて苦しんでいる最中だし、将来の見通しも不確かだ。どうしても、ひがみっぽくなりやすい。いっぽう、クロエは大きな成果を挙げている。クロエの魅力も、特にほかの女性ポスドクの妬みのもとになりやすい。ほんとうはそんなことではいけないのだが、人間である以上、しかたがない。

しかし、なぜいま？　なぜカレンはいまそんなことを持ち出して、トムとのあいだに築いたばかりの建設的な関係を危険にさらすようなことをするのだろう？　筋が通らない。妬みや悪意は秘密裏に行動に移してこそ、効果がある。カレンはこっそり噂を広めることもできたはずだ。もしかすると、

ほんとうに何か不正があったのかもしれない。ダブルトランスジェニックマウスの実験は最後に行った実験だった。論文を受理してもらうために必要だったのだ。時間に追われていて、とてもストレスのたまる状況だった。クロエが一線を越えた可能性もある。いや、ちゃんと説明がつくに違いない。クロエと話をして、片をつける必要がある。それには、彼女が戻るまで待たなければならない。だが待てない。もうこれは彼の問題となっており、いま、何か行動を起こす必要がある。ラボで不祥事があったとなれば、すぐに彼が責められることになる。もし、隠そうとしたり、取り上げるのを拒んだりしているように見えれば、倍の素早さと倍の過酷さで責められるだろう。彼がこの種の醜いトラブルに巻き込まれるのを見たがっているライバルが2、3人はいる。もし、カレンの言ったことを知ったら、そして彼が何もしなかったら、彼らはここぞとばかりに彼を追及するだろう。彼自身は何も間違ったことはしていなくても、そんなことはこの際関係ない。責任は彼にある。ただちにアンディと話をして、彼の言い分を聞かなければならない。もしかするとそれで問題は収まるかもしれない。アンディと話をして、それからクロエのことをどうすべきか、カレンのことをどうすべきか、決めよう。おそらく、誰かほかの人間にも話しておくべきだろう。この難局をどう扱ったらいいか知っている者がいい。実際にこれが難局であればの話だが。スチュアートがいいかもしれない。良識派だし、大学の倫理委員会のメンバーを務めたことがある。それによい友人だ。そうだ、教職員クラブでのランチに誘ってみよう。

進むべき道が決まったことで、トムの気分はわずかにましになった。カレンの疑念が正しい可能性について、あまりくよくよ悩むのはよそう。ありえない話だ。論文は雑誌に掲載されたばかりだし、クロエは講演をして回っている。なんらかの誤解に決まっている。クロエは、そんなことをしてキャリアを危険にさらすほど愚かではない。取り越し苦労はすまい。まずはアンディ、それからスチュアートだ。

半時間後、アンディがドア口に来た。トムの部屋に来ることに慣れていないため、落ち着かない様子だ。彼を招き入れ、人目を避けるようにドアを閉める。アンディはいっそう不安そうな顔になった。

「アンディ、君自身に何か問題があるわけじゃないよ」とトムが切り出す。「クロエが昨年の夏に使ったマウスについて、教えてほしいだけなんだ」正しい情報を知ることがどれほど重要かを強調してから、具体的な用件に入る。アンディはしばらく無言だったあとで、カレンが言った通りのことを繰り返した。交配はMMTV-MycのメスとMMTV-Rasのオスとのあいだで行われた。どちらのトランス遺伝子もヘテロ接合の状態で保持されていた。クロエには妊娠したメスを2匹渡した。その1匹が死んだことにはかなりの確信がある。

「でも、それは記録には残っていません」とアンディは説明する。「妊娠したマウスをクロエに渡した時点で、記録をつけるのは彼女の仕事になったんです。交配がうまくいったMMTV-Mycのメス2匹については記録があります。そのほかの部分はただ僕がそう記憶しているというだけです。管理がほかの人の責任になってからも、時折見守っているので」

トムは納得がいかない様子だ。アンディがさらに詳しく説明する。「去年の夏、提供できるマウスの数を伝えると、クロエは僕にすごく腹を立てました。すぐに使えるメスは2匹しかいなかったんです。大声で怒鳴られるのはとても嫌なものです。たぶんそのせいで僕は、1匹が死んだことをはっきり覚えているのでしょう。もうマウスの世話をしているのは彼女なのに、きっとまたカンカンになって僕を責めるのだろうと思いました。でもそれはありませんでした。僕のところへはそれっきり何も言って来ませんでした。僕はできるだけ早く両方の系統を殖やしました。彼女があとでもっと欲しがるだろうと思ったからです。僕が知っているのはこれだけです」

「君のところに記録があるんだね？」

「はい、見られますよ。内部ネットワークを介してマウス飼育室サーバーのデータベースに直接アクセスすればいいんです。でもそこにあるのは、研究者にマウスを渡すまでの僕の記録だけです。2回の交配の記録と、妊娠が成立した日付があるはずです」

一緒に見られるようにトムがスクリーンの向きを変え、アンディの指示でログオンしてデータベースに入った。関係のあるファイルは簡単に見つかった。アンディの説明通り、ファイルには、妊娠したメス2匹を昨年7月にクロエに渡したとある。妊娠が確認された日付、使ったオスとメスの完全な遺伝子型、クロエに引き渡した日付が記載されている。それ以上の情報はない。下のほうに、ふたつのマウス群を大きくしているという短い記入がある。最後の記入は昨日で、カレンからの依頼についてだった。

「ところで、この注文にあなたの承認が必要です」とアンディが指摘する。

「もちろんだとも。そのためのリンク付きのメールが来ているよ。だが、この7月の妊娠したメスはどうなったのかな？　何匹生まれて遺伝子型はどうだったかの記録は何もないのかな？」

「ええ、取り決めでは、ポスドクが、この場合はクロエになりますが、遺伝子型判定をすることになっています。それについては、あらかじめあなたと何度か話し合っています。僕らには、みんなの実験のためにすべての遺伝子型判定をするだけの人員も時間もありません。管理すべきかなり大きなコロニーを抱えているわけですから」アンディの口調には、弱みを見せまいと身構えているようなところがあった。

「もちろんわかるよ、当然だ。僕はただ、データベースのどこかに情報があるかもしれないと思っただけでね」

「それはないです。あのマウスはあの時点で僕らのシステムから外れたわけですから。でも、昨日カレンに言ったように、ひと腹からたくさん生まれることは期待できないんです。いいときでも、生きて生まれるのは最大８匹ですね。どっちみち、クロエに訊いてみなくてはならないでしょうね。彼女がデータを持っているはずです」

「ああ、ありがとう。クロエが戻ったら訊いてみるよ」

「何か、僕にできることはありますか?」

「いや、いまはない……ああ、ひとつあるな」トムは言い直した。「では、ＭＭＴＶ-ＭｙｃとＭＭＴＶ-Ｒａｓの両方の系統がいまはたくさんいるんだね?」

「はい、まだ間引きは全然していないので」

「結構、そのままにしておいてくれ。交配ももっと多くセットし続けてほしい。カレンが昨日依頼した数より多めに頼む。必要になるかもしれないからね。随時、状況を知らせてほしい」いったんためらったあと、つけ加える。「ああ、それからこの話し合いのことは当分、内密に頼むよ」

「はい、だいじょうぶです」アンディはそそくさと退出した。

よくない、とトムは思った。残念ながら、何も解決しなかった。新たにわかったのは、これがカレンのでっち上げでないこと。彼女はただ、アンディの言ったことに注意を引かれ、論文で目にしたことと考え合わせて疑問を持っただけなのだ。論文を手元に置いていたか、覚えていたのだろう。昨日のグループミーティングで話題に上ったのだから、当然だ。それでも、それをはっきり口に出すという行為には、悪意という要素が含まれていた可能性はある。だがおそらく、彼女にしてみればどこまでも純粋な気持ちからだったのだろう。そう考えれば、トムに直接言って来たのもうなずける。このことでカレンを責めるべきではないと、トムにはわかっていた。彼女は正しいことをしたのだ。というわけで、今度は彼がクロエに直接尋ねなければならないだろう。気持ちのよい会話にはなりそうもない。この種の疑いを口にするだけでも、信頼していないと示すことになる。たとえ疑いを晴らすことができるとしても、彼女は気分を害するだろう。ありがたいことに、ラボでこの種の状況に巻き込まれたことはこれまで一度もなかった。それなのに、よりにもよってクロエとは。すばらしい才能の持ち主なのに。ダイドラにクロエの旅行計画をチェックさせて、いつになったら話ができるか確かめよう。いまはクロエを待つとともに、スチュアートがランチでなんと言うか聞いてみよう。トムは腰を落ち着けて、ランチの前にいくらか仕事を片づけようとした。彼に必要なのは、この大ごとに発展しそうなゴタゴタから気を紛らわすのに役立つ単純な仕事だ。昨日、ある原稿の査読に手をつけていた。それを終わらせるのがいいだろう。

◆ ◆ ◆

教職員クラブは小さいが気持ちのいい場所だ。大学のどっしりした灰色の建物が視界を占領しているため、窓からの眺めはよくないが、内部は建物の残りの部分と調和がとれていて人目を引く。研究所の規模からして、教職員用のダイニングルームを持つのがぜいたくであることは、トムも承知している。だが今回のような場合には便利だ。トムは入り口近くに立ってスチュアートを待った。すぐかたわらには研究所のコレクションの中から選んだ芸術作品が飾ってある。気を紛らわすために、前回来たときにはなかった新しい作品に注意を向ける。絵画もリトグラフもみなオリジナルだなとトムは思った。裕福な理事の寄贈だろう。善意あふれる理事が、別のタイプの創造性で科学者の精神をそれとなく刺激してやれば、非凡な科学的成果が花開くかもしれないと考えたのだろうか。すばらしい考えだが、彼の信念とは相いれない。もしかしたら彼はあまりにも実利主義に傾きすぎなのかもしれない。とはいえ、理事というのは興味深い人たちだ。彼が会ったことのある理事は知的で心の広い人物だった。それに芸術作品はその意図がどうであれ、場を華やかにしてくれる。

スチュアートは時間ぴったりに、いつもの社交的な雰囲気を漂わせて現れた。トムと同じく50代半ばで、背が低く引き締まった体つき、カールした黒っぽい髪には白髪が目立つ。人目を引く容貌と形容されることはあるが、ハンサムと言われることはない。ハンサムと言うにはあまりにも、トロール[訳注1]めいたところがある。早口でまくしたてる癖があるが、聞き上手でもあることをトムはよく知っていた。そのうえ、キャンパスと科学界の最新のゴシップを仕入れることにかけては並外れた才覚の持ち主とあって、いつでも一緒にいて楽しい相手だ。ポスドク時代からの何十年来の知己でもある。

窓際の席に案内されたふたりはすぐに本日のスペシャルを注文した。ここなら内密な話ができる、とトムは思った。腰を下ろすと、世間話を早めに切り上げて、スチュアートが核心に触れて来た。

「で、これはどういうことかな？　もちろん、君とランチを食べるのはいつだって大歓迎さ。でも、君が今日会いたがっているという連絡がダイドラからあったとスーに聞いてね。何か急を要することでも？」

「ああ、そうなんだ。アドバイスが欲しいんだよ。ラボで微妙な事態が持ち上がって。それとも、持ち上がったかもしれないと言うべきか。まだよくわからない。でも、不正行為があったかもしれないんだよ。もしかしたら、というだけで、何も明らかになってはいないんだがね。うちのポスドクの

訳注1　北欧伝説のいたずら好きな妖精

ひとりに関わることで、僕も今朝聞いたばかりなんだ。君の見解を非公式に聞きたいんだよ。何もなかったとわかるかもしれない。でも、何か間違いがあったんじゃないかと心配でね。それで、何かする前に、君に話して、どう思うか訊いてみようと思ったわけだ」

「いいよ、トム。話を聞こう。不正行為があったかもしれないんだね。このごろじゃ、とんでもない地雷原になりかねない領域だ。君が望むなら、ここだけの話にしておこう」

トムはその日のできごとを話し始めた。『ネイチャー』の論文に関する背景事情もいくらか話した。スチュアートもその論文には気づいたかもしれないが、読んだとは思えない。彼の専門分野ではないからだ。この問題は研究全体からすればほんの一部に関わるものでしかないと、トムは説明した。クロエについてはもちろん、カレンやアンディについても、公平な印象を持ってもらえるように努めた。彼ら全員を信頼しているので、今回のことはどう考えたらいいのか、まったくわからない。もしかしたら過剰反応しているのかもしれないと締めくくった。

「とんでもない誤解に過ぎないということもありうる」トムは繰り返した。「まだクロエとは話していない。西海岸のあちこちで就職面接を受けるためにずっと出掛けているんだ。とてもよくやっていると聞いているよ。非常に優秀でね。彼女と話をしなきゃならないのはわかっているが、気が重いな。質問するだけでも、彼女にその種のことができると僕がみなしているということになる。ともかく、論文の修正をしているとき、彼女は6匹のマウスを使った実験の数字を見せてくれた。僕は実際に階下に降りてマウスを見ることはしなかった。そうする理由は別になかったからね。いまになって数字について尋ねたりしたら、あのとき嘘をついていたと疑っているようじゃないか。確信もないのに、そんなことをほのめかしたくはないよ。実際、確信はないんだ。関連のある生（なま）データを見ない限り、確かなことはわからない。でもそれを見るには、そのことについて彼女に話をする必要がある。いったい、どうすればいいんだ。ひょっとすると彼女はとてもラッキーだっただけで、メスが1匹死んだというのはアンディの記憶違いかもしれない」

「でも、たとえメスが2匹いたとしても、条件を満たす子を6匹得られる可能性は低いと君は言ったね」とスチュアートが口を挟む。

「ああ、でも完全に不可能というわけではない。とてもありそうもないというだけだ。それにクロエはどこかに余分なマウスを何匹か持っていたのかもしれない。この時点では、何か不正があったかどうか、確実に知ることはできないんだ。彼女と話す機会もないうちから、このことについて誰かと話し合うべきではなかったのかもしれない。でも、自分が正しいことをしていると確かめる必要があったんだよ」

スチュアートは答える前にしばらく無言だった。「いいかい、トム。君がどう見ていようと、これはよくない状況だ。こんなことはどこかへ消えてくれたら、と思っているんだろう？　でもそんなことはありえない。これは多かれ少なかれ、典型的な内部告発だ。君の膝の上に落ちて来たからには、君が調べなければならない。同僚として、また友人として、言っておかなくてはならないが、これは深刻な状況だよ。もし正しい行動を取らなければ、それもただちに取らなければ、これは君自身や君の評判を傷つける事態に発展する可能性がある」

予想していなかったわけではないが、スチュアートの言葉を聞いて、トムは顔をしかめた。

「そう言われるとわかっていたような気がする。だから君と話したかったんだな。で、正しい行動とは？」

「まず、所長のオフィスと連絡を取って状況を説明する。彼らは大学の研究倫理課と直接連携している。そこにはこうした状況を扱う弁護士がいる。有能で良識ある弁護士で、科学にも明るい。僕も何度か、彼女と一緒に問題に対処したことがある。名前は確か、ナイヤル、スシュマ・ナイヤルだったと思う」

「この段階でそれは少しやりすぎなんじゃないか？　なんらかの誤解がある可能性もまだ捨てきれないんだし」

「それはそうだ。スシュマにはもちろん、そのことを言うといい。はっきりそうと決まったわけではないとね。でも、君がクロエと話をする際には、彼女か、人事を担当する彼女の部下のひとりが同席すべきだ。何もかも規則通りに行われたことを確認するためと、調査に必要なことをするためにね。ある意味、クロエが遠くに行っていてよかったんだ。こうしたお膳立てをする時間が持てるから。戻るのはいつになる？」

「まもなくだ。2、3日で戻る。でもこれは彼女にとってフェアと言えるのか？　最初に彼女の側の言い分を聞かずにそんなことをしたら、すでに判決を下しているように受け取られるのではないだろうか。少なくとも、不正をしたのではないかと言うようなものだ。確信もないのに。彼女は野心家だ。だが、4年以上一緒に仕事をしてきたが、まっすぐな人間だといつも感じていたよ。彼女だってルールは知っている。こんなことをして何もかも危険にさらすなんて、想像できない。失うものが多すぎる。まず彼女と穏やかに話をして、大騒ぎせずに収拾できるかどうか見てみるべきだと思う。警告もなしにこうした〝倫理課〟の連中といきなり対決させるなんて、嫌だな」

「いいかい、トム。僕はこういう状況を前にも見たことがある。多くはないが、起こりうることなんだよ。不正をしたと、誰かが誰かを非難する――あるいは単にその可能性を指摘する――それは正しく片をつけなければならない。君にできるのは、まずクロエに、なぜ自分がこういうことをしなければならなかったかを説明することだね。手続きに従うほかに道はなかったと説明するんだ。それに、手続きは内密に行われるので、もし根も葉もないことなら、部外者には一切漏れることはないと伝えるべきだろう。しかし、この件は中立の立場で事実を明らかにする必要がある。だから、スシュマまたは彼女の部局の誰かにただちに介入する用意をさせるべきだ」

「でも、まずは僕と彼女とで解明を試みてはどうだろう？　僕にはそれが一番自然に思える。何と言っても僕のラボのことなんだから」

「ああ、まさしく君のラボだ。そして、連絡対応著者として君の名前がついた重要な論文が、問題の研究を土台に書かれている。どんなお人好しにだって、この件の結末に君の既得権がかかっていることくらいわかる。だからこそ、君が単独でこの件に対処しないことが絶対に必要なんだ」

「既得権？」

「おいおい、トム、頭を使えよ。もし論文を取り下げなくてはならないとなれば、君は面目を失う。だから、結末に対して君は中立とは言えないんだよ」スチュアートがうんざりしたような声で言う。こんなことまで説明しなきゃならんとは。だがどうやら、いちいち説明する必要がありそうだ。「トム、こんなことは気に入らないかもしれないが、独立した調査の手を最初から確実に入れることで、隠蔽したと非難されずに済むんだ。君自身を護れるんだよ」

「隠蔽だなんて、そんなことしようとは思っていないよ」トムは傍目にも動揺した様子で断言した。論文についてスチュアートが言ったことは正しい。それでも、心にグサッと来た。「この件をもみ消したりするつもりはない。そっちのほうが遥かに悪質だってことくらい知っているよ。だからこそ、こうして君に話しているんじゃないか」

「わかっているよ、トム」スチュアートがもっと穏やかな口調で言う。「もちろん、わかっているとも。でも、僕をここに呼び出したのは、進むべき正しい道に気づかせてほしいからなんだろう？　このケースでは、何も隠さないことと、中立的な立場の者による評価が、それに当たる。そうしておけば、何が起ころうと、君が完全に公正ではなかったと言い張れる者なんていやしない。ここでの僕らの話し合いは非公式なものだ。公式な意味では、君の助けにはならない。所長のオフィスを巻き込んで初めて、君は君自身を公明正大な立場に置くことができる。もしこれから事態が悪化するようなことがあれば、こうしておいてよかったと思うはずだよ」

「要点はわかったと思う。僕はそこまでじっくり考えてはいなかった。そこまで徹底的にはね。クロエはこれまでのポスドクのなかでも最高の部類に入る。野心家ではあるけれど、彼女の研究はほんとうに見事だし、ほんとうにすぐれた論文なんだ。僕のラボから出た論文だから、そう言うんじゃないよ。内容がしっかりしているんだ。僕らはこの論文をありとあらゆる角度から検討した。すべての実験の整合性がとれている。すべてつじつまが合う。論文の正しさを僕は確信しているんだよ」

「なるほど、ことによると、何もまずいことはなくて、これ以上何も起こらないかもしれない。クロエはスシュマや所長のオフィスと協力して問題を解決するだろう。そして確かに、こうして彼らを関わらせたことで、クロエは君に腹を立てるだろうな。それは避けようがない。だが、もし何も悪いことをしていないなら、彼女はこれを乗り越えるさ。いずれはね。そしていつか自分のラボを持つようになったら、どうして君がこういうことをしなければならなかったか、理解するだろうよ」

「君の言う通りだ。まさに理性の声だな。いろいろありがとう」

「誰しも、時にはちょいとつついてもらうことが必要さ」

トムの魚料理は手をつけられないままになっていた。少し食べようとしてみたが、すっかり冷たくなっている。皿を脇に押しやった。

「コーヒーにしようか、スチュアート」

「ああ、そうだね」

話を始めたときより、トムの悩みは大きくなったとも言えるし、小さくなったとも言える。一方では、このこと全体がどのような意味を持ちうるか、前よりはっきりした。不愉快ではあるが、よくわかった。非常に悪い事態に終わる可能性もあるのだ。その一方で、スチュアートに話をしたのはよかったと思う。重荷を下ろして、気持ちが落ち着いた。そして、もし事実がすべて明らかになったら？　そのときは、どうにかしてそれに対処する。それしかない。

スチュアートはトムがあれこれ考えるに任せた。自分は言わなければならないことを言っただけだ。そうわかってはいても、友人をこんなふうに追い詰めるのは嫌な気分だ。コーヒーが来るとトムがまた話し始めたが、諦めがついたような淡々とした口調に変わっていた。

「驚くべきことだね、すべてがこんなにも、もろいものだなんて」

「もろい？」

「ああ、少なくとも僕らの研究分野では、何もかもが信頼に大きく依存している。僕は自分のラボの者たちを信頼しなければならない。もし彼らが僕に数字を示せば、僕はそれが正しいと信用する必要がある。論文を読む際には、正しい事実が提示されていると信用する必要がある。でなければ、何もかも、なんの意味もないことになってしまう。もしかすると、別のタイプの実験科学、たとえば素粒子物理学か何かのような分野では、また話が違うのかもしれない。もっと一致協力して研究するから、生データは多くの人の目に触れる。だから、何か不正があれば、誰もが気づくだろう」

「いや、そうしたタイプの科学にもそれなりの問題があるんじゃないかな。外から見ているから、よその分野は単純に見えるだけなのさ。分子生物学では、僕らは何かが再現性を持つかどうかを試金石にして、それに頼っている。ほかの研究者が再試験できるように、データを提示するわけだ。多くのラボで、論文に発表された結果はそれこそどんなものでもチェックできる。衝突型粒子加速器にアクセスする必要はないのさ」

「でも、それはあとの話だし、どっちみち、重要なことを証明するわけではない。意図や不正が証明されるわけではないんだ。いずれにしろ、誰か他人の結果をテストする時間や意思なんて誰にもないしね」

「ほんとうにその必要がある場合は別さ。もし新しい所見が自分たちの所見と矛盾するようなら――あるいはもしそれが十分に重要で論議を呼ぶようなものなら――再試験をする。こうして、間違いはいずれ取り除かれる」

「そうだね。でも、信頼は基本的な要素だよ。論文を載せる雑誌は画像の改竄(かいざん)にすごく神経をとがらせているように見える。それでも、実験が主張通りに行われたことを信用しなければならないし、数字も信用しなければならない。ある意味、奇妙だね。僕らの世界はとても競争が激しくて、僕らはみんなそれが身に染みている。でも同時に、信頼にものすごく依存しているんだ」

「ああ、信頼の上に成り立っている世界だね。思うんだが、ほとんどの科学者は信用できる人たちだよ。それに、一歩間違えばすべてを失うリスクがあるのはわかりきった話だ。意志の弱い者にも、それがささやかな抑止効果を発揮するんじゃないかな」

「確かにそうだ。ともかく、いまのところはこれで十分だ。君が指摘してくれたようにするつもりだよ」トムはコーヒーを持ち上げた。「ところで、ジョシュはどうしてる？　もう進路は決めたのかい？　親の歩んだ名声と栄光の道を踏襲することになるのかな？」

スチュアートはほほ笑んでかぶりを振った。

第10章

うう、なんて冷たい風。クロエはスカーフをいっそうきつく巻きつけた。カリフォルニアで数週間過ごしたあとでは、ボストンの冬の寒さが身に染みる。昨日の午後、空港から出たときにはそれほど寒さを感じなかった。日が照っていて爽やかだった。今朝は大違いだ。マーチンは昨日、どうせドライヴに行くつもりだからと、一緒に来てほしいような口ぶりだった。だが彼女はまず家に帰りたかった。表向きは、荷解きをして着替えるためだったが、実は少しひとりになりたかったのだ。マーチンとは昨夜、ややこしくて気まずい雰囲気になった。ずっと彼女が不在だったので、今夜また会うことになっている。いい考えかどうか自信がなかったが、ノーとは言いにくかった。

ボストンに戻って来たからには、頭を切り替えて、また前の日常を取り戻す必要がある。わかってはいるが、簡単ではない。カリフォルニアに行く前は、すべてくっきりと焦点が合い、熱い期待に満ちていた。最初の面接が失敗に終わって以来、大きな労力を注いでプレゼンテーションを磨き上げたのも、この旅行で成果を挙げるため。何カ月も前に始めた実験さえ、面接での討論に備えてあらかじめデータを用意するために計画したものだった。いまは何もかも、妙に拍子抜けした気分だ。最後の面接は想像しうる最高の出来だった。今回の旅行で少なくともひとつは就職口のオファーが来そうだし、もっと来る可能性もある。あとはただ、先方からの連絡を待てばいい。でも、待っていたいような気分ではない。いますぐ、前に進みたい。新しい場所に行き、新しいことをスタートさせ、新しい人たちに会いたい。研究所に戻って、いまや「かつてのラボ」のように思える場所に身を置くのは、後戻りのように感じられる。

慣れ親しんだ赤い建物に近づくと、クロエは足を止めてじっと見つめ、軽い焦燥を振り払った。依然として、感銘を与えるすばらしい場所だ。でも、いまはちょっぴり遠く感じる。まもなく、彼女の歴史の一部になるのだ。悲しい？　いや、悲しくはない。まだ郷愁にひたる準備はできていない。次の段階への準備ができているだけだ。とりあえずいまは、面接のことをみんなに話すこと、特にトムに話すことが楽しみだ。トムはきっと喜んでくれる。彼の〝家来〟がよい評価を受ければ、彼がよい評価を受けたことになるのだ。昨夜は、興奮を抑え込み、たいしたことはないような振りをしている自分に気づいた。でも、ここではそんなことをする必要はない。彼女は足を速めた。トムはもう出てきているはずだ。

トムの部屋のドアが半ば開いているのは、在室していて、邪魔をしてもかまわないという印だ。クロエはノックするのももどかしく、中に入った。顔には、抑えきれない幸せそうな笑みが浮かんでいる。トムが目を上げる。「クロエ、入りたまえ。君が今日戻ると、ダイドラから聞いたよ」まるで探し物でもしているかのように、デスクのあちこちに目をやる。書類をいくつか動かし、咳払いをしたあと、目を合わせる。「で、旅行はどうだった？」

クロエはトムの向かいの椅子に座ると、嬉々として話し始めた。会った人々について、特に興味深い討論を交わした相手について語る。さまざまな研究者から関心を持たれたことが、言葉の端々から伝わってくる。驚くほど高い評価を受けたことについて話す際には、喜びとプライドではちきれそうだ。マット・ローゼンの言葉をそっくり繰り返し、就職を事実上約束されたことを報告する。しばらくしてようやく、トムが異様に静かなことに気づいた。

「どうかしました？」といったん言葉を切る。「何かまずいことでも？　おめでとうとも言ってくださらないなんて」

トムは椅子から立ち上がり、ドアのところへ行くとぴったりと閉めた。

「話をする必要がある」ドサッと腰を下ろしながら、口を切る。

「ええ、いいですよ。何について話し合う必要があるんでしょう」クロエが面食らったように言う。

「君がいないあいだに、僕のところにあることが持ち込まれた。それはひどい害を及ぼしかねないことがらで、僕としても重く受け止めざるをえなかった。それは君に関わりがある。というより、君についてなんだ」

クロエは椅子の中で身を起こし、トムが続けるのを待った。トムがどう続けていいかわからないでいるうちに、驚いたような彼女の表情がしだいに硬くなる。

トムは深呼吸をすると、スクリーン上のＰＤＦアイコンを探してファイルを開いた。クロエの論文だ。

「ラボのある人物が、ＭＭＴＶ-ＭｙｃとＭＭＴＶ-Ｒａｓのダブルトランスジェニックマウスが必要になってね。君が最後の実験に使ったのと同じマウスだ」彼はファイルをスクロールして図を探し出し、スクリーンを回して図７の下部を一緒に見られるようにした。「査読者に求められたマウスの実験だね。その人物は当然、アンディに話をした。そのときどういうわけか、君の実験や、そこで使われたマウスの数の話になったらしい」

トムは話を止めてクロエを見つめた。彼女は表情を変えない。

「それで?」

「ええと、要するに彼らは、論文に示された実験をするのに十分な数のマウスを君がどうやって用意できたのか、疑問に思ったようなんだ。そこで僕はアンディと話をして、一緒に記録を調べてみた。記録にあったこととアンディの話からして、君がどうやって実験をしたのか、僕にもよく理解できないと気づいたんだよ」トムはスクリーンを指差した。「君は薬剤あり3匹と薬剤なし3匹、全部で6匹のダブルトランスジェニックマウスを使っている」

「はい、その通りです」クロエは怒りがきざし始めるのを抑えようとしながら、ゆっくり答えた。「6匹で十分でした。薬剤の効果はとてもはっきりしたものでしたから」

「クロエ、問題はね、君がダブルトランスジェニックの子を6匹もどうやって用意できたのか、理解できないことなんだ。アンディの記録では、交配させたヘテロ接合キャリアのメスは2匹だけだった。そして彼はそのうち1匹は死んだと言っている。ダブルトランスジェニックの子は生きて生まれる数が少ない傾向がある。普通は、メンデルの法則通り4匹に1匹の割で生まれることは期待できない。ひと腹の子の数が少ないわけだから、1匹のメスから6匹も得るのはほとんど不可能だろう。2匹からでも、とても考えられない」

クロエはスクリーンを食い入るように見つめた。「アンディの記憶が間違っているんでしょう。わたしは6匹のダブルトランスジェニックを得ました。メスを何匹使ったかは覚えていません。ともかく、いったいどこから、こんなことが出て来たんです? 誰が言い出したんです?」

「誰が懸念を口にしたかはどうでもいい。重要なのは事実だ」

「事実がどうだったかはわかっています。ほかの誰かがなんと言おうと、わたしは仕事をして結果を得ました。結果は、わたしが論文に書いた通りです。それに、誰がこれを言い出したのかは、当然重要です。誰かがわたしの誠実さに疑問を呈している、わたしを攻撃しているということですから」彼女の声はいまや鋭く張りつめている。

「誰が最初にこのことに言及したかは、僕らが話し合うべきことではない。どっちみち、アンディがその発言を裏づけている。数字についてはね。彼はマウスの記録をつけているんだ」

「あら、アンディはこのあたりで一番頭が切れる男性というわけではないし、一番信頼が置ける人でもありません。それに、きっとわたしに腹を立てているでしょう。去年の夏、少しばかりつらく当たりましたから。コロニーをちゃんと管理していなくて、わたしを助けるためにあまり手を尽くしてくれなかったんです。わたしも、もっと感じのいい態度を取ればよかったんでしょうが、ストレスがたまっていたときだったので。もしかすると、そのことをまだ根に持っているのかもしれません。ともかく、わたしは何もかも自分でやらなきゃなりませんでした。その実験の正しい記録を彼が持っていないのは、だからなんです。持っていたと言っただけの数のマウスを、わたしは持っていました」いったん言葉を切る。「それにわたしの記憶では、論文を書いているとき、先生はデータに完全に満足していらっしゃいました」クロエがトムの視線を捉えようとするが、トムは目を合わせようとしない。「こんなこと、とんでもない言いがかりです。わたしは自分がしたと言ったことはしたんです」

立ち上がった勢いで椅子を引っくり返しそうになりながら、ドアへ向かう。「わたしが何かでっち上げたと考えてらっしゃるんですね」と振り返ってトムを見る。「先生がおっしゃっているのはそういうことなんでしょう？　どうしてそんなことを考えられるんですか？」トムが立ち上がってクロエのそばを通り、閉まっているドアの前に立つ。必死に冷静さを失うまいとしている。

「クロエ、これにはちゃんと説明がつくと、僕は確信しているよ。でも、こうした状況では、研究所や大学の手順に従わなければならないんだ。それはわかってくれないと」しっかりした穏やかな声を保ちながら続ける。「君は出版された論文に提示したデータを持っていないという告発を受けた。君はその告発の内容を否定している。いいだろう。明らかに誰かが間違っているわけだ。僕がどう思っているかは、まったく関係がない。この状況を僕らは適切に処理しなければならない。どこからも文句が出ないように、大学の研究倫理に関わる部局から誰かを呼んで、関わってもらう必要があるんだ」

立ったまま、どちらも動かない。出て行かせまいとしているのだと、クロエは気づいた。

「いま？」彼女は信じられないというように尋ねた。「いまそういう話をするおつもりですか？　わたしがドアから足を踏み入れたとたんに、始めるつもりだったんですね？」

「早ければ早いほどいいんだ」トムが強いて笑みを浮かべようとしながら言う。「さっさと解決してしまおう」

座るようにクロエに促して、ドアに向かう。わたしが頭に来てドアに突進するとでも思っているのかしら？　クロエは沈み込むように腰を下ろすと、信じられない思いで首を振った。「こんなこと、ありえない」と密かにつぶやく。トムがドアを開け、外にいる誰かと小声で話しているのが聞こえる。ダイドラだろう。トムが部屋に戻ってまたドアを閉めた。

「ここでちょっと待とう。数分もあればスシュマ・ナイヤルが来る。研究倫理課の人で、法律に明るく、この件を切り抜ける手伝いをしてくれる」

「弁護士ですか？　ここで？　いま？」クロエは顔が赤くなるのを感じた。また立ち上がる。「これはなんなの？　待ち伏せですか？　その件についてわたしと話もしないうちから、すっかりお膳立てしておいたんですね。信じられない。わたしが何か不正をしたって、もう判決を下してるんでしょ？　違いますか？　わたしにひと言もないうちに。まともじゃないわ」

「クロエ、さっきも言ったように、僕がどう考えるかは関係ないんだ。この件をどう扱わなければならないかは、僕がどう思っていようと変わらないんだよ」身振りでまた腰を下ろすように促す。クロエはしぶしぶ従う。「ナイヤル博士に来てくれるように頼んだのは、この件を適切に扱い、正しい手順に従う必要があるからなんだ。現に告発がなされ、僕らはそれに対処しなければならない。どうすべきか、ナイヤル博士が教えてくれる。だから、彼女を待って、話し合うことにしよう」クロエが即座に立ち上がろうとしていないのを見て、トムも腰を下ろす。彼女がカンカンに怒っていて、〝手順〟とやらにおとなしく従う気などないのが見て取れる。もし彼女の立場だったら、自分だって同じように感じるだろう。そう思ったトムは口をつぐんだ。クロエは胸の前で腕を組み、壁の本棚のほうに顔を向けている。トムはコンピュータのスクリーンを見つめたが、室内の張りつめた空気のせいで、結局、役に立つことは何もできなかった。数分後、ノックの音で金縛り状態が解け、トムがドアを開けに立った。

スシュマ・ナイヤルは人目を引く女性で、顔立ちは力強く、威厳がある。40代と思われ、肩の長さのたっぷりした黒髪にはわずかに灰色の筋が見える。いかにも弁護士らしいビジネススーツ姿だが、鮮やかなピンクと黄色のスカーフがいくらか印象を和らげている。挨拶と自己紹介をしながら、窪んだ黒い目で興味深そうにふたりを交互に見やる。そのまなざしには同情さえ感じられた。初対面の挨拶が終わると、スシュマは思いのほか優しい声でクロエに話しかけた。

「クロエ、あなたにはさぞかしショックだったことでしょう。とても不愉快な状況ですよね。でも、わたくしがそれをほんの少し和らげてあげられると思いますよ。何が起こっているか、何をしなければならないか説明することでね。大学の方針として、教職員には、研究の際の行動に関する問題を誰かに知らされた場合、たとえそれが単なる可能性に過ぎなくても、学部長や所長に知らせることが求められています。わたくしは研究所の所長の要請を受けて、公平な分析者の役目を果たすために来ました」トムが椅子を譲ってくれたことに感謝を示してから、クロエの向かいに腰を下ろす。「所長がわたくしどもの部局を使うのは、すべてが適切に扱われ、関係者全員がそれ相応の保護を受けられるようにするためです」しばしクロエと目を合わせる。「こういうのは微妙な問題ですから、いかなる申し立ても公正で透明性のあるやり方で調査してもらうのが、あなたの最善の利益になるのです。それに、ご理解いただきたいのですが、全面的な公式調査の要請が大学側からあるかもしれません。もちろんこうしたことはすべて、内密に行われます。以上が、型通りの説明になります。トムからあなたの旅行のスケジュールを聞いたとき、最初の話し合いのために今朝お会いするのが一番いいだろうということになったのです」といったん間を置く。「トムから具体的な状況については聞いています。昨日、問題がある可能性を指摘した人物だけでなく、マウスの飼育係とも話をしました」ノートをちらりと見て、「アンディですね。彼はとても協力的で、記録を見せてくれました。問題の『ネイチャー』の論文も読みました。わたしは法律の学位のほかに科学分野の教育も受け、博士号を持っているので、何が問題となっているか、多少は理解しているつもりです」再び間を置く。「クロエ、今度はあなたのお話を伺いたいのですが」

クロエはちらりとスシュマを見てから、また下を見つめる。

「いまはきっと、とても気が動転していることでしょう」とスシュマが言葉を継ぐ。「無理もありません。不正を疑われるのが好きな人なんていませんよ。でも、わたくしども管理側やここにおいでのラボの長は」とトムのほうにうなずいて、「不正の証拠と解釈されそうなことが報告された場合、何であれ耳を傾けないわけにはいかないのです。そしてそれを調べなければなりません。わたくしがこうしてここにいるのは、それが理由です」話しながら前かがみになってバッグからメモ帳を取り出し、テーブルに置く。「いますぐに解決できるかもしれませんよ。その場合はわたくしが所長のオフィスに報告しに戻って、今日でこの件は終了となります。そうなればいいと思っています。すべてが納得のいくように説明がつけばいいと思っているんです。いまここで、事情を最初から通して話せそうですか？」

クロエはうなずいて目を上げた。スシュマが一瞬その視線を受け止めたあと、自分のノートに目を向けた。「では、クロエ、あなたの論文の図7Fに記載された実験を見てみましょう。MMTV-MycとMMTV-Rasのダブルトランスジェニックマウス3匹が薬剤で処理され、3匹が処理を受けず、5週間後に全身腫瘍組織量を調べた。この実験についてどんなことを話してもらえますか？　かなり最近の実験ですよね？」

クロエは、スシュマがひとりで話しているあいだはほとんど、膝の上で組んだ自分の手を見つめていた。怒りのあまり、体がこわばっている。答えるときはスシュマだけを相手にし、トムのほうは見ない。実験の目的や段取りの説明から話し始めた。これは不必要だったかもしれないが、遮られることはなかった。そしてようやく、マウスについての詳細や数字のくだりにたどりついた。「サンプルサイズについては、各処理について3匹のダブルトランスジェニックマウスを使いました。論文に報告してある通りです。それは確かです。わたしは1匹とか2匹よりも多くのマウスで実験を始めました。1匹や2匹では、十分な子を得ることができないのは明らかでしたから。今回のことはすべて、簡単に説明がつきます。アンディは確かにいくつか交配をセットしました。でも、わたしも自分でもっと交配させたんです。その一部は別のやり方で、つまりMMTV-Rasのメスを使って、行いました。健康状態が劣るため、アンディはこうしたメスを使いたがりませんでした。でも、時間が限られていましたから、わたしはできることはすべて、やってみたんです。それに、MMTV-Myc

のメスも、もっといたのは確かです。アンディがなぜそれを記録しなかったのか、わたしにはわかりません。いずれにしろ、実験をしたのはわたしです。アンディではありません。子が生まれると、わたしがその遺伝子型判定をしました。アンディではありません。離乳後、薬剤処置ありとなしの両方のダブルトランスジェニックマウスの飼育を続けました。5週間後に殺して、肉眼で見える腫瘍を数えました。それが、図に記載された腫瘍量です。薬剤処置の有無による差があまりにも明白だったため、それ以上精密に調べる必要はありませんでした」

　スクリーン上の論文を見つめていたトムがつけ加える。「そうだ、動物ごとの腫瘍結節数がグラフにプロットされている」

　スシュマが少し間(ま)を取って、クロエが話し終えたことを確認した。「わかりました。つまりあなたは、実験に適した動物を論文に記載された数だけ、どのようにして入手したか説明できるというわけですね。確認の意味で伺いますが、この実験に関して、いかなる種類の不正もなかったとおっしゃるのですね?」

「はい、そうです」

　トムが晴れやかな顔になる。では、思っていた通り、ちゃんと説明がつくのだ。アンディはほかのマウスのことを知らなかったのだ。

「でもあなたは、6匹のダブルトランスジェニックマウスを得るために、何匹のメスが交配に使われたか、何匹の子が遺伝子型判定されたかについては、確信がないんですね?」とスシュマが続けて訊く。

「ええ、すぐにはパッと出て来ません。ノートを見てみないと」

「わかりました、ノートですね」スシュマは短いメモを取ってから続けた。「つまり、この件を解決するには、この実験の生データを見なければならないということですね」

「生データ？」

「ええ、そうです。あなたがグラフの作成に使ったデータです」

「それはただの数字ですけど。数字はノートに書いてあります」

「でも、何かほかにもあるはずですよ。論文が投稿されたときにあなたの手元にこうした結果があったことを証明できるような、なんらかの証拠がね」

「いいえ、数字だけです。告発している人たちからの証拠は必要ないんですか？　その人たちの言い分をそのまま信じるんですか？　どうしてわたしが身の潔白を証明しなくてはならないんでしょう？　そんなの、正しいこととは思えません」

「クロエ、これは刑法上の問題ではないんですよ。ここで問題になっているのは、科学研究における振る舞い方のルールなんです。それはあなたもよくおわかりのことと思います。ここにポスドクとしていらしたときに受けた倫理および良好な研究行動の講習に含まれていますから」スシュマがトムのほうに目をやると、トムはそうだというようにうなずいた。「あなたは実験を適切に記録しなければなりません。もちろん、ハードカバーのノートにです。それに、裏づけとなるデータファイルを保存しておくことも非常に重要です。そうしておけば、もし誰かがあなたの実験結果に疑問を呈しても、確かな証拠を示すことができます。つまりね、これはわたくしどもがあなたと告発者のどちらを信じたいか、ということではないんです。トムはきっと喜んであなたを信じると思いますよ。でもこれは結局、疑問を呈されたときにあなたが立証できなければならないことについての話です。ただそれだけのことなんですよ」スシュマはいったん言葉を切って、この理屈が十分に理解されるのを待った。

「さて、今回のことが、マウスが何匹いたか、そして誰が何をしたかについての単なる誤解であればいいですね。わたくしたちはただ客観的にその誤解を正せばいいだけですから。というわけで、あなたのノートをちょっと覗いて、裏づけとなるデータが何かあるかどうか見てみましょう」

「でも、裏づけとなるデータってどういう意味ですか？　さっきも言ったように、結果はただの数字です。わたしは腫瘍結節の数を数え、実験ノートに記入し、グラフを描くために平均値の計算などをしただけです」

「腫瘍がわかるようなマウスの写真を撮らなかったのかい？」とトムが尋ねる。「それがあれば、君が何匹のマウスを調べたか証明できると思うんだが」

「いいえ、わたしはただ、マウスを解剖して腫瘍を数えただけです。写真を撮るべきだったんでしょうね。でも、あのときはそんなこと、思いつかなかったんです」

「それは残念です」とスシュマ。「写真があれば、きっと役に立ったでしょうに。一番問題となっているのは、あなたが分析したマウスの数のようですね。そこに焦点を合わせましょう。6匹のダブルトランスジェニックマウスを分析したことを裏づける証拠は、ほかには何かないのですか？」

「腫瘍の計測数値のほかに何かあるかどうかわかりません」

「わかりました」スシュマの声にはかすかな苛立ちが交じり始めている。「では、こうした実験が行われた際に正しい遺伝子型のマウスが6匹存在したという証拠についてはどうですか？」

トムが急に勢いづく。「遺伝子型判定のときのポリメラーゼ連鎖反応はどうかな、クロエ？　それでいいんじゃないだろうか。君が自分でやったんだよね？　それなら、ゲルの写真とかシーケンシングのデータを持っているはずだ」

「いいえ、遺伝子型判定データを取っておこうとは思いませんでした。あの当時はほんとうにてんてこ舞いの状態だったんです。論文の修正版のことですごいプレッシャーがかかっていました。結果を得ることに集中していたんです」

トムが再度試みる。「しかしクロエ、この苦境から抜け出すのに役立つことが何かしらあるはずだよ。もしかしたら、子の遺伝子型判定に使ったテールDNA抽出サンプルをまだ持っているんじゃないかい？　でなければ、凍結保存した腫瘍サンプルとか、その組織像スライドは？　僕らは普通、組織像検査もする。たとえ図には使わなかったとしても、そうしたスライドがあれば、サンプルがいくつあったかがわかるよ。ちゃんとラベルが貼ってあればね」

「さあ、どうかしら。DNAサンプルを取っておいたとは思えません」

「何かはなくちゃならないんだ」トムが業を煮やしたように言う。「わからないかい？　でないと……でないと、どうなるんだろう。君の実験ノートを見てみるべきだな。それが役に立つといいんだが」トムが承認を求めるようにスシュマを見る。

スシュマはかすかに首を振る。再び話し始めたとき、その口調はこれまでより堅苦しいものになっていた。「十分な記録を取り、データを保存することの重要性をこのラボのみなさんが理解していらっしゃるといいのですが。全員が倫理講習への出席を求められていることは別にしても、トム、あなたは所属の学生やポスドクにこのことを明確になさったことと思います」スシュマはトムの視線をしっかり捉えて離さない。もし彼が、十分な記録の保持その他を自分のラボに徹底させるよう気を配っていなかったのなら、彼にも落ち度がある。彼女はそのことを思い出させようとしているのだ。トムが視線を外し、ためらい、説明を始めようとすると、スシュマが待つように合図した。それについてはあとで話し合えばいい。

「おっしゃる通りなんでしょうね」とクロエがようやく認め、皮肉っぽい口調でつけ加える。「でも、わたしの印象では、このラボで記録の保持が最優先事項だったことなんてないと思いますけど。そんなこと、聞いたことがないわ」クロエはトムをちらりと見たが、トムは横を向いて、目を合わせようとしない。しばらくは誰も口を開かない。クロエが言葉を継ぐ。また口調が変わって、今度はほとんど懇願するような調子になっている。「肝心なのは、自分がやったと言った通りのことをわたしはやったし、実験ノートに数字が書きとめてあるということです。それ以上、何をどう証明することを求められているのか、わかりません。ほんとうにわからないんです」混乱したようにいったん言葉を切る。「組織像のスライドが何枚か、冷蔵庫にあるかもしれません。そうよ、冷蔵庫にスライドが何枚かあるはずだわ」と最後につけ加える。

「わかりました」スシュマはそろそろ締めくくろうとしているようだ。「一度にひとつずつ片づけていきましょう。まず、一緒にラボに行きます。わたくしに実験ノートを見せてください。それから、ほかにも何かないか、見てみましょう。あなたが言っていた組織像スライドが見つかればいいですね。その場合、実験ノートにその正確な記録もあるといいのですが」と言いながら立ち上がる。トムも立ち上がるが、スシュマがかすかな手振りで制する。「あなたが一緒においでになる必要はありません。クロエが見せてくれますから」クロエに向き直って、やはり堅苦しいながらも丁寧な口調で続ける。「あなたの実験台までご一緒して、いろいろ見せていただくことにしましょう。もし誰かに訊かれたら、研究者仲間にデータを見せているだけだとおっしゃってください」いったん間を置いて、「でも、そのあとは帰宅なさることをお勧めします。少し休暇を取ってください。この先どうなるかは、ラボで何が見つかるかによって決まります。一部を持ち出す必要があるかもしれません。いずれにしろ、うちの同僚たちとの協議に多少日数がかかると思います」

全員がいくらかぎごちなく立ち上がった。スシュマがトムとしっかり握手し、できるだけ早く再訪することを約束して、別れの挨拶をする。

クロエとスシュマが出て行ったあと、トムは見るからに動揺した様子で立ち尽くす。この件は今日でなんらかの決着がつくだろうと期待していたのだ。まさか自分の倫理規範やラボの運営法に疑問が投げかけられるとは思ってもいなかった。しかも、反論の機会すら持てなかった。記録保持や証拠に関する指導がずさんだったわけではないと、スシュマや所長に説明する必要があるだろう。今回のことは自分の落ち度ではないのだ。

スシュマはクロエについてラボに入った。長い部屋を足早に歩くあいだ、クロエは無表情だった。仮面のような顔からは、何を考えているのかわからない。彼女の区画に着くと、ホアンがいるのが見えた。ホアンは振り向いて、親しげに「やあ、お帰り」と言う。何も反応がないので、面食らったようにクロエを見つめるが、彼女のあとにスーツ姿の見知らぬ女性がついてきたのに気づいて、デスクの上の書類に注意を戻した。

自分のデスクのところに立ったクロエは、きちんと並んだ実験ノートを1冊取り上げて開き、該当するページを探す。見つけると、細かい記述をいくつか指差してスシュマにノートを渡す。スシュマが2つ、3つ短い質問をすると、そのたびにクロエは首を横に振る。次にふたりはクロエの実験台の下の小型冷蔵庫のところに行く。クロエが扉を開いてしゃがみ、中を見る。積み重ねたスライドホルダーを取り出し、いくつか開けてはかすかにかぶりを振る。スライドホルダーを元に戻すと、そのまましばらく冷蔵庫の中を覗き込んでいたが、振り向いてスシュマを見上げ、もう一度、非常に慎重に首を横に振る。スシュマは理解し、うなずく。クロエはのろのろと身を起こす。スシュマはバッグとクロエに渡された実験ノートを取り上げ、握手をして静かにラボから出て行った。

クロエは椅子を引き出して腰を下ろすと、コンピュータの真っ暗なスクリーンを見つめた。凍りついていた表情が、衝撃を受けた表情から断固たる表情へと変わる。ホアンが顔を向けておしゃべりをしようとするが、クロエの顔つきを見て考え直し、また読む作業に戻る。

クロエは麻痺したような感覚を味わっていた。この数週間、彼女は高く飛翔していた。世界は彼女の足元にあり、前途にはすばらしい未来が待っていた。そのあげくがこれだ。こんなの、おかしい。現実とは思えない。自分にこんなことが起こるなんて、ありえない。妬みのせいだ。そうに決まっている。でも、こんなことをして、ただで済むと思ったら大間違いだ。絶対、思い通りにはさせない。

持ち物をまとめると、勢いよくデスクから立ち上がる。ホアンや近くのメンバーが、こっそり彼女のほうを盗み見る。ラボの向こう端でトムがスライドドアを開け、顔を突き出す。クロエが荷物をまとめているのを見るが、それ以上入って来ようとはしない。おそらく、言われたようにクロエが帰宅するのを確かめたかったのだろうが、距離を置こうとしている。弱虫の最低男、手順とやらの後ろに隠れようってわけね。さっきはわたしを助けようともしなかった。一瞬彼をきつい目で凝視してから、クロエは身をひるがえして別のドアへ向かった。

クロエは誰にもひと言も声をかけることなく、さっさとラボをあとにした。ただちにここから出なければならない。ここの連中と彼らのみみっちい妬みから、トムとその卑怯な振る舞いから、遠く離れる必要があった。でも、まだ負けたわけじゃない。戦おう。ラボのずさんなやり方のスケープゴートにされるなんて、まっぴらだ。とにかくいまはここから出る必要がある。そのあとでよく考えてみよう。まずは、この忌々しい場所から離れなくては。

建物の外に出てから、マーチンに会いに行ってもよかったのだと気づいた。でもマーチンはきっと、こんな話は聞きたがらないだろう。上の階の罪のない小さな世界で、安閑としているほうがいいに決まっている。いまは彼の相手をする気分じゃない。なんて言ったらいいかさえ、わからない。彼とは今夜、話せる。クロエは歩き出した。すぐに、空腹なことに気づいて驚く。でもいまは知り合いに出くわしたくない。まして、ラボの誰かに出会ったりしたら最悪だ。もっと遠くへ行かなくちゃ。そこで、歩き続け、ダウンタウンを目指した。そこで何か見つかるだろう。歩けば頭をすっきりさせるのに役立つ。

◆　◆　◆

その晩、クロエは市内を歩き回っているあいだに買ったキャンティワインのボトルを持って、マーチンのもとを訪れた。特別なものではない。ただのワイン。ドアを入ってボトルを手渡すと、マーチンはびっくりしたようだ。

「水曜日にワイン？　どうしたんだい？」

「あら、こうしてあなたのところに戻って来たのよ。一晩一緒に過ごす以上のお祝いをする価値があるんじゃないの？」

「まったくだ」とマーチンが抱き寄せる。

クロエは「まず食べ物」と言って離れると、ワインを開けてそれぞれのグラスに注ぐ。

「で、旅行から帰った初日はどうだった？　トムはなんて言ってた？」マーチンがそう訊くのはごく自然なことだった。昨夜、彼女は面接について長々と話し、職を提供されそうだと言ったのだ。興奮ですっかり舞い上がっていて、抑えようとしても抑えきれない喜びに輝いていた。今日はもっと静かなのに気づいたが、そこに何か意味があるとは思わず、マーチンは背を向けて鍋にスパゲティを入れた。

クロエは一日中歩き回っていて、誰とも話をしていなかった。でも、マーチンには話さないわけにはいかない。

「ねえ、今日、わたしに何が起こったか、聞いても信じないと思うわ。〝お帰りなさい〟って温かく迎えられたと思う？　とんでもない。裏切り者の一団に待ち伏せをくらったのよ」

「待ち伏せって、どういう意味だい？」

「その通りの意味よ。彼らはちゃんと計画して、何もかもお膳立てしていたの。そしていきなり攻撃してきたのよ。卑怯者のトムなんか、すっかり尻馬に乗っちゃって」。ディナーを用意していたマーチンが手を止め、クロエに向き直る。

「ちょっと待った。いったい何の話だ？　彼らって誰？　もっと情報をくれなくちゃだめだよ」

「わかった。つまり、ラボの誰か、誰か出しゃばりで嫉妬深いばかが、わたしの『ネイチャー』の論文に何か不審な点があるんじゃないかってトムに告げ口したの」クロエはグラスを下ろし、じっと見つめたあと、振り向いてマーチンを見上げた。「誰かが、ずっと昔からトムと仕事をしているあの不精者のマウス飼育係とぐるになっているのよ」

「アンディ？」とマーチンが訊く。

「そう、アンディ。それでね、マウスを使ったわたしの最後の実験——言っておくけど、実験をしたのはわたしで、アンディじゃないわよ——の正確な記録をアンディが持っていないから、わたしのデータに何か不正があるに違いないって、決めつけてるの」

「なんだって？　それはばかげてるよ。それは彼のミスであって、君のミスじゃないだろう」

「そう思うわよね？　でも、そのことについてわたしに尋ねる代わりに、彼らはトムのところに行って、わたしの発表済みの研究に何か不正があったかもしれないとものすごく心配なんですと言ったの。信じられる？　彼らはアンディの記録がいい加減だったという理由で、わたしの仕事を疑問視しているのよ？　そのもうひとりが誰で、なぜこんなことを始めたのかはわからない。でも、アンディがわたしを嫌っているのはわかってる。去年の夏、わたしがアンディにどんなに腹を立てていたか覚えている？」マーチンはうなずく。「それはともかく、じゃあ、トムはどうしたか？　わたしが戻って、きちんとした話し合いが持てるまで待ったでしょうか？　いいえ。不正だの何だのというたわごとにすっかり震え上がって、ただちに、所長室かどこかの弁護士を呼び入れた。そして、自分で話をする代わりに、その弁護士にわたしと話をさせたのよ」

「なんだって？　信じられないな。正気の沙汰じゃないね。トムはまともな人みたいだったのに。どうしてそんな話に乗せられたんだろう？」

「ほんとうに、信じられない話よね？　何もかも犠牲にして、あの論文に取り組んだのに。ほんの数カ月前には、トムは論文に最終著者として名前を載せて得意満面だったのよ」

「例のボリンジャーとかいう男に起こったことのせいで、トムは怖くなったに違いないね」マーチンが恐る恐る言ってみる。「ほかのみんなが不正を糾弾していたときに、部下のために立ち上がって擁護した人だよ。彼が辞めさせられたのを知ってるだろう？」

クロエは彼を睨みつけた。

「ボリンジャーなんかに興味はないわ。彼が何をして何をしなかったかなんて、全然関係ない。トムのことなんて考えたくもない。今回の犠牲者はトムじゃないわ。わたしよ。トムがわたしをこんなふうにさらし者にするなんて、信じられない。最初にわたしの側の話を聞こうとさえしなかったのよ。不正をしたと、頭から思い込んでいるんだから」クロエの声には強い憤りがこもっていた。ひとりぼっちで歩き回って考えにふけった長い一日が、いっそう怒りを掻き立てたのだ。

「それで、どうなったんだい？　弁護士と話をして、それから？」

「彼女はいい人みたい。わたしの肩を持ってくれてるようよ。もちろんわたしは、ほんとうに起こったこと、つまりすべて正しかったことを話したわ」

「じゃあ、誤りを正せたんだね？」

「ええ、そうよ。でもそうしたら今度は、わたしが細かいあれこれを証明できるかどうかを問題にし始めたの。わたしの数字が正しかったことを証明できるような明らかな証拠、つまり生(なま)データかなんかがあるかって。すぐに見せるように言われたけど、そんなに何もかも揃ってなかったのよ。そうしたら、彼女とトムは、きちんと記録をつけることについて聖人ぶった態度を取り始めたの。まるで、論文を書いているときにトムがそういうことにいちいち気を配っていたかのような口ぶりだった。去年の夏、修正版に取り組んでいたころはどんなだったか、あなたも覚えているでしょ？　とにかく押せ押せだった。すぐに結果を出せ、明日では遅すぎる、というような感じだった。遺伝子型判定結果や手元にあるものを長期記録として保存するようになんて、チラッとも言われたことはないわ。絶対にそんなことはなかった。トムは結果を見て、それ以上何も要求しなかった。わたしたちは結果を論文に書き入れた。論文は活字になった。そしてトラブルの気配がしたとたんに、トムったら、はい、もちろん最新のこまごましたことをすべて記録しておくようにみなには常に話しています、なんて言い出したの。もしクロエがそうしていなかったのなら、それは彼女の落ち度です、というわけよ」

「それは大変だったね」

マーチンは彼女の腕を優しく撫でた。あまりにも腹を立てているようなので、ぎゅっと抱きしめるリスクを冒す気にはなれない。

「おまけに、組織像スライドが見当たらないの。なくなってしまったのよ」

「なくなった？」

「そう、なくなったの」少し落ち着きを取り戻した口調だが、まだ明らかに激怒している。「誰かがわたしの冷蔵庫から取り出して捨てちゃったに違いないわ」

「捨てた？　そんなの、ばかげてる」

「そうね。ほんとうにばかげてる。でもわたしは1カ月近く留守だったから、盗ろうと思えば誰にでも盗れる。誰だか知らないけど、わたしを責めている人がやったに違いないわ」

「でも、ほかの人のスライドを盗るなんて、そんなことまでする人はいないんじゃないかい？　だって……」マーチンは口をつぐんだ。これじゃ、まるで疑っているみたいだ。クロエはじろりと彼を睨んだ。

「でも、そうとしか考えられない。わたしが絶対に何も証明できないようにしたんだわ」

「おいおい、クロエ。もちろん、本気でそんなこと信じているわけじゃないよね？」

「じゃ、あなたは、科学者にはそういうことはできないって考えているわけ？　あなたはそんな世間知らずじゃないはずよ、マーチン。科学者だってただの人よ。恨みや妬み、人を動かすその他もろもろの感情と決して無縁ではないわ」

「確かにそうだ。でも――でも、トムは悪い人とは思えない。たぶん」と両手の人差し指と中指で引用符を作って、「〝正しいことをしている〟と見てもらえなかったら、自分が追及されると心配になっただけなんだよ。わかるだろ。スライドの置き場所を間違えていないっていう自信がある？　よく探してみれば……」

「もちろん、自信があるわ」これ以上の質問は許さないというような目つきで彼を見る。「こんなの、我慢できない。何の証拠もないのにわたしを告発することなんてできないはずよ。絶対に間違ってる。無実だという前提から出発すべきよ。有罪という前提からではなくね。無実であることを証明しなければならないなんて、おかしいわ」ワインをひと口飲んで、いかにも苦々しい調子で言う。「というわけで、2、3日暇ができたの。そのあいだに弁護士がわたしの実験ノートを調べるんですって。この弁護士っていうのが、実は落ちこぼれ科学者なのよ」

クロエは自分のグラスを見つめたままだ。マーチンが向きを変えてスパゲティの具合を見に行こうとしたときになって、ようやく目を上げた。スパゲティはもう茹ですぎに違いない。

「それで、あなたのほうは一日どうだったの?」無理にほほ笑みを浮かべて、マーチンの背中に問いかけた。

「誰かが持って行ったんです」クロエが硬い声で言う。「誰かがわたしの冷蔵庫からスライドを持って行ったんです」真向かいの椅子に座ってまっすぐにトムの目を見つめるクロエには、一歩もあとに引くものかという決意がうかがえる。

「持って行った？　ほんとうに？」否定と告発が一緒になった発言に一瞬唖然としながら、トムが訊き返す。

スシュマとの面談から2日後のことだった。トムがクロエに電話をして、今後の方針を相談したいから来てくれないかと頼んだのだ。2日間じっくり考えた末に、クロエは謝罪の言葉を携えて現れるのではないか、ことによると、ストレスのあまりミスを犯しましたと涙ながらに認めるのではないか。トムはそんなふうに想像していた。もしかすると、スシュマがあの場に同席していなかったら、もっとミスを認めやすかったのかもしれない。それとも、テールDNAのサンプルを置いた場所を思い出したか、彼女の言い分を裏づけるほかの証拠を見つけたのかもしれない。それならもっといい。ところが、証拠は何も現れず、クロエは後悔しているどころか、いっそう意固地になっているように見える。それに、今日は感情をしっかりコントロールしている。

「組織像スライドはMMTV-Myc+Rasの腫瘍サンプルから採取した薄片を含んでいました。わたしたちが話題にしていた阻害剤実験のサンプルです。スライドがあれば、わたしが論文に記述した通り、6匹のマウスを分析したことを証明できたはずです。ところが、それがなくなってしまったんです。大学の弁護士だかなんだか知りませんけど、その人と話し合ったときに、わたしはスライドについて言及しています」

「研究倫理課のスシュマ・ナイヤル博士だよ。それに、確かに彼女は弁護士でもある」と言いながらトムは、こんなふうに失礼な言い方をするなんてクロエらしくないなと思った。

「どうでもいいです。わたしは彼女に、マウスの数を裏づける組織像スライドが冷蔵庫にあるはずだと言いました」

「君は確か、そういうスライドがあるかもしれない、でも確信がないとも言っていたね。そしていまは、それがあったことには確信があると言うんだね?」

「そうです、確信しています。ただ、水曜日はとても……ええと、気が動転してしまって、ちゃんと考えられなかったんです。言わせていただければ、まるであなたがたおふたりに待ち伏せ攻撃を受けたように感じて、ショック状態だったんです。じっくり考える時間を持てたいまなら、サンプルがあったと断言できます。ちゃんとあるはずでした。水曜日に実験台のところへ戻ったとき、探しました。でも、わたしがいないあいだに誰かがスライドホルダーのひとつを持って行ったに違いありません。冷蔵庫には鍵も何もついていませんから」

「つまり、誰かが君の実験台の下にある冷蔵庫のところに行って、そうしたサンプルを見つけ、それを意図的に持ち出したと言いたいのか?」

「そうです、おそらくわたしの信用を落とすためでしょう。きっと、わたしを告発している人物のしわざです」

「ちょっと待った。クロエ、それはばかげているよ。誰もそんなことはしやしないよ」

「結果をでっち上げたとわたしを告発することのほうが、もっとばかげています。わたしは絶対にそんなことはしません」クロエはトムを睨みつけた。

「しかし、アンディの記録はどうなんだ？」トムは抗弁した。「紛失した遺伝子型判定データは？君がそうしたマウスを使って実験をしたことを示す証拠が、ほかにも何かあるはずだろう。君はその実験の生データをすべて紛失しているように見えるね」

「そのことはもう説明しました。論文を仕上げる最終段階ではほんとうにてんてこ舞いだったんです。先生もご存知のはずです。正確に何と何を保存しておかなければならないかなんて、話し合った覚えはありません。とにかく、結果がすべてでした」

「それでも、そうしたマウスが存在したというなんらかの証拠があるはずだよ。ラボか飼育室に記録がなくちゃおかしいよ」

「半年も前のことなんですよ。どこかに紛れ込んでいてもおかしくありません。わたしの実験ノートには数が記入してあります」

クロエはトムにじっと視線を据えて平静な声で続けた。「いいですか、先生はわたしが最初に結果を持って来たとき、何も質問なさいませんでした。なぜそのとき、遺伝子型判定データを見たいとおっしゃらなかったんですか？」

「君たちを信用しているからだ。数字を見せられれば、その通りだろうと思うからだよ」

「そしていまはわたしを信用していない？　ずいぶん都合がいいんですね。このラボで、事細かな記録保持がすごく強調されたことなんてなかったと思います」甘いと言ってもいい声でつけ加える。

「それとも、わたしがその集まりに出そびれたのかしら？」

「クロエ、君は経験豊富な研究者だ。こうしたことは承知しているはずだよ。君はみんなと同じように倫理講習に出席した。そこで何もかも詳しく説明されたんだ」

「一般的な話だけです。どのような状況ではどれを取っておく必要があるかという話ではありませんでした」

「おい、おい、クロエ、わからないようなふりをするのはやめてくれ。ちゃんと記録を保存して生(なま)データも取っておく必要があることは、完璧に理解しているはずだ。特に、投稿論文用の重要な実験の場合はね」

「でも、遺伝子型判定データを？　それは結果ではありません。同定の一様式に過ぎません。実験が始まったあとは、遺伝子型判定データなんか見ないのが普通です。いちいち提示されることはないし、記録しておくべきだと先生から言われたことは一度もありません。いま考えると、保存しておけばわたしのためになったのは明らかです。でも、こんなことになるなんて、思いもしませんでしたから。実験の実際の結果は、終了時の腫瘍量に現れていました。わたしは腫瘍を数え、その数字は実験ノートにあります。腫瘍には組織像スライドという裏づけもあります。というか、あったんです。でも誰かが持ち去りました」

「だが、マウスの写真は？　ラボのミーティングではいつも、解剖したマウスの写真を使って腫瘍結節の外見を示すことになっている」トムがうんざりした声で言う。議論は堂々巡りになろうとしていた。

「そのことについてはもう話しました。ミーティングでは、解剖したマウスの写真をいつも使うわけではありません。今回わたしは使いませんでした。それぞれのマウスの腫瘍を数えたんです。先生も結果をご覧になっています」

トムはかすかに首を振った。

「いいかい、クロエ。いまの状況はこうだ。スシュマが同僚と話をして、僕に結果を伝えてきた。だから、君に来てもらったんだ」と彼女を見る。「要するに彼らは、告発者の懸念を容易に却下することはできないと考えている。そこで、全面的な調査を望んでいるんだよ」

「全面的な調査？」

「そうだ、不正の可能性についての」

「不正ですって?!」クロエの声はもう、それほど落ち着いてはいない。「トム、本気でおっしゃってるんじゃないでしょう？　いったん、そんなレッテルを貼られたら、研究者はおしまいです。わたしが優秀な科学者だってことはご存知のはずです。こんな目にあういわれはありません。不正なんてないんです」不正という言葉が、繰り返されるたびにいっそう深く食い込んでくるような気がする。「わたしを信じてくださらなくてはなりません。わたしを」冷たく見下すような態度から疲れ果てたような懇願への切り替えは、驚くほど突然だった。それからまた、態度を硬化させた。「それにとりわけ、悪意のある告発を根拠にすべきではありません。この場合、現実に不正があるとするなら、それは誰かがわたしのスライドを盗んで虚偽の告発をしていることです」

「この段階では、単なる予備調査に過ぎないんだよ。詳しく調べて、何が起こったかを突きとめるためだ。裁定が下されたわけではないんだ」トムが強いて穏やかに言う。実際には、不正のほのめかしだけでも、大きな害を及ぼしうる。だが、いまの状況でそんなことを認めても、何の役にも立たない。

「いずれにしろ、我々に選択の余地はない。外部のオブザーバーが入ることになるし、君のコンピュータや実験ノート、それにラボとマウス飼育室のあらゆる資料への完全なアクセスが求められるだろう」

「なくなったスライドのことをその人たちに言わなければなりません」

「ああ、僕が彼らに対応することになるだろう。ルーシーが手伝ってくれる。君が言ったことを彼らに伝えるよ」

クロエの顔にまた不信の色が浮かぶ。

「先生は完全に忘れていらっしゃるんじゃありませんか？　誰も彼も、忘れているんじゃありませんか？　この論文にわたしが途方もない努力を注ぎ込んだことを？　わたしには、論文の所見を裏づける山ほどの生データが、大量の証拠があります。しっかりした論文です。中味のない、見てくれだけのものではありません」

「ああ、そうだね、論文についても話し合わなければならない。そのために君が大量の仕事をこなしたのはわかっている。だが、もしそれらの結果に完全な裏づけがないとなれば、論文の取り下げということになるかもしれない。そうならないことを心から願ってはいるが」

「ダメ。絶対にダメです。論文を取り下げることなんてできません。そんなの、完全に間違っています。わたしや先生をどれほど傷つけることになるかは別にしても、明らかに間違いです。科学的な理由からです」クロエは再びいっそう強硬になり、懇願するというよりむしろ説得しようとしている。

「論文のデータは正しいんです。重要な意味のある研究だってことは、先生もご存知ですよね。最後のささいな一点を裏づけるのに必要なものを誰かが盗んだからといって、研究全体が駄目だってことにはならないはずです。そんなの、正しいことではありません」

「僕だって、君に劣らず、そんなことは嫌だよ。だが、いま我々が直面している不確かな状況を考えると、必要になるかもしれないんだ」

「君に劣らず、ですって？　とてもそうは思えませんね」露骨に辛辣な口調には、もはや歯止めが利かない。「わたしには、この論文がすべてです。わたしの人生の4年分。わたしのキャリアの土台です。先生にとってはそうじゃない。さらに箔をつけるためのお飾りに過ぎないじゃありませんか」。トムが答えようとすると、クロエはきついひと睨みで黙らせた。「どっちみち、おっしゃった通り、このばかげた告発は調査中です。まだ裁決が下されたわけではありません。証明されていない異議があるからというだけで論文を取り下げるのは、間違いでしょう。わたしはマウスについても、スライドについても、説明しました。数字は実験ノートにあります。論文のデータには何も間違ったところはありません」。しばらくはふたりとも口を開かなかった。

「ああ」とクロエが続ける。「いい考えがあります。疑問視されている実験をやり直すことができます。先生の気が済むまで、わたしが実験を繰り返せば、オリジナルのデータが正しいっておわかりになるでしょ。そうすれば、論文のデータの正しさが確認されるわけです」

彼女の言うことにも一理ある、とトムは思った。早まった取り下げが最善の道とは限らない。何が真実かを見極めるべきだ。クロエの提案は心をそそる。だが、彼の一存ではどうにもならない。

「それは不可能なんじゃないかな」とうとう、答える。

「どうしてです？　完全に筋が通っているのに。一番重要なのは、わたしたちが正しい結果を発表したのかどうかということです。真実を明らかにする。今回の件はすべて、そのためではないんですか？」

「ああ、そうだ。だが、君にそういうことをさせるわけにはいかない。調査の対象となっているあいだは、君はラボに入ることができないんだ。ずっと休暇を取っていなくちゃならないんだよ」。クロエは納得がいかないような顔だ。「すまない、そういう決まりなんだ」

「で、わたしを告発した人についてはどうなんです？　もちろんその人も休暇を取っていなくちゃならないんですよね？　だって、ほかの誰かのサンプルを持ち出すのは、要求されたときにわずかばかりの遺伝子型判定結果が手元にないことより、ずっと悪いことですもの」

「告発をした人物のことかな？　いや、同じような状況とは言えない。何の証拠もないのに、誰かが君のサンプルを持ち去ったなんて主張して、その人物を責めることはできないよ。何か悪いことをしたと証明されたわけではないんだから」

「でも、わたしは証拠もないのに責められています」クロエが激しい調子で言う。「何も証明されていないのに。この場合、被害者はわたしです」

「クロエ、同じではないと理解しなくてはいけないよ。君が、というか僕らが論文の主張を裏づけることを求められるなんて、不公平に思えるかもしれない。でも君は図7Fや君の言うできごとを裏づける物理的な証拠を何も示すことができないようだね。マウスの写真はない、遺伝子型判定のDNAの残りもない、腫瘍サンプルもない、スライドもない。あるのは、アンディの記録との食い違いだ。告発した人物がしたのは、食い違いに気づいて、活字になったデータに疑問を投げかけたことだ。それは誰かを盗みで非難するのと同じとは言えない。とても同列に論じることはできないよ」トムは、自分がラボの内部告発者を罰しているように見られるわけにはいかないことも、よくわかっていた。とんでもない。カレンとアンディの扱いはくれぐれも慎重にしなければならない。さもないと、自分の置かれた状況は遥かに悪化する可能性がある。

「ゴタゴタが片づくまで、君にはラボに近づかないように頼まなきゃならない。少し休暇を取るといい。助成金の申請書か何かに取り組んだらどうかな。ただし、自宅で。この件の調査は完全に内密に行われるし、不正の証拠が見つからない限り、その後も秘密は守られる。残念だが、こういうことはすべて、決まっていることなんだ」

「それはどれくらい続くんですか？　わたしはどれくらい、出入り禁止なんですか？」

「彼らの話では2、3カ月かかるかもしれないそうだ」

「2、3カ月？　それって、永遠にってことじゃないですか。わたしの求職の件はどうなるんですか？」この状況では、職探しの結果もどうなるか、きわめて心許ないのだと、クロエにもわかってきた。そう、確かに先方は採用にとても前向きだった。でも、正式なオファーが来たわけではない。そればまだだ。不正のほのめかしがちょっとあっただけで、おじゃんになってしまうだろう。「もし調査の噂が先方の耳に入ったりしたらどうなるか、ご存知ですよね？　熱いジャガイモみたいに放り出されてしまうわ。そうなるに決まってる。やけどのリスクを冒すなんて、ごめんでしょうからね。わたしは切り捨てられる。噂だけで裁かれるんだわ」と溜息を漏らす。「では、この件を内密にしていただくのがほんとうに重要になりますね。何が起こるか、考えたくもありません、もし誰かが……よくおわかりですよね。もっともなお願いだと思いますけど」

また態度がころりと変わっている。取引を持ち掛けているのか？　どう対処したらいいのか、よくわからない。トムは率直で型通りの答えを選んだ。

「もちろん、秘密は厳重に守られるよ。調査が終わるまで関係者全員を保護するために作られた規則だからね」

トムは、クロエが何を考えているのかつかむのに四苦八苦していた。自分のラボのポスドクが不正の疑いで調査中――そんな噂を広めるのがトムの利益にならないことくらい、クロエにもわかっているはずだ。この時点では、彼女はいかなる点においても、有罪と判明してはいないのだ。もしかすると、すでにトムに見限られたと思っているのだろうか。それにしても、スライドが紛失したという話はいささか都合がよすぎる。うまい一手だ……調査官たちはこれをどう扱うつもりなのだろう。とはいえ、自分としては、彼女の説明をただちに退けるべきではないだろう。少なくとも、彼女は事態を多少は自分に有利に解釈させることに成功したわけだ。いずれにしろ、自分の出る幕ではない。彼の仕事は論文をどうするか決断することだ。なんと言っても、彼が上席著者なのだから。

トムがこうしてあれこれ考えているあいだに、クロエは椅子から立ってドアのほうに向かっていた。トムも立ち上がる。

「もっと詳しいことがわかり次第、君にも知らせるよ。それにもちろん、調査官たちも君との面談を望むだろう。直接連絡があると思うよ。いろいろなものがどこにあるかといった実際的な質問もあるだろうし。じゃあ、まずは様子を見よう」

「すべてラボにあります。そのはずです」

「じゃあ、デスクや実験台から持って行きたいものは何かあるかな？　帰宅する前にラボで何か世話をしておく必要のあるものは？」

「1カ月近く、ここを離れていたんです。あと2、3カ月いなくても、たいした違いはないでしょう。そうじゃありませんか？」彼女の声にはまた、皮肉っぽい調子が戻っている。「でも、いいえ、ラボから持って行く必要のあるものは何もありません」

「わかった。では、そこまで送ろう」

クロエはトムをすばやく一瞥した——建物から出るまでついてくるつもり？

「エレベーターのところまで、という意味だよ」トムは裏口のエレベーターのある左手のほうにあごをしゃくった。「どうせそっちのほうに行くところなんだ」

もちろん、ラボの横を通る廊下は壁がガラス張りで丸見えだものね、とクロエは思った。代わりに、透明でない壁のある部分を通ろうと、それとなく示しているのだ。せめてもの思いやりってわけね。ふたりは黙って歩いて行った。クロエがエレベーターに乗り込むと、いつもの習慣でトムの顔にはかすかな笑みが浮かび、「連絡するよ」とつぶやいた。

その後、トムは部屋に引っ込み、コンピュータもつけずに腰を下ろした。まだお昼にもならないのに、すっかり疲れ果てた気分だ。くたびれた、でも、ことによると、一巻の終わりというわけではないかもしれない。論文については、影響を緩和する方法があるかもしれないと思いついた。独立した確認という手がある。論文の実験の一部を再現すればいい。いや、もっといいのはJmjd10に関わる実験すべてと、阻害剤を用いた実験すべてを再現することだ。スクリーニングはクロエの仕事の主要部分だったが、その部分を再現する必要はない。スクリーニングは自分たちをJmjd10へ導いてくれたに過ぎない。そういうふうに分けて考えれば、十分に対処可能に思える。論文のすべてが正しいことを願っているが、こうすれば、それを確かめることができる。それほど時間はかからないだろう。仕事の大半は細胞培養だし、試薬類はすでに作ってある。マウスの実験についても、必要なマウスは揃っている。実に幸運だった。2、3カ月、たぶん3カ月もあれば十分だろう。そうすれば、取り下げが必要かどうか判断できる。もしかしたら修正でもいいかもしれない。結果がすべて問題なければ、それさえ必要ないかもしれない。たとえ修正でも、取り下げよりはずっとましだ。取り下げとなると、悪い意味で注目の的になる。それに、再現実験をするのは正しいことだ。もし結果が正しいなら、どうしてそれを撤回する必要がある？　ましてや、論文全体を取り下げる必要がある？　そんなことをしても、誰の利益にもならない。科学界にとって必要なのは、正しい結果は何か、信ずるに足る結論は何かを知ることだ。その知識へ至る道筋のささいで複雑なステップをいちいち言いふらす必要はない。そんなことをすべきではない。スチュアートならきっと、そんなに簡単に割り切れるものではないと言うだろう。しかしトムは、これが進むべき正しい道だと確信していた。科学的真実を、正しい結果を知ることが彼の望みであり、それを見つけ出すつもりだ。もちろん、クロエを関わらせるわけにはいかない。ラボの別のポスドクにやらせるしかないだろう。迅速にやりたいなら、ひとりでは足りない。〝彼女の〟プロジェクトに誰か別の人間が手をつけたと知れば、クロエは当然、腹を立てるだろう。だが、そもそもこれは彼女が言い出したようなものではないか？　それに彼女は、可能ならば取り下げを回避したいとも言っていた。だから、もし必要なら彼女を説得して、こうした考え方を受け入れさせることができる。いまのところ、彼女にも誰にも説明の必要はない。ただ前進あるのみだ。

トムはダイドラに命じて、ルーシー、ヒロシ、ホアン、ユキ、カレンとの個別の面談を設定させた。今日の午後だ。ランチをとりながら計画を練り、今日中にすべてスタートさせよう。行動を起こすのはいい気分だ。

◆　◆　◆

「でも、どうしてわたしが？　誰かほかの人じゃダメなんですか？　わたしは自分の論文を仕上げなくちゃなりません。先生もご存知のように、時間がないんです」カレンは見るからに気が進まない様子だ。「それに、クロエの仕事に関わりたくありません。わたしはただ、何かがおかしいと気づいてそれを先生にお話ししただけです。そして言われたように、大学から来たインド人の女性と話をしました。でも、それ以上は……」

トムはイライラし始めた。「いいかい、カレン、そもそもの発端は君だ。とりわけ君は、真実を見つけ出すのを進んで手伝うべきなんだ」まっすぐに彼女を見つめて挑発する。「君は真実を望まないのかい？」

「もちろん、望みます」カレンはおとなしく答える。「でも、変に見えるんじゃないでしょうか？このわたしが論文の再チェックに関わるなんて？　わたしが問題を指摘したことを考えると、不適切なのでは？　誰か別の人、完全に中立の人のほうがいいのではないでしょうか？」わずかな望みをかけて、言ってみる。

「心配いらないよ。君だけが関わるわけではないんだ。ほかのポスドクにも手伝いを頼んである。大仕事だからね。ただちに取り掛かる必要があるし、すばやく終わらせる必要がある。そうすれば、僕らはラボとして、この件にきっぱり片をつけることができる。だからこそ、いま、君やほかのポスドクに時間と労力を割いてもらう必要があるんだ」

「はい、わかりました、だいたいは」カレンは椅子の背にもたれて溜息をついた。「それで、わたしは何をすればいいんでしょう？」

「そうだな、君とアンディはMMTV-RasとMMTV-Mycのダブルトランスジェニックマウスを得るための交配をセットしているね？」

「はい、グループミーティングで話し合ったように、わたしの実験のためです。そういうマウスがほんとうに必要なんです」カレンは自分が懇願口調になっているのに気づいた。まさか、告げ口を罰するために、わたしの実験ができないようにするつもりじゃないでしょうね？

「そうだね。君はもちろんその実験もしたいだろう。だが、マウスはたくさん生まれるはずだ。注意深く遺伝子型判定をして、それを記録してほしい。君には、最初の6匹のダブルトランスジェニックマウスを使って、図7Fの阻害剤実験を再現してもらいたいんだ。薬剤処置したマウスとコントロールマウスのペアを用意してくれ。それに、実験中はすべてを綿密に記録すること。その記録にアンディのサインをもらう。可能な場合は必ず写真を撮り、ハードカバーの実験ノートに記録する。最後に腫瘍のサンプルを保存して、組織検査ができるようにする。わかったかな？」少しばかり過大な要求に聞こえるかもしれないことは、トムにもわかっていた。だが、今回は、疑いの余地が一切あってはならない。

「はい、わかりました。どうしてわたしにやってほしいと思われるのかは理解できますが、でも――」カレンはためらう。「――わたしの実験はどうなるんでしょう？　わたしのプロジェクトだって、同じように重要なのでは？」

「さっきも言ったように、最初の6匹のダブルトランスジェニックマウスだけでいいんだ。残りは君が好きなように使っていいんだよ。交配をもっと多めにセットすればいい。MMTV-Mycマウスはたくさんいるんだから」イライラしたように言う。「2、3週間遅れても、君の状況に大きな違いはないよ」

自分がどんな状況にあるかくらい、言われなくてもわかっている。カレンはグループミーティングやトムとの話し合いのおかげで、ほんの少しだけ気分が上向くのを感じていた。いくらか前に進めそうだと期待していた。その矢先に、これだ。余分な仕事に時間を取られることになる。自分のプロジェクトに必要なマウスの入手も遅れる。わずかな遅れ？　確かに。それでも、遅れは遅れだ。クロエのプロジェクトのため、彼らの貴重な『ネイチャー』論文のため、彼女の仕事は脇に押しやられるのだ。活字になった論文の内容を繰り返すなんて、なんという時間の無駄だろう。そう思ったものの、カレンは何も言わなかった。

「君には図7の別の阻害剤実験のほうもやってもらいたい。論文の該当部分と図をよく見るように。最終的な主張と図の項目はすべて、再試験しなければならない。このラボで3D培養に一番慣れているのは君だ。だから、君にやってもらいたいんだ。君なら、実験をきちんとやってくれると確信している。詳細な計画を書いて、明日見せてくれないかな？　そうすれば、漏れがないか一緒にチェックできる」

トムはすっかり決めているようで、反論の余地はなさそうだ。カレンも反論するつもりはない。いまの自分にはトムの反感を買うようなまねはできないとわかっていた。カレンはうなずいた。

「ところで、何もかも綿密に記録することになるからね。行ったあらゆる操作、得られたあらゆる結果を実験ノートに記入しなければならない。できれば写真も含める。生(なま)データにいつでもアクセスして解釈することができるようにしておきたいんだ。たとえ、何か間違っているように見えてプレートなんかを投げ捨てたりしたくなっても、一切をそのまま記録しなくてはならない。ルーシーか僕が毎週、実験ノートの記入済みページにサインすることにしよう。どっちみち、〝再現プロジェクト〟に関わる全員が週に一度は集まって、結果を共有することになる」

カレンは再びうなずいた。諦めの心境だった。やるべき実験があまりにも多いし、あらゆるステップを細かく記録しなくてはならない。余分な仕事を大量にしょい込むことになる。ささやかな慰めは、彼女ひとりが狙い撃ちされたわけではないこと。ほかの人たちも同じような会話をトムと交わして、〝ラボのために〟この余分の仕事を課せられているのだ。それでも、最近の苦難に免じて自分は外してくれたらいいのにと思った。

心のどこかで、カレンはトムの理屈を受け入れ始めていた。誰かがやらなくちゃいけないことだ。クロエのためではない。トムとラボのためだ。ラボの評判は彼女にとっても大事だ。それなのにいまは、クロエにとってもラボにとっても、まずい状況だ。ラボにとって一番望ましいのは、データが正しく、論文の取り下げが必要ないこと。それはとりもなおさず、自分たちの余分な仕事は表に出ることなく終わるということだ。そして最悪の結果が取り下げ。そんなことに関わりたいと思う人がいるだろうか？　実際の研究はクロエの論文で報告されたのだから、この再現実験はクロエにも重大な関係があるはずだ。でも、いまとなってはこんなことをしても意味がないような気がする。結果はすでに活字になってしまっているのだし……もう十分でしょ、カレンは自分を戒めた。泣き言はやめて、取り掛かりなさい。椅子から立ち上がろうとすると、またトムから声がかかる。

「ああ、それから、阻害剤のストック溶液も、必要なほかの物同様にルーシーから貰いなさい。彼女がすべて持っているはずだ。ルーシーにはもう、このミッションに関して君たちの手助けをするように言ってある」

ミッション。この状況で使うには奇妙な言葉だとカレンは思った。どんな種類のミッションに自分たちは足を踏み入れようとしているのだろうか？　でも、この疑問も口には出さない。ただうなずいて、ドアへ向かう。

まったく、なんて日だ。トムは携帯電話の時刻表示を一瞥した。午後6時近い。家に向かっていてもいいころだ。だがこのクレージーな一日を消化する時間が少し必要だ。今朝クロエとの話を終えてからというもの、自分のプランを行動に移そうと大忙しだった。選んだポスドクに、ひとりずつ話をした。もちろん、ルーシーとも。だが彼女は簡単だった。指示を与えられるのに慣れている。ポスドクたちはそうではないから、話し合いはすんなりとは進まなかった。トムはふつう、何をすべきか彼らに直接指示することはない。アドバイスを与えたり、励ましたり、必要なら少し圧力をかけたりする。それが暗黙の了解事項だ。彼らはみな、どんな基準からしても優秀なポスドクだ。それぞれ、少なくともラボで働く時間の一部に対して独立した助成金を貰っている。だから、自分のプロジェクトの仕事だけをしていればいいと感じるのは無理もない。普通の状況だったら、それでいいだろう。だが、これは非常事態だということを理解しなくてはならない。トムは各人に、この件を収拾することが科学界やラボにとっていかに重要かについて、大げさな話を吹き込んだ。これがクロエの論文だということは忘れるんだ、科学とラボのことを考えてくれ。彼らは最終的には折れて、自分の割り当て分をこなすことに同意した。意外だったのはカレンの消極的な態度だった。不機嫌と言ってもいいくらいで、自分の時間に対する過大な要求だと感じているようだった。トムはもう少しで冷静さを失いそうになった。これを始めたのはカレンじゃないか。いの一番に協力すべきなのは彼女だ。それに、助成金が切れそうなときは支援策を見つけると言ってやったのは、つい先週のことだ。少しくらい感謝すべきではないのか？　人が自分の利益しか眼中にないのには、ときどき驚かされる。

思いにふけっていると、トムの意識はどうしても、その日最初のクロエとの会話に戻る。いまでも、スライドが盗まれたという逆告発には、信じがたい思いが拭えない。他人のサンプルを捨てるというのは、もし悪意からだとすると重大な違反行為だ。たったいまもカレンには苛立ちを感じたし、クロエを妬んでいるのではという印象を受けたことは確かだが、そんなおかしなことをするなんて想像もできない。カレンに対してはあらかじめ気を引き締めて慎重に対応した。そのことは妥当だし、必要だったとさえ思うが、クロエのサンプルを持ち去ったなんて信じられない。たぶん嫉妬はある。だがそこまではしないだろう。それにアンディのこともある。アンディには嘘をつく理由がない。最悪の場合、何かを見落としたり忘れたりしたことは考えられる。可能性は低いが、ないとは言えない。あとはクロエだ。

彼女はほんとうにデータをでっち上げたのだろうか？　そんなことがばれたら、とんでもない目にあうのはわかっているはずだ。科学者としての人生は終わってしまう。どれほど頭が切れ、業績を挙げていようと関係ない。有罪とわかれば、終わりだ。たとえ不正の可能性をほのめかされただけでも、キャリアの破綻をもたらすには十分なのだ。その点については、クロエは正しい。だから、彼女がそのようなことをするという考えは実にばかげている。だが奇妙にも、そのような事態を想像できることにトムは気づいた。重要な論文を受理してもらう際のプレッシャーはとても大きい。重要な論文に必要な最後の実験で手抜きをするのは、完全に、絶対に間違いだ。しかし、しかし。去年の夏のことが頭に浮かぶ。ほかはすべて、きちんと整っていた。査読者たちは受理に前向きだったが、やたらに細かいことにこだわり、注文が多かった。あの最後の実験はどう見ても余分だったように思える。もどかしさのあまり、自分がはっきり、そのようなことを口走った覚えがあるほどだ。だから、誘惑があったことは理解できる。彼はもちろん、そんな手抜きを許しはしない。絶対に、ない。しかし、ああいう状況だったことを考えると、クロエが過ちを犯すのもありえないことではないと思えてくる。それでも、クロエが最後まで罪を認めなかったのはなぜだろう。あくまでも無実を主張している。それにあの異様な逆告発、あれには驚かされた。あれを聞いて自分の直感に疑念が湧いた。どんなにありそうもないことに思えようと、彼女はほんとうのことを言っているのかもしれない。それとも、戦いを諦めない、絶対に負けないということなのだろうか。確かに、彼にわかる限りにおいては、彼女の性格にふさわしい。彼女には勇気と根性がある。彼女に勝ってほしいと思いそうになるが、そこでハッと思いとどまる。これは誰かが勝つゲームではない。いろいろな意味で、真実を解き明かす戦いなのだ。そして今日、彼はそのために自分にできることはすべてやった。それでも、現実を甘く見るべきではない。もし調査でクロエの不正が見つかれば、彼にもなんらかの影響が及ぶだろう。監督があまりにもいい加減だったように見えるだろうし、悪くすると、手抜きを奨励していたと思われるかもしれない。誰にでも少しは、他人の不幸を喜ぶ気持ちがあるものだ。不愉快な状況になることも考えられる。だが、迅速に動き、何も隠そうとはしていないことを示せば、それほど深刻な事態にはならないだろう。スチュアートの言う通りだ。最初から、正々堂々と取り組むのだ。彼の地位は安泰だし、評判はわずかに攻撃にさらされるだけだ。それから論文のことがある。あれを失いたくはない。取り下げざるをえないようになるのは嫌だ。今回の困った状況を別にすれば、すごいストーリーなのだ。それに、正直言って、彼にはこの論文が必要だ。最後の大きな論文から2、3年になる。注目すべき論文の出ない年月が長すぎれば、声価は薄れ始める。たちまち過去の人になってしまう。いずれにしろ、全面的な真実がわからないうちに論文を取り下げるのは間違いのように思える。クロエがしたことについての真実はもちろん、真の結果がわからないうちは。たとえクロエが最後の実験を適切に行っていなかったとしても、結果は正しい可能性が大いにある。論文のほかの部分のことを考えると、きっとそうに違いないという気がする。その反対の最悪のシナリオも頭に浮かぶ。図7Fだけでなく、論文のほかの結果にも欠陥があったり、操作されていたりする可能性もあるのだ。身震いが出る。いや、やめよう。まず事実を手に入れる。決定はそのあとだ。

長い一日だった、と考えながら、彼はようやく椅子から立ち上がった。これから2、3カ月は、関係者全員にとって試練の時となるだろう。

第12章

未来都市のビジネス街。林立する高層ビル。全面ガラス張りで、床はすべて鮮やかな赤。ちょっと想像力を働かせれば、そんなふうに見えなくもないわね。

たわいもない空想に、カレンはふと笑みを漏らしそうになる。それから溜息。積み重ねられたプレートの山には終わりがないように思える。プラスチックのプレートにはそれぞれきちんとラベルが貼ってあるが、それ以外はまったく同じだ。それに、陳列してあるわけではない。ひとつ残らず調べて処理する必要がある。山のようなサンプル、山のような仕事。どんなに意志強固な兵士でもうんざりしそう。積み重ねた山のひとつを、培養器から組織培養フードへ一枚一枚移す。あんたたちの面倒はあとでみることにするね。そう思いながら、カラフルな都市景観を遮るようにシャッターを引き下ろす。再び腰を下ろして、正面に並んだバイアルに注意を向ける。ラベルの貼られたバイアルを1本取り上げ、ピペットで2、3マイクロリットル吸い上げて、目の前にある20本の試験管のひとつに入れる。次のバイアルにも同じ作業を繰り返す。混合物はそれぞれすぐに、ラベルの貼られたプレートのひとつに加えられることになる。クロエの実験を繰り返すなんてつまらない。でも、集中しなければ。試験管一本一本、行うステップ一つひとつに注意を払う必要がある。今日の実験プランはそばのスツールに置いた実験ノートに貼ってある。あらゆる作業について事細かく記録も取ることになっている。正確にどれくらいの量をどの試験管から移して、何分培養し、いつ終了したか。絶えず注意を払っていなくてはならないが、あまり考える必要はない。それなのに、何かほかのことをじっくり考えようとしても、できない。ほんとうにイライラする。もしぶっ続けに何時間もこうして座っていなければならないなら、なぜ少なくとも何か役に立つことを考えられないのだろう？　騒音も気に障り始めている。フードが絶えずごうごうと音を立て、いったん意識し始めると、無視するのはむずかしい。

午前中はたいがいこうだが、カレンがここに座ってかれこれ数時間になる。ユキが隣のフードにいる。彼女もカレンのようにイライラしているのかどうか、よくわからない。しばらくそちらのほうを見ていたが、気づいた様子はない。自分のマルチウェルプレートの大きなセットで作業をしている。やはり再現実験の割り当て分として、あらかじめプログラムされた一連の実験をすることになっているのを、カレンは知っていた。カレンと同じように、自分のプロジェクトと同時にトムのための仕事もこなすために時間を取られている。カレンは自分の本来の仕事がしたくてたまらない。こんなの、退屈でうんざり。

泣き言はやめなさい、と自分を叱るのはこれで何度目だろう。もう1カ月もこんなありさまだ。どうして、これほど精神的につらいのだろう？　実際の作業は普段自分がしていることとそれほど違わない。それでも、違う。それはポスドクの仕事と技官の仕事との違いだ。一刻も早く答えを知りたくて実験をするのと、必要だからと誰かに言われてするのとは、まったく別ものなのだ。もしこれが自分のプロジェクトのためだったら、喜んでやるだろう。こういうことを2、3カ月前にアショクに説明しようとしたことを思い出す。たぶん彼にはどういうことか、ほとんど理解できなかっただろう。

思慮深い人ではあるが、実験主義者ではない。彼にとって実験は抽象的な概念であり、アイディアと結果を結ぶ手段に過ぎない。カレンにとっては、実験は過程でもある。満足感の得られる、興味をそそる過程、もしくはあきれるほどつまらない過程だ。ラボの仕事のほとんどが、これまでに千回もやったことのある作業の繰り返しであることは、誰でも知っている。ミニプレップDNA、ゲル電気泳動などなど。眠っていてもできる。でも、もしそれが自分のアイディアやデザイン、自分の赤ちゃんなら、何もかも違ってくる。博士課程の学生だったころに考えた赤ん坊のたとえを思い出して、カレンはほほ笑んだ。親になったばかりのさまざまな古い友人が自分の赤ちゃんのことを話すのを、さんざん聞かされたものだ。目を輝かせ、興奮気味に、自分たちの創造物のすばらしさに驚嘆していた。ところが他人の赤ん坊となると、まったく凡庸でおもしろ味がないらしい。関係があるのかもしれないし、ないのかもしれない。実験にはもちろん、人格などない。でも、わたしがデザインし、結果がどうなるのかを気にかける実験は、わたしの赤ちゃんなのだ。似たような実験でも、誰かほかの人があらかじめプログラムしたものは、ただの仕事に過ぎない。これは絶対に確かだ。

すでに活字になった誰かの実験を繰り返すのは、考え得る最悪のシナリオだ。そのことがますます明らかになりつつあった。つまらない。それでいて要求が多い。そんなふうに思うべきでないとわかってはいても、カレンは自分が再現実験チームに加わっていることが嫌でたまらなかった。チームのほかのポスドク3人はもっと嫌だろう。クロエの不始末の尻拭いを押しつけられて、忌々しく思っているに違いない。そうと認めるかどうかは別だが。確かにトムはなんらかの方法で見返りを与えると約束した。それでも、みな自分のプロジェクトを抱えているのに、こんなことに時間を取られるのだ。そのあいだ、競争相手は寝ているわけでも休みを取っているわけでもない。

心のどこかではカレンも、自分は正しいことをしたのだ、トムに懸念を伝えただけなのだとわかっている。でも、事の発端が彼女だと知って感謝する人が誰かいるだろうか？　知られないほうがいい。自分から明かすなんてできない。ときどき、じっと見つめられているような気がする。ラボの仲間たちと一緒にいるのが、ますます気詰まりになっている。だが、不安を感じているのはカレンだけではない。この再現実験が始まってから、ラボの雰囲気が変わった。クロエが長いあいだ顔を見せないことに気づかない人はいないし、再現実験のことは全員の耳に入っている。そこでトムも説明しないわけにはいかなかった。公平な説明だったと、カレンも認めざるをえない。グループミーティングの冒頭、トムはごく平静な口調で、このラボから出た『ネイチャー』の最近の論文の結果に一部問題のある可能性が、自分の知るところとなったと述べた。具体的にどの結果かは言わなかった。小規模なチームを作って実験を再現することになったが、元の実験とは独立に行わなければならないので、クロエは関わらない。結論に飛びつかないことが大事だと強調した。「何が起こったか、正確にわかっているわけではない。チームの務めはあらゆることをチェックすることだ。みんなには、人間関係においても、研究においても、偏見のない態度を忘れないよう、頼みたい。いいかな？」次いでトムはきびしい口調で、秘密を守る必要性について念を押した。「僕らは真実がわかるまで、巻き込まれた人々を守らなければならない。だから、これが終わるまで、ラボの外部の人間とこの件について話をしてはならない。誰とも、ちょっとしたおしゃべりであっても、絶対にダメだ。わかったかな？」

このお説教以来、ラボには緊張感が漂い、ヴィクラムでさえ、神妙にしている。

「知るところとなった」というトムの言葉を思い返したカレンは、内部告発者がいたと誰もが推測しているに違いないと思った。カレンではないかと思われている可能性さえある。カレンの一番最近のグループミーティングで、クロエの論文で使われたマウスの話が出たからだ。誰かがそこから真相を導き出したかもしれない。でも少なくとも、トムからおおっぴらに名指しされたわけではない。彼は、科学的な真実が肝心であり、だからこそ、実験を再現する必要があるのだという例の大げさな話を繰り返した。彼の言うことはたぶん間違いではないが、こんな実験をするのは普通ではない。それにとんでもない労力を要する。ラボのポスドクはみんな、したたかな人たちだ。〝科学のために真実を見つけ出す〟という路線に透けて見えるトム自身の利益にうすうす気づいたに違いない。ともかく、これは〝ラボのために〟やらなければならない。それに再現実験チームの全員が、これを片づけてしまいたいと思っている。そうすればほかのことに取り掛かれるからだ。だがいまのところ、長時間労働が続き、雰囲気はピリピリしている。

午前中の最後の1時間、カレンの気分は一変していた。自分で特別にデザインした細胞を使うむずかしい3D培養を始めようとしていたのだ。数カ月前に始めた切断実験だが、当時とひとつ大きな違いがある。今度はうまくいっている。毎日午後遅くにはキュストナー・ラボの顕微鏡に向かい、切断操作を行って終夜の記録をセットしよう。なんてことかしら、と彼女は思う。こうしてほかにしなければならないことがいろいろ出て来たときになって、ようやく、これまで手に負えなかった実験がうまくいき始めるなんて。秘訣は、標的の深度と配置を最適に調整することとレーザーの出力を下げること、それにほんの少し多めの忍耐だった。いまでは望み通りの操作ができるし、付随的な損傷も最小限に抑えられる。技師のグレッグの協力のたまものだ。彼女が何をしようとしているのかがわかると、興味をそそられ、問題解決を自分の個人的な課題と受け止めたらしい。そしてふたりは協力して突破口を見つけた。それ以来、カレンは使える時間はすべて、つまり顕微鏡が使える時間はすべて、これにつぎ込んできた。ここまで2週間、信頼できる結果が得られている。結果は有望に見える。期待していたように、ナノチューブ結合の切断は特異な効果を及ぼすようだ。だが、期待していたよりもさらに興味深いことがある――ナノチューブの切断は送り手と受け手双方の細胞に影響を与えるのだ。実にすばらしい。それでも、これがトップの論文にならないことはわかっている。いまではもう2カ月も前のことになるが、『サイエンス』の論文に先を越されたのだ。その事実を変えることはできない。でも彼女にはかっこいい結果があるし、すてきなストーリーを作れる。いい論文を書くには十分だ。論文をどこに発表できるかは、腫瘍実験次第。彼女にとってもこれが最終的な実験になる。彼女はもう、このプロジェクトを労力の無駄とか行き止まりとは見ていない。誇りの持てる論文になるだろう。もちろん、公式の発見も『サイエンス』の論文も簡単に自分のものになるはずだったのにと考えると、いまでもつらい。無理して切断実験までやろうとせず、当初の観察結果を発表してさえいたら、発見の栄誉は彼女のものだったはずだ。そうしてさえいたら……。でも、過ぎたことをくよくよしてもしかたがない。彼女はすばらしい結果を得つつある。そして、失われたチャンスを絶えず思い出させられるとはいえ、自分のプロジェクトの仕事をしていると、再現実験の単調な反復作業が耐えやすくなる。一日の勤務時間は大幅に長くなり、ラボでは、9時5時ならぬ〝5時9時仕事〟というジョークが囁かれるようになった。

階下の顕微鏡をカレンが自由に使えるのは午後遅くなってからなので、午後4時のミーティングのあとでないと作業は始められない。どっちみち、この作業は一日の終わりの楽しみに取っておきたい。顕微鏡室の静謐さに浸る時間を楽しみに、一日を乗り切るのだ。ランチのあとで飼育室に行き、マウスの様子を見て、画像化の手順をさらにテストしてみよう。ヴィクラムが提案した皮弁を使うやり方で、細胞マーカーを検出できるだろう。少なくとも、最初に試した対照群ではうまくいった。急速に成長する腫瘍でもうまくいくかどうかは、やってみないとわからない。もしかすると、今日の夕方、スタートできるかもしれない。いや、やっぱり駄目だ。再現チームのミーティングがあるし、2階の人たちの顕微鏡作業だってあるから、無理だ。明日スタートさせるしかない。でもいまからは、乳離れしたダブルトランスジェニックの子は全部、彼女の実験に使える。クロエのマウス実験の再現はもうセットし終えた。ついに終わったのだ。ずいぶん時間がかかった。妊娠したメスの一部は適切な遺伝子型の子を1匹しか産まなかったし、まったく産まない場合もあった。本人がやったと言っているやり方で、クロエが最後の実験をやれたはずはない。カレンはいま、以前よりもその思いを強めていた。ダブルトランスジェニックの子を、1匹や2匹のメスから十分な数だけ得るなんて無理だ。とてもありえない。ともかく、腫瘍の成長に必要な4週間か5週間後には、結果がわかる。そのあいだは、通常のモニタリング作業と、阻害剤を使った締めくくりの細胞培養実験がある。それにカレン自身の3D培養実験があるし、皮弁の画像化実験も始めなければならない。すごく忙しくなりそうだけれど、ワクワクする時間が過ごせそうだ。

顕微鏡室に組織培養室、マウスの飼育および処置室。それらのあいだを行ったり来たりして、カレンは忙しくしていた。勤務時間が長くなっても、メインラボで過ごす時間は極力短くしている。余分な仕事を押しつけられたのは癪だが、かえって都合がよかったのかもしれない。こうした状況のおかげで、クロエの実験台とデスクという危険地帯をたいてい避けることができる。たまにそのそばを通ると、いまだに恥と後悔の念に襲われる。特にホアンがその近くにいると、いっそう、いたたまれない。そうした感覚は以前ほど鋭くはないが、まだ鈍い圧迫感として残っていて、クロエが長く留守にしているせいで妙に複雑な気持ちになる。クロエのコンピュータと実験ノートはなくなっているが、ほかは何も手がつけられていない。あの場所はなんだか気味が悪い。カレンに手を伸ばし、思い出させる。お前には、あそこにいる権利はなかった。何もかもそのままにしておくべきだったのに、と。ただ、時が過ぎ、新聞記事の切り抜きもずっと前に外されて、クロエ自身のイメージもありがたいことにぼんやりとしてきた。

日によっては、たとえクロエのラボスペースを目にしなくても、クロエの一件を考えないでいるのは不可能だった。今日はまさにそんな日だ。週に一度、再現チームのユキ、ヒロシ、ホアン、ルーシー、トム、それにカレンが集まって情報を交換する。ホアンがいると、あのことを考えないでいるのはますますむずかしい。それにこのプロジェクト自体が、クロエの論文の結果と、それを再現できるかどうかについてなのだ。だから、たとえ直接その名を口にしなくても、クロエは全員の頭の中にいる。今回のミーティングは通常のグループミーティングとはまったく違う。ふつうは、答えがどうなるのかは誰も知らない。誰かが新しい結果を紹介する。観察したことや、それにどんな意味があると思うかを述べ合う。よいグループミーティングでは、除外する必要のある人為的な結果、すなわちアーチファクト、別の説明、ほかに考えられる仮説やアイディアなどがほかの人たちから提供される。すべてが新しい未知の領域だ。このミーティングは違う。再現チームには具体的な任務があり、それを慎重の上にも慎重にこなしている。だが、新しいことは何も学んでいない。カレンはいまだに、〝ミッション〟の目的について釈然としない気持ちを振り払えないでいた。もし、活字になった結果が正しいと判明したら？　その場合、クロエが手抜きをしたかどうかは未解決のままだ。それでも、論文はそのままでいいということ？　それとも駄目？　ミーティングでそのことがあからさまに話し合われたことはない。トムはただ、結果を確認する、あるいは否定する必要性を強調しているだけだ。公平のために言っておくと、彼はどちらの可能性も受け入れる用意があるように思われる。カレンも確認の必要性という一点だけを考えようとした。再現チームのミーティングは、活気はないが効率的だ。報告はできるだけ迅速になされる。カレンは落ち着いたプロフェッショナルな態度を選び、必要なことだけを言って、それ以上余計な口出しはしないように気をつけた。

こうしたミーティングではホアンと顔を合わせないわけにはいかない。たいてい、彼はふつうにカレンに接する。でもときどき、ふつうとは言い切れないようなときもある。不安にさせられるような視線を向けてくることがあるのだ。凝視するというのではないが、挑戦的な目でじっと見つめてくる。何を考えているのだろう？　告発のこと？　それとも、例の早朝の遭遇からして、カレンがそれ以上のことをしたと疑っているのだろうか？　ホアンとクロエは仲がよかったものね。もしかすると、彼はいつもあんなふうに、世界を入念に調べるような目つきをしているのかもしれない。どうだったか思い出せない。それとも気づかなかったのか。もしかしたら気のせいかもしれない。ひとりで仕事に忙殺されているほうがずっといいけれど、水曜日には再現チームのミーティングに耐えなければならない。これが済めば、また1週間の猶予がある。

◆　◆　◆

時刻は4時45分になり、ミーティングは中ほどまで進んでいる。ヒロシとホアンが1週間分の結果を説明したところだ。ヒロシはJmjd10ノックダウンのさまざまな効果を調べている。ホアンはJmjd10変異マウスとコントロールマウスについて、化学物質による腫瘍誘発実験をスタートさせたところだ。すべて予想通りに進んでいる。マウスの数はクロエの論文とまったく同じではないが、それに近い。これは生物学の再現実験ではよくあることだ。あと2、3週間でさらに多くの結果が加わるが、これまでのところ、論文に書かれている結果とすべて一致する。トムはテーブルの端に座って、ふたりの報告が進むにつれメモを取っている。ノートの隣にはびっしり書き込みのある論文のコピーを置いて、たびたびチェックする。それぞれの短いプレゼンテーション中に、細かい点を注意深く確認し、何か問題がないか、徹底的に追求する。トムは満足しているようだ。これまでのところ、大変よろしい。ホアンもヒロシも、残りの実験が進行中で、計画通り2、3週間で終わると請け合った。

今度はカレンの番だ。必要もないのにノートを見下ろす。話し始めると、映写されたスライドに注意を集中し、時折トムを見る。Jmjd10阻害剤をテストする実験は、マウスの実験も含めすべて始まっている。マウスの子はすべて乳離れしているので、飲料水に阻害剤を混ぜた群と混ぜない群を5週間飼育したのち、評価する。これがチームの行っている実験中で一番時間のかかる実験で、トムは遅延の可能性を心配している。しかし実験は順調に進んでいる。カレンは、12匹のダブルトランスジェニックの子を得るために何匹の交配済みメスを使ったかを説明する。もっぱらトムに向けた説明だ。トムもそのことに気づいたようだ。もともとのプランでは6匹使うことになっていたのだが、〝念のため〟12匹使うようにトムに言われたのだ。親としてMMTV-MycとMMTV-Rasの両方のメスをそれぞれ6匹ずつ使い、どの腫瘍遺伝子が母親由来でどの腫瘍遺伝子が父親由来であるかによって結果が左右されないことを確かめるようにということだった。アンディは片方のやり方でしか、交配をしていない。もしかしたら、クロエがもう片方のやり方も行ったのだろうか？　カレンには確かなことはわからない。トムはあらゆることを調べつくすつもりのようだ。カレンはダブルトランスジェニックの子を同定する遺伝子型判定の結果を説明した。そのデータを示したことを誰も変だとは思っていないようだ。たぶん、このミーティングでは全員が、おもしろ味のない詳細なデータを山ほど報告し合っているからだろう。たぶん、注意を払っているのはトムだけなのだろう。カレンは次に細胞培養実験に移った。ホアンやヒロシの場合と同じく、彼女の結果もこれまでのところ論文の結果と一致している。カレンはそのことを淡々と報告した。もし何もうまくいかず、クロエがすべての結果をでっち上げていたと判明したとしたら、多少意地の悪い満足感を覚え、自分の行為も正当化されると思ったかもしれない。だがカレンは、クロエがそんなことをしたと思ったことはない。いつも分別のあったクロエでも、手抜きくらいはしたかもしれない。でも、結果をそっくりでっち上げる？　それはまったく別ものだ。クロエはなんと言っても科学者なのだ。

カレンが話すあいだ、トムはうなずいていた。いまは、活字になった結果のほとんどが信用できるとわかっている。これで、いくらか安心できる。だがカレンのように、問題のある実験の再現はこれからであることをトムも知っていた。だから、事態はまだ様子見というところだ。

カレンが話を終え、ユキがプレゼンテーションを始めた。カレンは腰を下ろし、その後はユキだけに目を向けて、プレゼンテーションに注意を払っているふうをよそおう。ユキの言葉や数字が頭の上を素通りしていくあいだ、カレンの思いはいましがた自分が発表した結果に戻って行った。もし最初のマウス実験が適切に行われなかったのなら、カレンの実験が、阻害剤の効果を実際に確かめた最初の実験ということになる。培養細胞では効果があるようなので、この最後の実験もうまくいき、〝正しい〟という結果になると考えるのが理にかなっている。ほかは何もかも論文の結果と一致しているのだから、これがそうでないと考える理由があるだろうか？　逆説的にではあるが、自分たちは論文のデータが完全に正しいと証明する道を着々と進みつつあるのかもしれない。手抜きがあったにせよ、なかったにせよ。その後はどうなるのだろう？　もし結果がすべて〝正しい〟ということになれば、みんなは当然、そもそもどうしてデータが疑問視されることになったのか、知りたいと思うだろう。自分たちの時間をこんなにも浪費させた「内部告発」は不必要だったのではないかと思うだろう。でも、たとえ正しいという結果が出たとしても、疑問は残る。カレンは前にもこうしたことを考えたことがあった。問題は、クロエがほんとうに実験をしたのかどうか、不正をしたのかどうかなのだ。だが、自分たちが調べているのは結果であって、行為ではない。カレンとしては、最終実験の結果が一致しないことを願わずにはいられない。そんなふうに考えるのは恥ずかしいことだ。トムに悪い。ラボにも？　それはよくわからない。でも、もしそうなれば告発を正当化できる。カレンはかぶりを振った。憶測もたいがいにしないと。度量の狭い考えを抱いていようといなかろうと、この仕事には一点の曇りもないようにしておく必要がある。あらゆる実験のあらゆるステップを完全に正しく行わなければならない。あと1カ月かそこらでそれも終わる。ほかの人たちと同じく、トムへの義理を果たしているだけだ。ほんとうにそう信じられたらいいのだけれど。

2時間近くかかったミーティングがようやく終わった。トムが全員にうなずいて感謝を示し、「次の水曜の同じ時間に」と締めくくる。誰もがそそくさと退室し、いつものグループミーティングのあとのようにダラダラおしゃべりする光景は見られない。カレンは急いでデスクに持ち物を置くと階段へ向かう。キュストナー・ラボで顕微鏡とチャンバーをチェックするのだ。そのあと組織培養室に戻ってプレートを取り出す。顕微鏡の準備がすっかり整ったところで、一番いいサンプルを選んで、操作と記録に取り掛からなければならない。頭の中であらゆるステップをおさらいし、何も忘れていないことを確認する。ミスで無駄にする時間などない。サンプルの最適な場所を見つけるのが大事だ。それに操作はまだ少しむずかしい。完璧な集中が要求されるので、少し時間がかかる。やっつけ仕事は禁物だ。ビルに電話していつ帰れるか知らせようかと、チラッと考える。いや、遅くなりそうだから先に食べていてと伝えてある。ビルはうれしくないようだった。電話しても事態がよくなるわけではない。

◆　◆　◆

ビルを起こさないように、カレンは静かにアパートに入った。彼女が安全に帰宅したのを確かめずに寝てしまうとは考えにくいが、本を読んだりテレビを見たりしながら居眠りしているかもしれない。そうだったらいいけど。それなら、それほど悪いと思わずに済む。いまかいまかと待たれているのよりましだ。リビングからの灯りがキッチンにこぼれている。何かおいしそうな匂いがかすかに漂っている。ガーリックとわずかに焦げたチーズ。料理をしていたらしい。

「カレンかい？」

「そうよ、あなた。すごく遅くなっちゃってごめんなさい。夕方はバスが不規則で。信じないかもしれないけど……」

ビルが出て来て、リビングとキッチンのあいだのドアのところに立つ。

「電話してくれれば、車で迎えに行ってやったのに」

「あなたをわずらわせたくなかったの。わたしがばかみたいに仕事してまた遅くなっただけだもの」

小言(こごと)を避けようと弱々しくほほ笑む。

「ラザニアをチンしてやろう。うまいぞ」

食べたいかどうか訊かれたわけではないし、カレンも、そんなことはしなくていいと言い張るほどばかではない。そんなことをすれば、ますます状況が悪くなるだけだ。それにおなかがすいている。ビルが皿からフォイルを外して電子レンジに入れる。「テーブルに赤ワインの残りがあるよ。君のためのきれいなグラスもそこにあると思う」

「ありがとう、あなた」カレンは歩み寄って頬にキスした。ビルは電子レンジの中の皿にじっと目をこらしている。何か言いたいことがあるのだとわかる。でも、無理に言わせたいとは思わない。怒っているというより、考え込んでいるように見える。

ラザニアを半分ほど食べたカレンが「とてもおいしい」と言ってワインをひとくちふたくち飲んだ

ところで、ビルが話し始めた。

「いいかい、カレン。君にとって仕事が大事なのはわかる。でもまたやりすぎているよ。いまじゃ早朝から夜遅くまで、一日中ラボにいる。毎日だ。働きすぎだよ。またへとへとになってしまうんじゃないかと心配なんだ。元日のすぐあとを思い出してごらん。ほとんど鬱状態だったじゃないか。一休みしたほうがいいよ」

「わかってる。でもこれは違うの。あなたも知ってるように、トムの指示で、クロエの論文の実験を再現しているのよ。すごく時間がかかるけど、あと1カ月なの。それが終われば、また正常な状態に戻るわ。それに、わたしの切断実験がやっとうまくいくようになったの」懇願するような顔で見上げる。「あなたにも言ったわよね？　すごくうまくいってるの。結果はとても有望みたい。だからまた、実験が楽しくてたまらないのよ」

「その研究は誰かに先を越されたんだろう？　だから、もう急ぐ必要はないんだと思っていたよ」

「でも、そうじゃないの」弁解するような口調になっている。「わたしのストーリーを早く作り上げる必要があるの。たとえ、先駆者としてトップの論文を発表することができなくても、切断実験の結果があるんだから、いい雑誌にいい論文を載せられるのよ。早く仕上げられれば、少なくとも『JCB』（*Journal of Cell Biology*）にはね。それに、すぐに発表すれば、わたしの研究が独自のものであることがはっきりする。わかるでしょ？　タイミングが大事なのよ。実験を一刻も早くやってしまわなくちゃならないの。たとえトムに、クロエの不始末の解決も手伝うように言われていてもね。つまり両方やらなくちゃならないってこと。これはわたしにとって、ほんとうに大事なことなの。あなたならきっとわかってくれるって信じてる」

「もちろん、わかるよ。君のことはよくわかってる。たぶん、一番解せないのは、なぜ君が、クロエの仕事の再現にそれほど一生懸命にならなくちゃいけないかなんだ。どうしてそれほど急ぐ必要があるんだ？　論文はもう出てしまっているのに。それに、なぜ君がやらなくちゃならないんだ？　トムは、君が自分の仕事を仕上げなくちゃならないことを知ってるはずだろ？」

「わたしだけじゃないのよ。〝再現チーム〟にはポスドク4人と、それにルーシーまで指名されたの。わたしはとてもノーとは言えない。そもそもの発端はわたしなんだもの」

「いや違う、君じゃない。クロエだよ。発端はクロエの実験の報告がいい加減だったことだ。間違ったことをしたのはクロエだ。君じゃない」ビルは強い口調で断言した。「君は勇敢なことをした。声を上げたんだ。君のような良心的な人間がラボにいたことを、トムはありがたく思うべきだ。都合がいいときには少しばかり不正をしても気にしないような出世第一主義者じゃなくてね」

「いまはそれほどありがたく思ってはいないんじゃないかしら。何事もなく過ぎたほうが、ずっとうれしかったでしょうよ。わたしは口を閉じているべきだったんだわ」カレンは静かに言った。

「ともかく」ビルは顔をしかめた。「いまさらそんなことを言ってもしかたがない。でもどうして、いまは手一杯だって、トムに言わないんだ？　君には自分の仕事のための時間が必要だ。彼だってわかってくれるよ。それに、内部告発者にあまり圧力をかけているように見えたらまずいってことくらい、きっと気づいているさ。絶対にやっちゃいけないことだからね」

「ビル、わたしはただ、ほかの人たちがしていることをしているだけよ。ほかの人たちより余計に圧力を受けているわけじゃないの。トムはわたしを狙い撃ちにしたわけじゃないし、これを言い出したのがわたしだということも、ほかの人たちには伏せてくれてる。みんながどんな気持ちか想像してみて。自分の仕事のほかに、突然この仕事も押しつけられたのよ。少なくともわたしは、なぜこうなったのか知ってるわ。わたしはただ、これを終わらせてしまいたいだけ。真実に到達するためっていうトムの理屈も少しは理解できるし」

「おい、おい、カレン。そんなきれいごとを信じているわけじゃないよね。それもあるとしても、それだけじゃないね。トムは自分の身を守りたいのさ。そのために君たちを使っている。どうして君がそんなにも忠義立てするのか、理解できないね。どうして彼は、その忌々しい論文を取り下げて、君たちに本来の仕事をさせようとしないのかね？」

「あなたはきびしすぎるわ。わたしたちは使われているわけじゃない。頼まれて、引き受けたの。重要な論文を取り下げれば、傷つくのはトムだけじゃないわ。ラボ全体が傷つくの。トムの評判が落ちれば、わたしたちもその影響を受けるのよ。いずれにしろ、これまでのところ、論文のほとんどは正しいように見える。もしかすると全部が正しいのかもしれない。わたしにはわからない」掲げて見せたボトルにビルが首を振ったので、最後の数滴を自分のグラスに注いで、溜息をつく。「何が正しいのか、もうよくわからない。でも、現に巻き込まれているんだし、解決を手助けする必要があるという気がするの」

「君が気づいて、トムに知らせたから？　そんな理由だけで、その不始末をなんとかするのが君の役目ってことにはならないよ」

「いいえ、そうじゃなくて……ああ、よくわからない。トムは『サイエンス』の論文が出たとき、ほんとうにわたしの助けになろうとしてくれた。わたしはすっかり打ちのめされてたわ。彼が支えてくれたこと、わたしにも提供できるものがあると気づかせてくれたことが、わたしにはとても大きな励みになったのよ」

ビルに対して完全に率直になりきれていないのは、自分でもわかっていた。もうひとつの理由は話せない。クロエの実験台のそばを通るたびに襲われるあの気がめいるような感じ、恥だか罪悪感だか知らないけれど、あの感情については、話せない。ビルには決して言えないかもしれない。

「甘いね。トムみたいな連中は自分のことを第一に考える。ほかの人間のことは二の次だ。だからこそ、いまの地位に就けたんだよ」ビルの声にはいくらか、ほんものの苦々しさがこもっている。「彼らはどれだけ多くの人間を踏みつけにしようが気にしない。トップに上り詰めるため――あるいはそこにとどまるためならね」

「そんなことないわ」カレンは力なく反論した。「彼はいい人よ、ほんとうは」

「じゃあ君は彼に何も言うつもりはないんだね？　日に16時間働くことを続けるつもりなんだね？」

「いまだけよ。1カ月もしないうちにクロエの実験が終わるから、そうしたら楽になるわ。約束する」ほとんど同じことを前にも言ったと重々承知してはいるが、それしか言えない。「とても疲れた。もう寝ましょうよ、ね？　わたしがこのとってもおいしいラザニアを食べ終わったらすぐにね」皿に残っている食べ物のほうにうなずく。「とてもありがたいと思っているわ。わたしのことを心配してくれて。それに夕食も。ほんとうよ」

ビルは暗い窓を見つめている。差し当たって、言いたいことは全部言ったようだ。おそらく、あまり追い詰めたくない、口やかましい夫にはなりたくないと思っているのだろう。カレンが疲れ、ストレスを感じているのは彼もわかっている。それに、訴えるようなほほ笑みを添えた彼の料理に抵抗できる者がいるだろうか？　しばらくのあいだ、ビルは座ったまま外を見つめながら空のワイングラスをいじっていた。カレンがラザニアを食べ終え、ワインも飲み終える。ビルが立ち上がってテーブルを回り込み、カレンの椅子の後ろに立つと、前かがみになって、包み込むように抱きしめる。カレンは感謝の念を込めて受け入れた。

「そうだね。少し寝ることにしよう」ようやく彼が言う。

第13章

　もうすぐ春。そのきざしが感じられる。今朝は霜が降りるほどの寒さだったが、お昼近くなったいま、まだ肌寒さはあるものの、日の当たる場所にはまぶしいほどの日差しがあふれている。角を曲がりながら、クロエは風に吹かれた顔に暖かな日の光を感じた。前方にアパートの建物が見える。前面にある木々はまだ芽吹かず、殺風景なコンクリートの正面がむきだしだ。残りあと2ブロックほど。脚がだるいけれど、まだ言うことを聞いてくれる。最後の2、3マイルは、太ももとふくらはぎの筋肉が快く意識された。その前は高く飛翔する魔法のひとときで、自由と強さを感じた。永遠に走っていられそうだった。

　建物に着いて、そのまま外でストレッチをする。すぐに中に入ったら息苦しいだろう。暖かすぎるし、空気もスペースも足りない。広々した戸外にいるほうがいい。冬服を着込んだ女性がふたり、ベビーカーを押して通り過ぎながら、こちらをちらりと見る。わたしとは違う世界の人たち。ストレッチを続けていると急に肌寒さを感じて、また太陽が雲に隠れたのがわかる。

　一定のペースで階段を上って行く。この前のように、階ごとのわずかな違いが目に留まる。この1カ月、これまでの4年間を合わせたよりも多く、日の光のなかでこの建物を見てきた。ケンブリッジやサマーヴィルで誰かと共同生活をしているポスドクもいるが、そうした場所の持つ魅力は、この建物にはない。でも、彼女にはこれで十分。人付き合いもしなくて済む。おせっかいな同居人なんてまっぴらだ。そうは言っても、特徴のない無味乾燥さが鼻につき始めている。おもしろみのない場所だ。

4-07号室はベッドルームひとつの小さなアパートで、リビングの隅にキチネットが組み込まれている。中に入ると、クロエは冷蔵庫から冷たい水のボトルを取り出し、グラスに注いでは飲み干した。長く走ったあとの冷たい水ほど、素朴で確かな喜びを与えてくれるものはない。心して味わうべきだ。それに、長いランニングのあと1時間か2時間、体を満たす心地よいうずきも。ランニング用の服を脱ぎ捨て、シャワーの下に足を踏み入れる。まだ冷たい指先に、水が熱湯のようだ。しばらくしてリラックスし、水が肩や背中、脚、腕、顔を流れる感触を楽しむ。体が慣れるにつれ、少しずつ温度を上げていく。とうとう、十分に熱くなる。栓をひねって止め、タオルに手を伸ばして、赤くまだらになった体が冷えないうちに巻きつける。

午後はレビュー論文と助成金申請書に取り組むつもりだ。ランチを片手に持ち、お茶を一杯用意して、デスクに腰を落ち着ける。まずレビューを仕上げてしまおう。もうかなり進んでいる。トムが態度を変え、事態が正常に戻るときのために、完全に仕上げておきたい。いつもは、こちらより、初めてのR01グラント（アメリカ国立衛生研究所の研究助成金）の申請書の準備のほうをしたくなる。将来のためのものだから、どうしてもそちらに心を引かれるのだ。研究目標についての基本的なアイディアはあるし、実験もすでにかなりいい結果が出ている。注意深く論拠を示し、詳細に記述する必要がある。導入部にはレビューの一部を使えるかもしれない。そうすれば一石二鳥……。やれやれ、やることがどっさりある。自宅で仕事をするととても能率があがる。気を散らすものが全然ないからだ。別の実験を口実にしてサボることもできない。それにアパートの部屋では、掃除といっても、物をちょこちょこと動かすだけでおしまいだ。翌年どこで仕事をするのかわからないうちは、当然のことながら、申請書を仕上げることはできない。〝もし〟仕事を続けていられればね、〝もし〟来年どこかに居場所があればね、と小さな声が囁くが、なんとか無視しようとしている。そんな声に耳を貸しても、何にもならない。常に前向きでいなければならない。すべてうまくいく。すべて収束する。すぐに、本来の生活を始められる。そう思っていなければならない。

けれども今日は、将来に対する不安を抑え込むのにいつもより苦労している。予備的なデータがもっとたくさんあれば申請書の論拠をさらに強固にできるとわかっているものの、データを得るにはラボに戻る必要がある。昨日ラボに呼び出されたときは、ようやくその日が来たのだと思った。すっかり終わった。すべて問題がないので仕事に戻っていい。トムはそう言うつもりなのだ。そう思ったのだ。ダイドラから面談の予定を決めるための電話があったあと、彼女は慎重ながらも楽観的な気分で、上機嫌と言ってもいいくらいだった。

彼女はもちろん、世間知らずではない。このような騒ぎのあとでラボに戻れば気まずい思いをすることくらい、わかっている。でも、ちゃんと対処してみせる。もし誰かにわたしの不在や、さらには調査について尋ねられたら、如才なく振る舞おう。何が起こったかを客観的かつ率直に説明し、たとえ、これを始めた張本人が誰か、うすうす気づいていたとしても、責めることは一切しない。そうした度量の大きな態度こそ最も賢明な対応策だと、彼女は確信していた。誰が張本人かについての証拠はないのだから、それが一番だ。それにとにかく前に進みたい。ミシェルやホアン、ヴィクをはじめとするラボの友人たちがわたしを理解し、支えてくれるだろう。どうか、そうであってほしい。彼らの不安を追い払うためにできるだけのことをしよう。この件はすべて悪意ある行為によって引き起こされたのだと、それとなくほのめかしたいという思いに駆られるかもしれない。でも、やめておいたほうがいいだろう。ラボの友情なんて、一時的で底の浅いものだ。忠誠心を試すようなまねはすべきではない。それが真実だと、彼女は本能的に感じていた。ラボのそのほかのメンバー、わたしのことというとすぐに悪く取りがちな人たちとの接触は最小限にとどめればいい。彼らを避け、そういうつまらない連中など存在しないようなふりをするのだ。彼らのほうでも、こちらの意を汲んで接触を避けることは大いにありうる。それでいい。せいぜい2、3カ月のこと、わたしがよそへ移って、新しい、本来の生活をスタートさせるまでのことなのだ。もういつでも移れる用意ができている。

ところが昨日ラボに行ってみると、事態は彼女の期待通りの展開にはならなかった。調査官たちの仕事はまだ終わっていなかったのだ。またしても、一連のこれこれのデータは彼女のコンピュータのどこに保存されているのか見せてもらう必要があると言う。そしてもっと多くの生データを見たがった。写真やデータファイルに取りつかれているように思えた。彼女が呼ばれたのはそうした調査のためだったのだ。答えはなく、質問が増えただけだった。それどころか、前にも訊かれたのとほとんど同じ質問もあった。年長の男性と若い女性という組み合わせの同じ調査官で、どちらも堅苦しくて礼儀正しかった。再び自己紹介したが、クロエは彼らの名前になど注意を払っていなかった。今回は例の博士号を持った弁護士は一緒ではない。いまや調査は下っ端任せになったということ？　このふたりはあまり信頼できそうもない。科学のことなどわかっていないような印象を受ける。彼らの相手をして、単純で細かい質問に答えるのはもどかしかった。真っ向からぶつかってくればいいのに。そうすれば彼女も自分の正しさを徹底的に証明できる。ところがその代わりにどうでもいいような細かいことを延々と取り上げる。彼らと会ったのはトムの部屋に近いミーティングルームだった。彼女のデスクトップコンピュータがすでに置いてあって、電源が入っていた。彼女の助けがなくても、ＩＴ管理者がアクセスすれば中味を何でも見ることができただろうに。しかし調査官たちは彼女にログオンするよう頼み、彼女は求めに応じて、要求されたファイルを見せてやった。彼らはクロエのノートも持っていた。その1冊には無数の色つき紙片が挟み込まれ、すでにある程度細かく調べたことがうかがわれた。質問の一部も以前より具体的になっていた。彼女は再び、何をしたか、どのデータを保存してどれをしなかったかを説明した。そしていきなり、調査は終わった。もう質問がなくなったのだ。

そのあと、短時間トムに会ったが、たいして役に立たなかった。調査がいつ終わるのかはトムにもわからず、彼女の論文の実験の一部をやり直すという、例の奇妙な試みについての最新情報を教えてくれただけだった。もしポスドクを4人も5人も動員しているのなら、少なくともトムは彼女があのときどれだけ大変な思いをしていたかくらいは、よくわかっただろう。でもほかの人たちはこんなことに時間を取られて憤慨しているに違いない。自分だったら、本来の仕事のほかにこんなことを押しつけられたら、少々イラつくどころでは済まないだろう。このことで、あとになってますますみんなに嫌われることになるのは間違いない。でも、彼らが責めるべきはトムであって、クロエではない。トムは、提案したのはクロエだし、その提案通りに、論文の正当性を立証するための努力がなされていることを歓迎すべきだと言う。だが、そんなチームが活動していることを考えると、無性に腹が立つ。これはわたしの実験であり、わたしのアイディアだ。ところがいまは、アイディアも、プロジェクトも、結果も、すべてトムのもののようではないか。まるで、彼女がいなくてもそれらが存在しうるかのようだ。そんなの、絶対に間違っている。もちろんトムは、もし何もかもあるべき姿に収まれば、所有権を握って離さないだろう。ちゃんと収まるはずだ。実験がこれまでのところ、すべて予想通りの結果に終わっていると聞いても、クロエは驚かなかった。彼らが彼女と同じ結果を得る。いや、やっぱり驚くべきかも。これはびっくり（ケル・スュルプリーズ）！

ともあれ、そうと知って少しは安心した。少なくとも、不注意や無能力によって、さらには故意に、実験をめちゃくちゃにしてはいないようだ。いつそういうことになってもおかしくない。誰が再現チームに加わっているか、トムは教えてくれなかったが、彼女はホアンから聞いて知っていた。2週間ほど前にハンドボールのトーナメント会場で会ったのだ。彼は少し気詰まりな様子だったが、彼女は精一杯、自然で快活な態度を心がけ、会話が途切れないように努めた。ついにホアンも警戒を解き、少し世間話をしたあとで、ラボで何が起こっているか話し出した。再現実験のことをクロエが知っているとわかると、チームについてもっと詳しく教えてくれた。話しているうちに、なぜ彼がこの件にそれほど神経をとがらせているのかわかってきた。自分もチームに加わっていることだけが理由ではなかった。内部告発者も加わっていると考えているからなのだ。クロエがいないあいだのグループミーティングでヴィクがカレンにした提案のことを、ホアンは語った。カレンの研究が先を越されるという、ひどいできごとがあった直後だという。ヴィクは、いくつかの追跡実験にＭｙｃとＲａｓのダブルトランスジェニックマウスを使うことを提案した。だから、そうした特定の系統のマウスのことをちょうどその時期にアンディに話したのが誰か、それほど考えなくても推測がつく。だが、それだけではない。ホアンは、旅行でクロエが不在のある朝、カレンがクロエのデスクの周りをうろついているのを目撃したのだ。どう考えればいいかわからなかったので、トムには言わなかったらしい。でも、誰かには聞いてほしかったようだ。こうしたことを暴露するあいだ、ホアンは彼らの前で行われている試合にずっと目を向けていた。彼は謝ったが、何を謝っているのか、自分でもよくわからないようだった。

ホアンがカレンの名前を口にしたとたんに、クロエにはピンと来た。カレン、そう、もちろん彼女が告発者に違いない。コソコソした、いかにも人を妬みそうなタイプだ。クロエの成功とカレン自身の苦境を考えれば、筋が通る。早朝にこっそり嗅ぎまわっていたこと、クロエのデスクを探っていたことは、少しばかりショックだった。でもホアンを怖がらせないように気をつけた。彼をますます嫌な気持ちにさせたくはない。どうしてトムが告発者を再現チームに入れたのかは謎だ。彼女なら簡単に実験を台無しにできる。違う結果を出して、クロエがもともとミスをしたに違いないと主張することができる。そうすれば、告発した自分自身を正当化できるわけだ。そんな筋書きもそれほどとっぴとは思えない。でも、かなりゾッとする話だ。とはいえ、トムが取り下げを望むことはありえない。それならなぜ、こんなふうにしたのだろうか？　わけがわからない。いずれにしろ、こうしたことを知ったところで、いまのところクロエにはどうしようもなかった。まして、トムに立ち向かう気など毛頭ない。だが、昨日のトムのオフィスでは、口にされない疑問や明かされない情報のせいで、クロエの内心の動揺はいっそう強まった。

トムはこれまでに再現された実験の最新の情報を話してくれたが、明白な事実のみで、質問とかコメントはなかった。彼女としてはただうなずいているしかなく、「だから言ったでしょう」という言葉は口にされることなくふたりのあいだに浮かんでいた。彼の声には謝罪の響きがなかっただろうか？　それとも、そう思いたいから、そんなふうに聞こえただけ？　ふたりとも淡々とした友好的な態度に終始し、前回の話し合いよりも抑制が利いていた。部外者が見たら、何かごくふつうのこと、たとえばラボのプロジェクトの最新の結果でも話し合っているように見えたかもしれない。だがもちろん、ふつうの話し合いではなかった。トムもクロエ同様に気詰まりな様子で、口にできないことがらを鋭く意識しているようだった。当然のことながら、彼は内部告発者には言及しなかった。彼女は自分の側からの告発を繰り返しはしなかったが、いまはその相手の名を知っていた。もう少しで何もかもぶちまけそうになったものの、実際には、自分の知っていることをほとんど明かさなかった。最後に、調査官または再現実験からの新しいニュースが入り次第また話し合うという当たり障りのない合意で、話し合いは終わった。

辞去しようと立ち上がったとき、クロエはふと思い出して尋ねた。「で、レビューのほうはいつまでに仕上げればいいでしょう?」

「レビューって何の?」

「年次レビューです。わたしが旅行中に書き始めたものです。寄稿の依頼があったので、わたしに書いてほしいとおっしゃったでしょう? お忘れですか?」

「ああ、あれか。すっかり忘れていた。だが、考えてごらん。ちょっと待って、様子を見たほうがいいのではないかな?」

「ほとんどできあがっているんです。すぐに提出できます」

「それはちょっとどうかと思うが……」

「お送りします。すぐに」

トムは不安そうな顔をしたが何も答えず、デスクの上のコンピュータのスクリーンを見つめている。クロエは深呼吸をすると、すばやくオフィスを出て、後ろ手にドアをしっかりと閉めた。

トムとのわざとらしい面談のあと、クロエは一刻も早く建物から出たいという強い思いに駆られた。後ろ側の階段を使えば、ラボを避けることもできたのだが、半ば自動的にいつもの廊下へ向かう。ラボの横を通り過ぎるとき、ガラス窓を通して水槽を覗くように、中を見ずにはいられなかった。視線がひとりでにカレンの場所に引き寄せられる。彼女はいない。実験台にもデスクにも、姿がない。わたしを避けている? カレンが今日の訪問を知っているはずがない。もしかすると、わたしがトムの部屋に入るのを見て、どこかに隠れているのかもしれない。意気地なし。直接わたしのところに来て、疑念や質問をぶつけるべきだったのに。それくらいの配慮はあってしかるべきだった。ボスのところに駆け込むなんて、幼稚なのか、陰険なのか。たぶん両方なのだろう。それに、誰もいないときにわたしのデスクを嗅ぎまわるなんて、いったいどういうつもり？　ものすごく腹が立つ。ずるがしこい告げ口屋、嫉妬深いあばずれ。確かに、カレンが張本人だと断定はできない。だが本能が、カレンだと繰り返す。彼女に違いない。

クロエはラボに目を走らせながら、足取りを緩めて廊下を進んで行った。ホアンが自分のデスクにいて、クロエが通り過ぎると目を上げた。視線を合わせてうなずき、ためらいがちにほほ笑む。その表情には理解の色が浮かんでいるように思えた。幸い、彼は立って出て来ようとはしなかった。たとえ共感して聞いてくれそうな相手でも、自分がここにいるわけを話したいような気分ではない。ホアンの後ろに見えるクロエのデスクは、なぜか場違いな感じがする。コンピュータは撤去され、ノートが並んでいるべき場所にはぽっかり隙間ができている。実験台はそれほど手がつけられていないように見えるものの、使われていないことをはっきり示すように、放置されたラックや試薬類に埃がたまっている。略奪され、放棄された見知らぬ場所のようだ。ほんの少し前はあそこが自分の全世界だったのだと思うと、不思議な感じがする。こんなの、間違っている。あれはわたしのものだ。きっと取り戻してみせる。彼女は足を速めた。ラボにはほかのポスドクも2、3人いたが、作業に集中していて彼女のほうは見なかった。そのほうがいい。もう十分に見た。当分はラボと距離を置くほうが賢明だ。

奇妙なことに、まだ外の世界に戻る気にはなれない。上の階に行ってみよう。なぜそう思ったのかはあまり深く考えずに、マーチンのラボのそばを通ってみるのも悪くないと自分に言い聞かせる。5階では何もかもいつも通りに見えた。彼女が知っている限りでは、前回来てから何も大きな変化は起きていない。最近出て行った人も、新しく来たフェローもいないはずだ。小さなラボの横を通り過ぎると、どこからも普段通りの活気がはっきり伝わってくる。誰もが、自分のしていることとその理由に大きな自信を持っているように見える。決意と献身と集中に満ちたこの雰囲気こそ、科学のあるべき姿だ。気づくと、皮肉っぽい笑みを浮かべていた。この人たちはなんて幸運なんだろう。フェローである彼らは自分自身の主人だ。運命を操ろうとするラボ仲間もボスもいない。わたしも普通のポスドクではなくそういうポストに就いていたなら、と改めて思った。マーチンが来たのはわたしのあとだった。そのときは空きがあったのだ。ラッキーな人ね。

マーチンのラボは廊下を半分ほど行ったところだ。近づくと、廊下から離れた場所にあるデスクトップコンピュータのスクリーンの前にいるマーチンの後頭部が見えた。ラボのガラスドアに達しても、顔はスクリーンの照り返しに光っているだけでよく見えない。ひとりで座っていて、何かに没頭しているようだ。一連の厄介なデータを正しい角度から見ようとでもするように、頭をゆっくり傾ける。難問をじっくり考えるときにこういうしぐさをするのを、彼女は何度も見たことがある。ラボには入らず、廊下から覗き込む。彼の邪魔をする理由など、ほんとうは何もないのだ。しばらくのあいだ、ただそこに立って、誰にも邪魔されずに、同じように彼の邪魔もせずに、見つめていた。そんな姿は場違いに見えたのかもしれない。ここの廊下にじっと立っている人など、普通はいない。何をしているのか不思議に思われたらしく、通りかかった別のフェローから、「何かお探しですか?」とぶっきらぼうな声をかけられた。見覚えがあったが、名前は思い出せない。相手のほうは彼女が誰だかわかったらしく、「ああ、クロエ、しばらく」とボソボソつぶやくと、適当な返事さえする間もなく行ってしまった。ところがこのちょっとしたできごとはマーチンの注意を引くには十分だった。彼はさっと目を上げてクロエを見た。その顔をよぎった不愉快な表情は見間違えようがなかった。巧みに修正してほほ笑みを浮かべ、立ち上がる。だが、彼女は見てしまった。彼女はパッとほほ笑んで、そのまま動かないで、と合図した。手を振って急いで立ち去り、廊下を戻る。

こうして昨日のことを思い返していると、5階へは行かなければよかったと思う。どうしてあのときはそれがいい考えに思えたのか、さっぱりわからない。いまは状況があまりにも複雑だ。マーチンとはこの前の週末以来、話していないが、今晩来ることになっている。来てほしいのかどうかさえ、よくわからない。もしかしたら、断ったほうがいいのかもしれない。昨日の研究所でのできごとは、何もかも、当惑させられるようなことばかりだった。もう二度とあそこへ戻る必要がなければいいのに。でも、もちろん、そんなことを考えるのはばかげている。しばらくは、ラボへ戻って仕事を続ける必要があるのだ。グラントの申請書のための最後の予備データをもう少し、得なくてはならない。第一、追い出されるなんて絶対に嫌だ。たとえ、ほんとうの望みはただひとつ、できるだけ早く、遠く離れたところで再出発することだったとしても。再びその思いを新たにした彼女は、もう一度、電子メールの受信トレイをチェックした。就職口のオファーか、でなければせめて二次面接の案内が来ていてほしいと、毎日望みをつないでいる。まだ時期的に早いことは、わかっている。ほとんどのところでは、まだ一次面接もひとわたり終わってはいないだろう。でも、何か知らせが来てほしい。彼女には、将来をしっかりつかみ、この古臭い場所から身をもぎ離すことが必要だ。しがみつくための未来が必要なのだ。

受信トレイには公的なメールのようなものは何もなかったが、目を引く新しいメールが1通ある。「サンフランシスコに来る?.?.?.」バリーからのメールだ。届いて30分にもならないから、西海岸ではまだ朝だ。夜型人間のようだったから、まだ家にいるのかもしれない。電話してみようか。サンフランシスコから戻って以来、バリーとは電子メールや電話でのやり取りを続けている。あのときの親しみのこもった率直なおしゃべりの延長のようなものだ。サンフランシスコ訪問中に意気投合したふたりには自然な成り行きだった。彼女のラボをスタートさせるには最適の場所だと、バリーは盛んにサンフランシスコを売り込んでいる。あるときはまじめに、あるときは冗談ぽく、毎週新たな理由をつけ加える。あちらの科学界は確かに活気に満ち、最高水準の頭脳と多くのエネルギーにあふれているようだ。サンフランシスコの街自体も魅力的だ。そこでの暮らしや丘の多い美しい街並みはもちろん、ワインの産地でもあるところがいい。彼によれば住んでいる人たちもすばらしく、東海岸のような堅苦しさや尊大さは見られないそうだ。そういった美点が渾然一体となって、誰も離れようとは思わない夢のような場所ができあがっているのだという。一度も住んだことがない彼女にはその大げさな売り込みがほんとうかどうかわからなかったが、彼があまりにも熱心なので、調子を合わせていた。

一番重要なのは、そこの仕事はクロエのものだとバリーが確信していることだ。その確信には感染性がある。彼はすべての面接に参加し、そのあとのディナーの多くにも出ている。そのうえで、彼女が最有力候補なのは確かだと言う。最後の面接が今週行われるらしいので、すぐにでも動きがあるかもしれない。彼はまた、ほかの候補者はどのような人たちかといった、探り出せたちょっとした情報も教えてくれている。選考委員会の一員でないにもかかわらず、いろいろなことを知っているようだ。一部の上級教員が、理由は不明ながらも、どの候補者に興味を持っているかということまで探り出した。〝内部候補者〟というような者はいないが、既存の教員の格好の共同研究者になれそうな人とか、学部に欠けている分野を補えそうな人というのはいる。彼はこうしたバラバラの情報をすべて知らせてくれ、ふたりはそうした情報について慎重に意見を交換した。名前と所属から、彼女はほかの候補者の履歴を多少なりともまとめ上げ、書類上での評価を下すことができた。その結果を見る限り、彼の楽観的態度を共有してもよさそうだった。実際、彼女はなかなかいい線を行っているように思われる。それに、いささか後ろめたい思いをしながら競争相手を解剖し、あれこれ論じ合うのは愉快だった。〝彼女の〟ポストを狙う候補者をこうして分析するかたわら、ふたりは個人的な歴史をさらに教え合い、互いをもっとよく知るようになっていった。実のところ、やり取りにはじゃれ合うような調子があった。いちゃつきと言ってもいいくらいだった。

バリーからの最新のメールは短かった。今週の候補者についての情報だが、秘密や不名誉な情報はなく、氏名やセミナータイトルなどだけだった。電話で話せばもっと詳しいことを話題にできる。スカイプとかいう新しいものを手に入れるべきなのだろう。そうすれば無料でビデオ通話ができる。だがいまのところ、音声だけの通話のほうが彼女は好きだ。声だけに注意を集中していればいいし、声だけのほうがずっと多くのことを読み取れる。それにいまは電話代のことを気にしたいような気分ではない。自宅の番号にかけると、彼はすぐに受話器を取った。

「もしもし」

「まだ家にいるなんて、どうしたの？　怠け者さん。もう9時過ぎているんじゃない？」

「昨夜は例によって遅くまで仕事だったんだ。仕事漬けの毎日さ。君は？　やっぱり家にいるの？」

「ええ、助成金の申請書とレビューに取り組んでいるの。ラボよりもここでやったほうがずっとはかどるから。あそこじゃ、しょっちゅう邪魔が入るし、みんなのおしゃべりもうるさいし」

「じきに自分の研究室が持てるよ。そうしたら、ドアを閉めればひとりになれる」

「天国ね。少しばかりプライバシーが保てたらいいでしょうね。仕事のためよ、もちろん。それに、必要に応じて紳士のみなさんからの電話を受けるときにも」

「紳士のみなさん？　電話してくる紳士は僕だけだと思っていたよ」

「そうよ、でも増やしてもいいかもしれない。先のことはわからないわ」

「ふーむ。それについては、君がこっちに来たときに話そう。僕としてはいささか異議を唱えてもいいし。そうだ、帰宅する途中、僕らのバーのそばを通ったよ。足が止まりそうになった。あと2、3カ月もすれば、いつでも好きなときにふたりで寄れるね」

「わたしが就職できればね」

「もちろん、できるさ。君は輝ける星だよ、ヴァルガ博士。君の面接成績は断トツだった。君を雇わなかったら、連中はどうかしているよ。それに、君の訪問のあとで連中が言ってることを聞いたんだ。覚えてる？　君に教えたように、大喜びしていたんだ、ほんとうだよ」

「それで、明日が最後の候補者の面接なのね？」

「ああ、それほど手ごわい競争相手じゃない。彼女の履歴書は君の足元にも及ばないよ。僕はもうだいたい分析し終わった。それほどありふれた名前でなかったので、パブメド[訳注1]でちょっと検索してみたんだ。その名前の人物はひとりしかいなくて、刊行された論文はワンセットだった。言わせてもらえば、かなり限定的なセットだ」

「あなたはもうその論文を読んだの？　いつもはわたしの仕事なのに」

「それはそうだけど、君からの電話を待っているあいだ、ちょっと時間があったんだ。それに、待ち切れなかったんだよ。そういうわけで、仮に彼女の面接のすぐあと――あるいは遅くても来週、委員会が開かれるとすれば、君のところにはまもなく二次面接の案内が届くはずだよ」

「すべてうまくいけばね」

「いくさ。心配いらないよ。いいかい、僕は候補者全員に会っている。知るべきことは何もかも知っている。君が断然一番だよ。単純な話さ」

「単純？」

「そう。だからくよくよするなよ。どうせ心配するなら、こっちに来ることについて心配し始めたら。早ければ早いほどいいね。君の次の訪問のためのプランをいろいろ考えてあるんだ」

「それって、完全に節度あるプランなんでしょうね？」と、いたずらっぽい調子に切り替えて言う。短い間が空く。彼がほほ笑んでいるのが感じられる。

「そうとばかりは限らないよ。いかがわしいプランも少々あるね」

「ふーん。あなたって、悪い影響を与える人ね。いまそういうことを話し合うのはどうかしら。ちょっぴり熱くなっちゃいそう。あなたがそんなに遠いところにいるなんて、残念だわ」

「もしかしたら、助けてあげられるかもしれないよ。僕はベッドで朝のメールを書くんだ。朝の電話もね」

「あなたって、ほんとにいけない人」

「僕が？」と驚いたふり。「そっちはまだ温度のトラブルに手こずっているのかな？」

「ええ、そうよ」

「こうしたらどうだろう……」

電話のあと、彼女はしばらくベッドの中にいた。温かく、リラックスしている。ゆっくり起き上がると、もう少しお茶を入れに行く。気持ちを切り替えて、日が暮れる前にいくらか仕事を片づけたほうがいい。今夜はマーチンが来ることになっているのを思い出した。そうね、だいじょうぶ。機嫌よくつき合えそう。ピザでも注文すればいいわ。

訳注1　PubMed。アメリカ国立医学図書館が提供する医学・生物学文献データベース

◆　◆　◆

マーチンは打ち合わせ通りにピザを持ってやって来た。ふたりとも空腹だったので、早速かぶりつく。いつもなら、たちまちおしゃべりが始まる。今夜は違う。マーチンは何かに気を取られているようで、ろくに返事もしない。

「ねえ、どうしたの？　心ここにあらずっていう感じね」とうとう彼女が尋ねる。

「ああ、実は最高の一日とは言えなかったんだ」。最大のライバルのひとりが今日、研究所に来て講演をしたことを、彼女に思い出させる。

「そうだった。ウェブサイトで見たわ。忘れていてごめんなさい。確か、ちょっとばかり手ごわそうな人。でもおもしろい仕事をしている。そうよね？」

「君がいなくてよかったよ。どんなことになったかを考えるとね。ばかみたいに動揺して頭に来ているところを見られずに済んだ。何かが起こっていることはきっと、誰の目にも明らかだったと思うよ。でも、それが何かはわからなかったかもしれない。今回に限って、僕は何も質問できなかった。僕がいつになく静かだったことに、みんな気づいたに違いない。しかも、明らかに僕の仕事に近いテーマの講演だったのに」

「でも、どうして？」

「ほら、わかるだろ。ライバルを間接的に攻撃する例のズルい手口さ。彼女は僕の仕事への言及をできる限り避けて、重要な所見――もちろん僕の所見――のいくつかの出所をわざと曖昧にした。直接嘘をついたわけではないが、聴衆を巧妙に間違った方向へ導いたんだよ。実に口先のうまいやり手だ。僕はすごく腹が立った。でも、僕に言えることは何もなかった。何を言ったところで、つまらないあら探しをするケチなやつみたいに見えただろう。だから何も言わなかった。でも、いまだに怒りが収まらないんだ」

「そんなの、ほんとうはあっちゃいけないことだわ」

「そうだよね。彼女がどこかほかでもっとあからさまにこういうことをしていたとしても、意外ではないね。でも、今日、彼女は僕の縄張りでやってくれたんだ。わざとじゃないかと思わずにはいられない。同僚たちの目に僕が取るに足りない存在と映るようにしむけ、僕の仕事の信用を落とすか、少なくとも評価を下げようとしたんだ。彼らがあまり注意を払っていなかったらいいんだが。でなければ忘れてくれれば」

「だいじょうぶよ、彼らはここでのあなたの仕事ぶりを知っているわ。あなたがどんなに独創的か知っている。だからこそ、あなたは雇われたのよ。こんなことをしようとした彼女が心の狭い人間に見えるだけ。もっと悪いかもしれない。もし彼らがもう一歩先を読めば、彼女があなたを恐れているのだとわかるはずよ。でなければわざわざそんなことをするわけがないもの」

「そんなふうに見てくれるといいね。でも実際には、いま、『ネイチャー』の論文でもあれば助かるんだが」

　クロエは何も答えなかったが、こんなふうに口に出して言ったことで、誰と話しているのか、マーチンは思い出したようだ。彼はクロエを見つめた。もう緊張も動揺もしておらず、いぶかしげな目つきだ。

「どうして昨日、入って来なかったんだい？　廊下にいるのが見えたよ」

「とても忙しそうだったから。研究所へはちょっと寄っただけだし」

「それで、トムとはすべて話がついた？」

「かなりね。でも、完全にではないの。だからほんとうにそうする必要がない限り、わたしはあそこにいないほうがいいのよ」彼女は安心させるようにほほ笑んだ。「レビューを仕上げなくてはならないし、助成金申請書もあるしね。がんに直接焦点を合わせたわたしの初めてのレビューだから、たくさん文献を読まなくてはならないのよ。それに、最初の草稿をちゃんと書くには時間がかかる。ラボでは集中して書きものをするのはむずかしいわ。気が散ってばかりで。わたしはデスクひとつの普通のポスドクに過ぎないことを忘れないで。あなたみたいに自分の部屋があるわけじゃないんだから」

「自宅で仕事をするのは理にかなっているわけだね」わずかに肩をすくめながらゆっくり言ったかと思うと、彼は急に顔を輝かせた。「忘れるところだった。昨日、すごくいい結果が出てね、君に話したかったんだ」

マーチンによれば、非常にリスクの高いプロジェクトのひとつがようやく実を結びそうなのだという。フェローとしての最初の大きな成果になるだろう。彼は興奮し、再び幸せな気分になって、来訪した講演者のことはもう忘れていた。アイディア、実験、結果、解釈について、あらゆる詳細な情報をクロエに披露する。これがふたりのいつものパターンだった。プロジェクト、特に彼のプロジェクトについて意見を交わすのだ。彼女はこの知的なスパーリングが大好きだったから、すぐに飛びつき、質問や提案を投げかけた。会話が熱を帯び、ひととき、ほかのものは何もかも脇に押しやられた。

しかしその夜は、賢明にもおしゃべりは早めに切り上げた。

第14章

カレンはいつもの早いバスのいつもの席に座って、考えごとをしていた。薄青色の空には早朝の太陽が輝いている。そこかしこで、まだ柔らかい光が脇道に射し込み、家並みの隙間を通り抜ける。まもなく光は、白とピンクのモクレンや、芽吹いた街路樹のみずみずしい緑を捉えるだろう。美しい春の一日が始まろうとしている。普段なら、カレンは春の訪れを告げるささやかなできごとの一つひとつに目をとめる。慣れ親しんだ故郷の春に比べたらここの春は短いけれど、大好きな季節だから。それなのに今年は、春の日を楽しむ時間がほとんどない。今日も同じ運命をたどりそうだ。だが、カレンはにこにこしている。陽気に飛び跳ねる朝の太陽の光も、まったく無視されていたわけではないのかもしれない。

しかしカレンの心はもうラボに飛んでいる。ひとりほほ笑んでいるのは目に映る春景色のせいではなく、長らく待ち望んだ結果が得られた満足感を抑えきれないせいだ。今日の午後、その結果を再現実験チームに発表する。自分が得た所見をチームに発表するのが楽しみだなんて、初めてだ。やはり、クロエの実験にはほんとうにまずいところがあった。2週間前に最初のマウスたちの結果を見たときから、この日が来るのではないかという予感があった。そしていま、合理的な疑いの余地がないほど、証拠が集まっている。阻害剤はマウスには何の効果もない。論文の主張に反して、腫瘍量には影響を与えない。マウスの数がありえない数字だっただけでなく、結果もまったく間違っていたのだ。どこから見ても明らかだ。そしてカレンは幸せだった。

今朝カレンは一刻も早く家を出ようとした。ビルは彼女の慌ただしい出勤に何も言わず、なぜかうれしそうなことについても何も尋ねなかった。彼としては気に入らなくても、この奇妙な仕事が彼女にとって重要であることを受け入れているようだ。それにもちろん、彼女自身のプロジェクトの進展がどれほど彼女にとって重要かも、わかっている。ふたりは一種の休戦状態にある。差し当たって、彼女は必要なだけ仕事をするが、家ではその話はしない。彼はしつこく問い詰めたり、仕事量を減らすよう迫ったりせず、一緒に過ごすわずかな時間で満足するよう努める。彼は彼で、昔の友人たちと頻繁に会っている。

今日の午後のための準備をすっかり整えるには、まだたくさんすることがある。スライドも調べなければならないし、コンピュータで大量のデータも処理しなければならない。月曜にアンディと肉眼での分析をして必要な写真を撮ってあるので、基本的な結果については自信がある。腫瘍は阻害剤ありとなしの両方の群のマウスに認められた。だが、残っている組織切片の分析を朝のうちに終えることができれば、再現チームという茶番にとどめを刺すことができる。いよいよ今日だ。ついにトムも、声を上げた彼女が正しかったと知ることになる。これでようやく、苦しみから解放される。論文のほかの実験が次々に確認されるなか、これも同じようになる可能性がしだいに高まって行くように思われたものだった。たとえ最初に正しく行われていなかったとしても、もしこれもクロエと同じ結果になったら、カレンが図7Fの問題点を指摘したことを必要で勇敢な行為だったと見ることは、遥かにむずかしくなる。自分たちの時間を無駄にさせた人と思われるか、悪くすると疑いの目で見られるかもしれない。そしてクロエはある程度、名誉を回復するだろう。どちらも、カレンにはとても耐えられそうもない。だから、この否定的な結果は大歓迎だ。そうとわかったときはうれしかった。その幸福感はいまも続いている。心が狭いことだとわかってはいるが、幸せだと認めないわけにはいかない。でも、まだ誰にも話していない。なぜなのか、自分でもよくわからない。この午後、真実を暴くのが楽しみなことは確かだ。トムは動揺するかもしれないが、受け入れて、正しく処理するために必要なことをするしかないだろう。それはトムの問題であって、カレンが心配すべきことではない。これからは、自分の論文をまとめ上げるために全精力を集中しよう。再現チームのほかのメンバーは割り当てられた仕事を完了して、すでにそれぞれのプロジェクトに戻っている。そのため、チームミーティングの時間は短くなっているが、カレンにとってはいっそう緊張を強いられるものになっていた。今日が最後のミーティングになってほしい。

バス停から研究所へと歩きながら、最初に2階の顕微鏡のところへ行かない日なんて、ほんとうに久しぶりだと思う。昨日は記録をセットしなかったのだ。月曜の夜はセットしたが、阻害剤の結果で気もそぞろだったため、お粗末な仕事しかできず、記録は役に立たなかった。どっちみち、切断実験は必要以上に続けていて、しっかり論証できるだけのデータは2週間ほど前に得られている。でもなぜか、両方の仕事を並行して続け、急に日課を変えないことが大事なように思われた。再現チームでの苦行と自分の厄介な実験の両方が終わるまではと、何もかもそのまま続けていた。一方がもう一方に悪運をもたらすことのないように――そう思ったからかもしれない。迷信深くて完璧にばかげているのは、百も承知だ。でも、そんなことはどうでもいい。いまはすべて終わり、先に進むことができる。

いつものように、警備員がブザーを押して、早朝出勤の彼女を中に入れてくれた。新入りの警備員でさえ、いつも早い彼女の顔はすぐに覚える。今朝は直接3階へ向かう。無人のラボでサンプルが待っている。

◆◆◆

「すると君は、阻害剤を投与されたマウスと投与されなかったマウスとで、腫瘍の数や大きさにまったく何の違いもないと言っているのか？」トムが疑念を隠そうともせずに繰り返す。

グラフ上の数字は明確そのもので、添えられたマウスのゾッとするような画像も同じように明確だ。腹部を切開され、腹壁に沿って並ぶおびただしい腫瘍が見えている。左の3匹は阻害剤を投与されたMMTV-Ras＋MMTV-Mycマウスで、右の3匹はそれとマッチングさせた対照群のマウスだ。すべて、同じに見える。この前のスライドでもそうだったように。

再現チームはいつものように小さなミーティングルームに集まっていた。まだ午後4時20分だが、プレゼンテーションをするのはカレンだけなので、もうほとんど終わりだ。この瞬間を楽しみにしていたカレンだったが、1時間前に感じたかすかな不安には正当な根拠があったのだという気がしてきた。いまになってようやく、この結果を喜ぶ理由があるのは自分だけなのだと、はっきり悟ったのだ。これがトムにとってどんな意味を持つか、突き詰めて考えたことはなかった。真実を知りたいとは言っていたが、彼がこの結果をなかなか受け入れられなくても、それほど意外に思うべきではないのかもしれない。もしかすると、まずトムに個人的に伝えて、慣れる時間をあげたほうがよかったのかもしれない。

「はい、そうです。大事を取って、すべて盲検化して行いました。どのマウスがどちらの群のマウスなのか知らない状態で、肉眼による形態学的検査でマウスごとの腫瘍の数を記録しました。どれがどれか、わたしにわからないように、アンディがコードをつけてくれました。いまにして思えば、実はそんなことをする必要はなかったんです。ご覧のように、全然差はなかったんですから」と再びマウスの写真を指す。「ほら、見分けがつきません。最後のマウスたちを月曜に調べ、そのとき腫瘍数の記録のコードを解除しました。組織検査サンプルにもコードをつけ、盲検化して分析しました。その分析を今日、終えました。結果は同じでした。腫瘍の部位と悪性度は、阻害剤ありとなしとで、ほぼ同じです」次のスライドに替えて指し示す。「もし何か違いがあるとすれば、阻害剤を与えたマウスのほうが、腫瘍の悪性度がわずかに高い傾向があることです。つまり、よくなるのではなく、わずかに悪化します。ただし、この差は統計的に有意なものではありませんから、この段階で真剣に受け止めるつもりはありません」この間ずっと、カレンは冷静な口調を保ち、トムのコメントを異議申し立てというより普通の質問のように扱った。

「こうした数字はすべて、一日で行ったひとつの実験から得たのかな?」

「いいえ。マウスは各条件につき６匹、半数は母親がＭｙｃ、半数は父親がＭｙｃで、腹部の切開処理をした日は３日にわたっています。週齢と薬剤投与スケジュールに従い、マッチングした実験群と対照群のセットを同時に処理しました。コードの解除だけは、最後にまとめて行いました」

「驚くべき自制心だな。もっと早く結果を知りたいとは思わなかったのかね? 予備的な結果を１週間か２週間前に教えてくれることはできなかったのかね?」

「もちろん、知りたくてたまりませんでした。でも、可能な場合はいつも盲検化するようにとおっしゃいましたよね。特にこのような、時間がかかって、簡単にはやり直しが利かない実験の場合は。それに、確実になるまで待ちたかったんです」

「それは正しい判断だよ、カレン。もちろんだ。しかし……」

「マウスがどれも同じような経過を示していたことから、確かに2週間前にはもう、このような結果になるのではないかと思いました。ただ、結論に飛びつきたくなかったんです」

「それはそうだ。もちろんそうだろう。少しばかり突然だったものでね、この否定的な結果が。それに、否定的な結果が出たのは初めてだし、これが唯一でもある。僕が言いたいのはただ、ほかの実験がすべて問題なかったことを考えると、意外な結果だということなんだ。阻害剤を使った組織培養実験でさえ、ちゃんと効果が認められたんだからね。今回は絶対にミスがないようにする必要があるんだよ」

「よくわかっています」答えるカレンの頬は傍目にもわかるほど紅潮している。「阻害剤を加えた組織培養実験の大半をしたのはわたしです。効果があったことは知っています。でも、お気に召すかどうかはさておき、これが、わたしとアンディがマウスで得た結果です。もしわたしの言うことが信じられないなら、アンディに訊いてください。わたしたちは各グループにマウスを6匹ずつ割り当てました。違いはまったく認められません。結果はこれ以上ないほどはっきりしています。これはまた……」言いかけてやめたのは、そもそも論文のどの結果が疑問視されたのかを、チームのほかの人たちは知らないのだと思い出したからだ。

「別に君の言うことにケチをつけているわけじゃないよ、カレン。正しい結果は何なのか、絶対の確信を持つ必要があるからなんだ。君は掲載された結果が正しくないと言っている。論文と同じ用量を使ったかい？」

「はい、同じ用量を同じタイミングで使いました。阻害剤のバッチも、組織培養実験に使ったのと同一です。そのときは効果があったわけですから、阻害剤に問題があるわけではありません」

「わかった。僕はただ、否定的な結果はなかなか受け入れにくいと言っているだけなんだよ。実験のあらゆるステップが正しく行われたことを、念には念を入れて確認する必要があるんだ」

「わかっています。実験はわたしたちが話し合った通りに、クロエの論文に記述されている通りに、正確に行われました。唯一の違いは、わたしのほうがサンプルサイズが大きく、もっと多くのマウスを使ったことです。わたしの知る限り、それはよいことです」最後のひとことは余計だとわかっていたが、つけ加えずにはいられなかった。

「ああ、その通りだ。僕はこの全体の意味を理解しようとしているだけだ。どうして、この実験に限って、阻害剤が効かないんだろう」

「いろいろな理由が考えられます」カレンが熱心に言う。「たとえば、マウスの薬剤代謝。動物に薬剤を投与するのは、組織培養皿に化学物質を加えるのとは違います」

「わかった、わかった」トムが片手を挙げて遮り、ルーシーのほうを向く。ルーシーは離れた脇のほうに、いつものように黙って座っている。トムの長期雇用の技官として、必要なときにチームの手助けをしていたが、彼女自身の結果を発表することはしていなかった。

「ルーシー、君のほうはどうだった？ 結果が出たかい？」

ルーシーは下を向いたまま、すぐには返事をしない。ポスドクたちより10歳から15歳年長だが、彼らのような自信は持ち合わせていないのだ。一瞬、カレンも無言だった。どういうこと？ どうしてトムはこれについてルーシーに訊いたの？ いったいなんでルーシーが結果を知っているの？ 次の瞬間、わかった。カレンはトムに向き直った。話し始めたとき、彼女の声は抑制が利いていたが憤りに満ち、それがゆっくりとほんものの怒りに変わっていった。

「ルーシーにも同じ実験をやらせていたんですか？ わたしたちに何も知らせずに、まったく同じ実験をお膳立てしていたんですか？　どうしてそんなことができたんです？」

トムは返事をせず、ルーシーのほうを見たまま、答えを待っている。

「先生はわたしたちに、論文の実験を再現するのに膨大な時間を割くように頼みましたね。そんな論文、誰も関わりになりたいとは思ってなかったのに、助けてほしいとおっしゃった。それなのに、わたしたちを信用しない？　そんなばかげた話、聞いたことないわ。侮辱です」カレンはいつもなら、ひとまえでは感情を露わにしない。だがいまはまったくコントロールが利かない。ルーシーは話すことができないか、話したくないように見える。ホアンとヒロシはどちらもテーブルを見つめて、この争いに巻き込まれまいとしている。ついにトムがカレンのほうを向き、きわめて平静な声で言う。

「そうだ。マウスの実験をもうワンセット行うようにルーシーに頼んだ。いくつかの理由から、この実験はとりわけ重要な意味を持っている。それにルーシーはこれまでにこうしたマウスを扱った経験がある」

「経験があるのはわたしだっておっしゃったでしょう？」カレンが続ける。「わたしが何かやらかすと思ったとか？　それとも、全員にこんなことをなさったんですか？　わたしたちを信用していないんですか？」

「まあまあ、カレン」とトム。「いいかい、考えたらわかるはずだよ。今回の件はそもそも、クロエの実験が正しく行われたかどうか、信用できるかどうかがわからないというところから始まった。だから、君が気に入ろうと入るまいと、僕としては、今度こそ正しい答えを得たと絶対の確信を持つ必要がある。単純な信頼なんて、いまの僕には手の届かない贅沢品なんだよ」

「でも……」とカレンは言いかけてためらう。とても筋が通っているように聞こえる。そういうふうに考えるのはわかる。それでもやっぱり、ひどく間違っているように感じる。密かに同じ実験をされたのが彼女だけだったのか、それとも全員がそういう目にあったのか、トムは言わなかった。知りたいかどうか、よくわからない。彼女はもう、注目を浴びすぎている。

「いずれにしろ、君は何も心配しなくていい。君がちゃんとプロトコルに従い、何もかも正確に述べたものと、僕は確信している。もしそうなら、ルーシーも同じ答えを得るはずだ。さあ、先に進めよう」素っ気なく切り上げ、ルーシーに注意を戻す。「何を見つけたのかな、ルーシー。もう結果は出たかい？」

「いえ、最終的な結果はまだです」口ごもり、咳払いをして続ける。「わたしがMMTV-RasおよびMycのダブルトランスジェニックマウスに対する処置を始めたのは遅かったんです。次にそうしたマウスが使えるようになったときだったので。ですから、あと2週間しないと、最終的な結果は出ません」

「では、成り行きを見守るしかないわけだ」とトム。沈黙が広がる。室内の緊張は、はっきりそれとわかるほどだ。また2週間も未解決のままになるのかと思うと、カレンには耐えられそうもない。

「ええと、その必要はないかもしれません」とルーシー。「手元にあった別の腫瘍モデルで阻害剤をテストするようにとおっしゃいましたよね。生まれたばかりのMMTV-Neuマウスのバッチがあったので、阻害剤による処置を始めることができました。もちろん、対応する対照群も一緒にです。それらについてはもう分析が済んでいます。もちろん、雑誌に掲載された論文の実験とは違いますが、でも……」

「でも、なんだって？　何を見つけたんだ？」

「ええと、差はありませんでした。カレンが述べたように、腫瘍の発生率と大きさは阻害剤のあるなしにかかわらず同じでした」と、投影されたスライドのそばにまだ立っているカレンのほうを見る。

カレンは一瞬、目を閉じる。安堵感がこみ上げる。ありがとう、ルーシー。

「それを見て、わたしは心配になりました」とルーシーが続ける。「それで、MMTV-RasおよびMycマウスの予備的な分析をしました。プロトコルによればまだ2週間近く残っているので、まだ解剖はしていません。でも見た目を調べて、注意深く触れてみました」ルーシーは座ったままで、話す声は穏やかだったが、全員の目が彼女に集まっていた。トムは明らかにじりじりしている。ルーシーは強いて誰とも目を合わせないようにしているようだ。「阻害剤を与えた群にも与えなかった群にも、腫瘍があるのが感じられました。腫瘍を正確に数えたり測定したりしたわけではありませんが、ふたつの群は同じような結果を示していると、かなり確信しています」

部屋は完全に静まり返った。ようやくトムが尋ねる。「では君は、Jmjd10阻害剤がマウスの腫瘍に検出可能な効果を一切及ぼさないということに賛成なんだね?」

「はい、わたしにわかる範囲で言えば、何の効果もありません」ルーシーが静かに答える。「先生にお伝えするつもりだったんですけど……」

「はっきりしてからと思ったんだね、わかるよ。そのことは何も悪くない」いったん言葉を切って、「つまり、阻害剤は培養した腫瘍細胞には影響を与えるが、マウスの体内では効果がないわけだ」それ以上、言う必要はなかった。全員が理解した。論文の重要な実験に間違いがあったのだ。求めていた答えが出て、トムは対処を迫られることになる。トムは上の空で持ち物をまとめると椅子から立ち上がった。どこか遠くから聞こえてくるような声で、誰にともなく言う。「これで終了だ。何か残っている結果があるなら、ルーシーに渡すように。すべてのデータとプレゼンテーションのコピーも頼む。僕の方針が決まったら、全員に知らせる」と部屋を見回す。誰もが疲れ切った沈痛な面持ちで、無言で立ち上がる。トムは大きく息を吸い、今度はもっと堅苦しい調子で続けた。「みんな、どうもありがとう。この2、3カ月、余分な負担をかけた。自分の仕事を二の次にしなければならず、さぞもどかしい思いをしたことだろう。みんなの貢献には、ほんとうに感謝している」。チームの面々は、うなずいたりもごもごと返事をつぶやいたりしながら、ひとりまたひとりと部屋を出て行く。ルーシーだけが、座ったままあとに残る。

「申し訳ありません」と静かに言う。「これが先生にとってどういうことか、わかっています。もっと早くご報告すべきでした」

「すまないと思う必要はないよ。君は頼まれたことをしたんだ。ここにいた全員がそうだ。たぶん、謝らなきゃいけないのは僕のほうなんだよ。君をこういう立場に置いたこと、君の実験をチームのほかのメンバーに秘密にさせたことに対してね。だが、そうする必要があったんだ。危険を冒すことはできなかったから。さて、今度はこれがもたらす影響に対処しなければならない。君は何も心配しなくていい。まったく、何も」と、どうにかほほ笑む。トムに話があるのだろうと思い、ルーシーはそのまま歩き続ける。ところがカレンに呼び止められる。

カレンがセミナー室のすぐ外で待っている。ルーシーはうなずいて部屋を出る。

「待って、ルーシー。ねえ、さっきは取り乱してごめんなさい。あなたに腹を立てたわけじゃないって、わかってるわよね。ただそれを確かめたくて。あなたはトムに言われたことをしただけだもの。事情はわかるわ。あなたが決めたことじゃないのはわかってる。トムがこんなことをするなんて、ほんとにひどいと思っただけなの。信用されていないと知ってショックだったし、彼に腹が立ったのよ。あなたにじゃないわ。だから、悪く思ってないわよね？」

「もちろん」ルーシーの薄い色の目が、カレンの目を覗き込む。恐る恐るほほ笑んで、お返しの笑みが返ってきたのを見て、緊張を和らげる。話し続けるうちに、ルーシーの声にはいつもの心地よい熱意が徐々に戻ってくる。「わたしのほうこそ、ごめんなさい。秘密にしておくなんて、ほんとうに嫌でした。でも、トムにはちゃんとした理由があるに違いないと思ったので。いずれにしろ、すべてうまくいったわけですよね？　だって、わたしたちの結果は同じになりそうですから。たとえ、トムが望んだ結果ではなくても、少なくとも一貫しています。そうでしょ？」

「ええ、それが救いね。否定的な結果を出したのがわたしだけで、しかもトムにそれを信じる気がなかったとしたら、厄介なことになっていたでしょうね。それに、あなたがMMTV-Neuのデータも持っていてよかった。これで、阻害剤が乳腺腫瘍に影響を及ぼさないことにかなり確信が持てる。RasおよびMycを持つマウスだけがどこか異常なわけじゃないということだもの」

「でも、わたしのMMTV-RasおよびMycのマウスはどうしましょう？　もし、トムが言ったようにすべて終了なら、いま解剖すべきでしょうか？　それとも、本来の分析日まで待ってから解剖すべき？」

「トムに訊いたほうがいいんじゃないかしら。わたしは、当分のあいだ処置を続けたほうが無難だと思うけど。そうすれば、もしトムがそれらのマウスの結果も欲しがったとしても、あなたは最初から全部やり直さなくて済むでしょ」

「その通りですね。彼から別の指示があるまで、そのまま続けます。少なくとも、腫瘍がひどくなりすぎて安楽死させるしかなくなるまではね」

「ダブルトランスジェニックマウスも、もっと生まれるから、もし必要になってもだいじょうぶ。どうなるかわからないわ、トムのことだもの」カレンはまだ閉じたままのセミナー室のドアにちらりと目をやってから、我慢するしかないわねと言うように、ルーシーと顔を見合わせた。

「それじゃ、ルーシー、わたしのデータを渡しておかなくちゃ。全部、このUSBメモリに入ってるの。いま、あなたのコンピュータに移してしまわない？」

その作業を片づけ、ルーシーとの問題も解決したいま、カレンは肩の荷が下りたように心が軽くなった。誰からもできるだけ早く離れたいという切迫感を感じないのは、ほんとうに久しぶり。ルーシーはいい人だ。お返しにこっちもいい人になれる。このあと自分の仕事を進める時間はたっぷりある。

セミナー室にひとりになると、トムはまた腰を下ろして、組んだ手にあごを載せた。目の前のびっしり書き込みのある論文、クロエの論文の〝更新〟版を見つめる。Ｊｍｊｄ10と阻害剤に関連のあるすべての実験について、再現チームの結果を、掲載論文の該当箇所に書き入れてきた。論文の余白にきちんと記入された数字やチェックマークが、ぎっしり詰まった列のように見える。しょっちゅうペンをなくすので、文字の色がまちまちだ。色の移り変わりは何週間もの時の経過を示している。奇妙な記録だが、ある種の歴史でもある。これまで、彼のラボで大掛かりな実験を再現する必要に迫られたことはなかった。非常に似てはいるが同一ではない結果、実験と生理作用のわずかな違いの教科書的な例。それがこんなふうに一列に並んでいるのを見ると、満足感を覚える。それでも、これらすべてのもととなった問題を忘れさせてくれるほどではない。

そして今度はこれだ。くそっ、クロエのやつ！　すべて問題ない、論文は正しい、そう考えていいだろうと思い始めていたところだったのに。クロエが何を企んでいたにせよいなかったにせよ、修正せずにうまく処理できるだろう、取り下げの必要はないだろうと思っていた。ところがいまや、彼女のごまかしはどこまで及んでいたのかと、いぶかしむ羽目に陥っている。たとえ、２匹のマウスでしか実験していないとしても、その２匹には何の違いも見られなかったはずだ。阻害剤に効果がないと知っていたはずだ。故意に証拠を無視したのか？　それとも、ひょっとすると実験をまったくしなかったのか？　結局どちらでも同じことだが。それにしても、忌々しい！

これほど動揺しているのは、ひとつには不意を突かれたからだ。もちろん、失望したせいもある。こうした結果になりそうだと気づいたらすぐに、カレンはそう言ってくるだろうと思っていた。彼女だってルーシーのように早期にマウスを調べて、予備的な結果を得ることができただろう。いや、できなかったのかもしれない。カレンは二重盲検で実験したと言っていた。それなら、どのマウスを見ればいいか知らなかっただろう。しかし、なんという自制心だ！　とても理解できない。自分だったら、最終時点まで待っていられたかどうか自信がない。少なくとも、外見上の検査くらいはしただろう。それに、こんなふうにいきなりぶちまけるようなまねをするとは思わなかった。わかるやいなや僕のオフィスにやって来て、したり顔で自分の正当性を主張するなら、まだわかる。月曜には僕に伝えられたはずだ。なぜ待ったのか？　この歓迎されざる結果はみんなの前で発表する必要があると感じたに違いない。僕がデータをもみ消そうとすると考えたのか？　いや、そんなことができるわけがない。僕がどう反応しようと、彼女が持っているデータが消えるわけではないのだ。それに、僕が真実を望んでいることは彼女も知っている。僕はそう明言しなかったか？　もしかすると、僕が怒りだすのが怖くて、大勢の前で知らせたほうが安全だと思ったのかもしれない。それならわかる。ところが、怒りだしたのは彼女のほうだった。ルーシーに同じ実験をやらせていると知って、腹を立てたのだ。だが、そうしないわけにはいかなかった。彼女は告発者だ。重要な実験を、彼女が疑問視しているまさにその実験を、彼女だけにやらせることはできなかった。あるいは、そもそも彼女を再現チームに入れるべきではなかったのかもしれない。しかし彼女の専門知識を考えると、もし除外していたら妙に見えただろう。事実上、彼女を告発者として名指しすることになる。いずれにしろ、過ぎたことは過ぎたこと。少なくともこれで、彼女がずっと正直だったことはわかった。盗まれたスライドなどというクロエの話を鵜呑みにしたわけではないが、クロエの逆告発のことも考えなければならなかった。自分を陥れようと躍起になっている人物が告発者だと、クロエは主張した。だから、確実を期す必要があったのだ。重複して実験をやるようルーシーに頼んだことは後悔していない。賢明な対応だった。カレンのけんまくには驚かされたが、ああいうおとなしい女の子が追い詰められたらどんな態度に出るかなんて、誰にわかる？　どのみち、カレンはこれを乗り越えるだろう。

集中、集中、と彼は自分に言い聞かせた。なお悪いことに、科学的な不正行為による間違いのように思われる。論文の最後の結果が間違っていたという事実にどう対処するか、決めなければならない。論文のほかの部分はすべて完璧だ。でも、それは助けにはならない。うっかりミスと見ることは不可能だろう。雑誌のほうにはまだ何も言っていない。最初は、2、3カ月かけて何もかもチェックするのは賢明なことに思えた。そのために時間をかけるのは正当なことだと考えた。いまでも、少なくとも内心ではそう思っている。しかし、事実に向き合うのを避けようとしていたと見られる可能性があるのではないだろうか？　あるいは、クロエの不正行為を新しいデータでごまかそうとしていると？　もちろんそんなことはしていないが、ほのめかされただけでも、大きな痛手になりうる。彼はクロエの不正行為に加担していない。何も不正はしていない。この件が別のルートで広まる前に、その点をはっきりさせておかなければならない。すぐに一歩踏み出して何が起こったかを述べ、論文を取り下げれば、汚名が長くついて回ることはないだろう。彼は大きな論文を失う。特に一流雑誌に載った論文なので、広く知られることになる。人々は頭を振り、同情さえするかもしれない。たいていは、自分でなくてよかったと思うだろう。もし彼らのポスドクのひとりが結果を捏造し、論文を汚したとしたら？　それは誰にとっても悪夢だ。自分にも起こりうるとわかっているから、進んで彼に石を投げようとは思わないかもしれない。一回の謝罪――それでことは収まるだろう。評判は傷つくが、それほどひどくはないだろう。みんな、彼のことは知っている。これまでにすぐれた仕事をたくさんしているし、ほかにいい仕事がたくさん進行中だ。これは乗り越えられる。最終著者である自分なら、簡単に論文を取り下げることができる。修正を考えるべきだろうかという思いがまた頭をよぎる。もしかすると、マウスの実験だけを撤回させてもらえるかもしれず、全面的な取り下げはしなくていいかもしれない。いや、駄目だ。そういうわけには行くまい。いま、結果を潔く受け止めたほうがいい。このとんでもないゴタゴタから何か救い出そうとすれば、思わぬしっぺ返しをくらう恐れがある。そんなリスクは冒さないほうがいい。

よし、と彼は思った。何をすべきかは、明らかだ。一刻も早く取り下げ依頼を書いて送付するのだ。目を上げて、まだ自分が小さなミーティングルームにいたことに驚く。廊下をのしのしと歩いてオフィスに戻る。ダイドラが顔を上げて何か言いたそうにするが、先に彼がぴしゃりと言う。「午後の残りは邪魔が入らないようにしてくれ。緊急に対応しなきゃならん件があるんだ。誰か来たら、明日なら会えると言うように」彼はただちに行動しなければならないと感じていた。何もかも、あるべき姿に戻すのだ。

◆　◆　◆

2時間後、依頼書を送る用意がほぼ調った。この件を終わらせ、すっぱり縁を切ってしまおう。最後にスシュマ・ナイヤルからの電話があり次第、そうするつもりだ。なるべく早く、夕方にでも折り返し電話をくれるということだった。スシュマに電話をする前に、化学担当の共同研究者であるクマール・シンに電話で状況を説明した。何度も謝り、なぜ、論文の取り下げ以外に道がないのか説明した。クマールとは古くからの知り合いで、共同で多くのプロジェクトを手掛けている。彼は理解と思いやりを示し、クロエはどうしているのか、動機は何なのか不審に思ったとしても、口には出さなかった。それほど長い会話ではなく、互いになごやかな雰囲気で電話を切った。非常に人目を引く取り下げに関わることは、決して愉快な体験ではない。しかし依頼書の文面から、クマールに非がないことはちゃんとわかるようになっている。その部分を抜き出して、彼にメールで送った。いまそれがスクリーンに表示されている。

C・Vによって行われた実験は再現できません。図7Fで報告された所見を裏づけるオリジナルデータの所在は不明であり、MMTV-RasおよびMMTV-Mycのマウスにおける腫瘍増殖に対するJmjd10阻害剤L-334の効果を新たに独立の実験によって試験したところ、図7Fに報告された所見を再現できませんでした。図3から7に報告されたJmjd10またはL-334に関連したその他の実験はすべて、我々の研究室の別の科学者によって繰り返され、再現に成功しています。しかしながら、図7Fに示された結果の重要性にかんがみ、また公共の利益の観点から、最終著者（T・G・P）はここに、論文の全面的な取り下げを要請いたします。これによっていかなる問題または不都合が起こりましょうとも、その非はT・G・Pにあり、心よりお詫び申し上げるものです。

彼がこのような要請をするに至った事情を編集部ではもっと詳しく知りたがるだろう。だが彼は、先方が彼の取り下げ要請を受け入れ、迅速に動くだろうと確信していた。クマールも別にメールを送って、取り下げに同意した旨、表明することになっている。状況を考えると、筆頭著者からの直接の意思表明なしに行動したのも理解してもらえるだろう。実は、雑誌に連絡する前にクロエに電話することを考えてはみた。直接会って、話すこともできた。そのほうが正しいやり方だったかもしれない。しかし、いま彼女と話すのはごめんだ。彼女の言い訳など聞きたくない。ののしったり、あとで悔やむはめになるようなことを口走ったりしてしまいそうだ。ややこしいことはもうたくさん。いまはとにかく行動を起こしたい。そうは言っても、自分の法的な立場を確かなものとするため、スシュマに電話をかけて意見を聞くことにした。取り下げがクロエの調査に影響しないかどうか、確認する必要もあった。

先の会話では、スシュマは気持ちよく応対してくれたが、ややよそよそしかった。論文のあらゆるデータを再現するためのラボの取り組みについて話しても、何も言わない。結構。そうした決定をするのは彼の権限だ。取り下げ通知の言葉遣いを一緒に検討することはしてくれ、いくつかささいな変更を提案された。不正行為への直接の言及がないので、容認できると言う。論文をラボのひとつの作品とみなすべきで、それに対する最終的な責任は彼にあり、したがって不正行為の件とは切り離せる――そうした彼の見解に彼女も同意した。ただし考えられるあらゆる見方について確認するため、同僚にも目を通させたいと言う。

「迅速にするとお約束します。でも、もし改めてわたくしから連絡があるまでメールの送付を待っていただけるなら、大変ありがたいです。今日中にお電話いたします」。取り下げについてクロエと話し合ったかどうか、彼女は尋ねたが、まだしていないと答えると、それ以上何も言わなかった。

「トム・パーマーです」最初のベルで受話器を取る。

「スシュマ・ナイヤルです」

「やあ、こんなに早く折り返しの電話をいただき、ありがとうございます」

「どういたしまして。行動する前に相談してくださってありがとうございます。あなたにとってこれがどれほどむずかしいことか、よくわかります。周囲に確認しました結果、こちらのオフィスでも合意に達しました。わたくしどもはあなたの論文取り下げ通知に異存はありません。ですから、科学的な理由からこうするのが正しいとお考えでしたら、進めていただいて結構です」

「ありがとう、そういたします。こんなことをやりたくはありませんが、やらざるをえないのです。僕たちが発表したものの一部に正しくないところがあると科学界に知らせることは重要です。僕にはそうする義務があります。ただ、なんらかの法的な問題で足をすくわれることがないようにしておきたかったものですから」といったん言葉を切って、「それで、調査のほうはどうでしょう。進んでいるんでしょうか?」

「申し訳ありません、トム。進行中の調査のことをあなたと話し合うことはできないのです。そういう決まりなので。わかっていただけますね」

「もちろんです。当然わかっているべきでした」

「結論が出次第、クロエ・ヴァルガとあなたにお知らせいたします。あと1週間か2週間かかると思います」

電話を終えると、トムはデスクトップコンピュータのスクリーンに向き直った。最終原稿を『ネイチャー』編集部宛のメールに添付する。もう一度読み返す。送る。これで終了だ。

第15章

「ヴァルガ博士？ クロエ・ヴァルガ博士ですか？」

「はい……」と言いさして、ためらう。いまは、そう名乗りたいのかどうかよくわからない。マーチンかトムから電話が来ると思っていたので、受話器を取った。だが、まだどちらからも音沙汰がない。

「わたしはクリストファー・タレルという者です。お宅にいらっしゃるところを申し訳ありません。でもパーマー博士の秘書の方から、こちらで連絡がつくと伺ったもので」

「どういうことですか？」と言いつつ、どういうことか、容易に察しがついた。今朝、取り下げの発表を見た。トムのメールから1週間も経っていない。彼は彼女のキャリア、彼女の全人生を破壊したのに、面と向かって話をする礼儀さえ持ち合わせていないのだ。短いメールを寄越しただけで、しかもそれは、雑誌に連絡したあと、決定したあとのことだった。メールを見たときは、そのよそよそしい冷たさとうわべだけの礼儀正しさにショックを受けた。「親愛なるクロエ……」。まるで、ごくありきたりの通知のようだ。これが彼女にとってどういうことか、百も承知のくせに。最初のショックが去ると、猛烈な怒りが襲って来た。しかし彼女は何もしなかった。いったい何ができただろう？

週末はバリーと、いつものように楽しくおしゃべりした。なぜか、トムからのメールのことを持ち出す気にはなれなかった。マーチンとも会ったが、やはりそのことは言わなかった。ひょっとすると、無視してさえいれば消えてくれるのではないかと思っていたのかもしれない。もちろん、そんなわけはない。実際の取り下げは彼女の予想よりずっと早くオンラインで発表された。今朝、『ネイチャー』のホームページで見たのだ。それを目にしたときは、ただ茫然と見つめることしかできなかった。それ以来、何も手につかず、外出もせず、誰とも話していない。

彼女は相手の答えを待たないことにした。「取り下げのことですか？」

「ああ、はい、そうなんです。あなたの側の話をお聞きしたくて、電話したわけでして。つまり、もし話してくださる気がおありなら、ですが。わたしは『At the bench』というオンラインマガジンで仕事をしている者です。科学やそれを支える人々についての記事を載せています。まじめな記事で、オンライン解説とか、ものごとを深く考える人たちのためのブログなんかもついています。科学のさまざまな分野をカバーしていますが、記事の大半は生命科学・医学に関するものです。わたし自身、その分野の出身なんですよ」

「それで、どうしてわたしの話を聞きたいんです？　ほんとうは何が目的なの？」その気になれば、すぐに電話を切るつもりだ。いまは礼儀を重んじるような心境ではない。だが、少しばかり好奇心をそそられてもいた。

「ええとですね、もちろんわたしは『ネイチャー』の取り下げを見ました。それからオリジナルの論文を読んでみたんです。実に見事な論文です。途方もない量の仕事が必要だったことでしょう。わたしも、それが理解できるくらいには、ラボの仕事を知っているつもりです。それで取り下げ通知をじっくり見直したところ、わたしにわかる範囲では、原因はひとつの図の一部、あのすばらしい仕事のほんの一部分に過ぎないようですね。そこで不思議に思ったわけです。ひとつのエラーのためになぜ論文全体を取り下げるのでしょうか？　それに、取り下げは明らかにパーマー博士とシン博士の要請によるものです。筆頭著者であるあなたによるものではありませんね」

「そうです。わたしの意向は尋ねられませんでした」

「そうですか。通知の文面からすると、明白にあなたに責めを負わせていますね。それを見てすぐに、これは非常に一方的で不公平なのではないかと思ったんですよ。ある人が曖昧な証拠で有罪とされている。その人も自分の言い分を述べる機会を与えられてしかるべきだ。そう思いました。わたしが言いたいのは、科学界は教授だけで成り立っているわけではないということです。大勢のポスドクや大学院生もいて、彼らが仕事を全部やっているのに、最低限の栄誉しか与えられない。そしてこのようなことが起こる。どこかで何かまずいことが起こると、即刻、筆頭著者がすべての責めを負うわけです。あなたには自分を弁護する機会がまったく与えられていない」

「で、あなたはご親切にもその機会をくださるというわけ？」クロエは辛辣な口調を抑えようともしない。まだ納得がいかない。

「いや、ちょっと違います。あなたがどんな目にあわれたかわかるふりをするつもりはありません。わたしはあなたを知らないし、あなたに何か義理があるわけでもない。あなたもわたしには何の義理もない。わたしにわかるのはただ、科学界がすべての事情を知ろうとしていないということです。上席著者の書いたことしか見ていません。別の視点、あなたの側の話も聞くべきだと思うんです。そう考えているのはわたしだけではありません。同僚たちと話をしましたが、みな同じ考えでした。科学における透明性とフェアプレーのために、少なくともあなたの言い分を聞く必要があるとね。そういうわけで、これは善意の問題というより、主義主張の問題なんです。それに、もちろんあなた次第なわけです。もしあなたが何もつけ加える気はないとおっしゃるなら、わたしも無理にとは申しません。あくまでも、あなた次第なんですよ」

彼女は迷った。この見ず知らずの人物に話していいものだろうか。でも、いけない理由なんてある？　話したところで、いまさら何か害があるだろうか？

「で、何をお知りになりたいの？」

「そうですね、一番重要な部分から始めましょうか。取り下げ通知にあなたは同意なさいますか？」

「いいえ、同意なんてしません。このプロジェクトを計画したのはわたしですし、その下敷きとなったアイディアはわたしのものです。わたしが、化学阻害剤の同定以外のあらゆる仕事をしました。わたしには、この研究が正しく、結果が確かなものであることがわかります。実際にわたしがやったからこそ、わかるのです」

「ではなぜ、パーマー博士は取り下げたのでしょう？　『ネイチャー』に彼の名前のついた論文がもうひとつ載るのは大いに彼の利益にかなうことなのに、どうして取り下げを望むのでしょう？」

「あら、それは彼に訊かなきゃわかりませんね。残念ながら、彼は最終著者としてやりたいようにやれるんです。あれがわたしの仕事で、彼はほとんど何も貢献していないことを思えば、まったくフェアじゃありませんけど。そうするようにどこからか圧力がかかったとしか思えません。彼は戦わない道を選び、代わりにわたしをいけにえにしたんです。礼儀としてまずわたしに話すべきなのに、それすらしないんですから、推して知るべしというところね。わたしに言わせれば、透明性とフェアプレーの尺度ではかなり下のほうに来る振る舞いだわ」

「でも、通知で再現できないとされている実験についてはどうなんでしょう？　それをどう説明なさいますか？」

「簡単よ。正しくやらなかっただけ。実はね、トム、失礼、つまりパーマー博士がラボの大勢のポスドクに圧力をかけて、わたしのあらゆるデータの再現をやらせたのよ。いくら大勢集めたって、わたしと同じくらいテクニックに通じている人は誰もいないわ。トムも含めてね。彼らはやる気もないし、自分のプロジェクトではないから、さっさと終わらせようとした。ミスが起こるのにうってつけの状況よ。それなのに、彼らの結果のほうがわたしのよりいいと信じろって言うの？　筋が通らないわ。何より言語道断なのは、こうしたことすべてを扇動した張本人まで、再現実験という茶番に参加させたことね。たぶん彼女が、実験の一部が失敗するように仕組んだのよ」

「ワオ、それは穏やかじゃありませんね。その扇動者って誰なんです？　それは内部告発者ということですか？」

「ラボの別のポスドクよ。たいしたことない人。このラボからはまだ論文を出してなくて、明らかにわたしを妬んでいるの。わたしの論文が受理されるとすぐ、恨みがましい気持ちを持っているなって気づいたわ。でも、こんなことまでするなんて、想像もしなかった。カレンはある意味、気の毒な人ね。自分は決してトップになれないから、わたしを引き摺り下ろそうとしてるのよ。でも、異様なのは、トムが彼女を信じていることね」

「ではその人が、あなたの論文に何かおかしな点があると最初に言い出した人物なんですね？」

「ええ、彼女に違いないと思う。すべて筋が通るもの。トムは、マウス飼育係のひとりもそう指摘したとわたしに信じさせようとしたけど、飼育係のアンディにはそんなことをする理由がないわ。わたしたちの仕事なんて理解していないし、だいたい、論文を読むかどうかも疑問よ。自分の仕事をしているだけだわ。しかも、あまりいい仕事ぶりとは言えないわね。マウスのコロニー全体の管理を任されているんだけど、記録がいい加減なの。もう、めちゃくちゃ。言わせてもらえば、これが問題のひとつね。マウス飼育室のお粗末な記録。どっちみち、張本人は彼女だけど」

「でも、このカレンという人については明らかに利害の対立があるのに、それでも、あなたの実験の再現に直接関わったんですね？　それは非常に不適切なことに思われますが、彼女が参加していることをどのようにしてお知りになったんですか？」

「トムのラボの別のポスドクから聞いたのよ。最初のころに少しだけ話してくれたの。誰がこのばかげた〝再現チーム〟に加わっているか、どんなことをするように頼まれたか、といったことをね。そのあとは、たいしたことは聞けなかった。わたしに話さないように注意されたんじゃないかしら」

「それはきわめて深刻な状況のように思われますね。ところで、取り下げ通知では紛失したオリジナルデータに言及していますが、それについてはどうなんでしょう？　データの紛失が取り下げ理由の一部だと言っているようですが」

「サンプルの一部がわたしの冷蔵庫から盗まれたの、組織検査のスライドがね。誰かが盗ったのよ」

「誰かがあなたのサンプルを盗った？」

「そう。わたしを告発した人のしわざに違いないわ。わたしは就職面接のために西海岸に出掛けていた。戻ってみたら、スライドが消えていたわけ。そのころわたしが遠くへ行っていることは誰でも知っていた。それに、わたしが留守のあいだに彼女がわたしのデスクや実験台をコソコソ嗅ぎまわっていたこともわかったのよ。冷蔵庫には鍵なんかないから、盗るのはそんなにむずかしいことじゃないわ。問題は、証拠が全然ないことなの。だから、もともとなかったんだろう、責めを負うべきなのはお前だろうって言われたわ。それでおしまい」

「それで終わり？　スライドが何枚か見当たらないから、論文全体を取り下げなければならないんですか？」

「ええ、要するにそういうこと。それに、マウスの遺伝子型判定データのゲルの写真とかそういうものも、保存しておくべきだったって言われた。でも、そんなことしている人はいないわ。少なくともトムのラボではね。遺伝子型判定なんていうルーチン作業の写真なんか、誰も保存していない。ばかげてるもの。結果は実験ノートに書いてあるのよ。ラボのみんなとまったく同じようにしていたら、そのやり方は間違っているって言うのよ。ほんとうにフェアじゃないわ」

「ではあなたは、トム・パーマーのラボの通常のやり方に従っていたのに、あなたのケースに限って、それが原因で取り下げに至ったとおっしゃるんですね？」

「その通りよ。わたしは何もかも、普段のわたしたちのやり方通りにやっていた。いつもと違うところなんか全然なかった。でもきっと、うまくやりすぎたのね。そのせいで妬まれて、引き摺り下ろされる羽目になったのよ」

「それでも、ラボの責任者で最終著者でもあるパーマー博士はなぜ、そんなことに同調しているのでしょう？　なぜあなたの告発者の側に立とうとするのか、理解に苦しみますね」

「もしかすると、わたしに肩入れすればひどい圧力を受けるんじゃないかと、おじけづいたのかもしれない。例のボリンジャーがどうなったか、知らない人はいないわ。誰か若手を非難するほうが、正義面（せいぎづら）した内部告発者に立ち向かうより安全だもの。もし彼らの主張を否定すれば、今度は自分が矢面（やおもて）に立たされるかもしれない。大物を引き摺り下ろすことも大好きな人たちだから。内部告発者やその取り巻きって、現代の異端審問官なのよ。だから、極端なことを言えば、トムの選択は理解できる。臆病な行為であることは確かだけど、そんなことを言ったら、たいていの人は臆病者だわ。ただ、わたしにこんなひどい仕打ちをするなんて、完全に間違っている。こんな目にあういわれは全然ないのに」

「まったく同感です。あなただけが責められるべきではないですよね。でも、世の中の仕組みなんて、そんなもんですよ。手軽なスケープゴートを見つけるんです」いったん言葉を切って、それまでと同じく、よくわかると言わんばかりの口調で続ける。「では、あなたは不正をしたとして正式な調査の対象となっているわけですか?」

「なんですって? 誰がそんなことを言ったの?」

「ええと、パーマー博士の秘書の方が、あなたは休暇中で自宅におられると言っていました。オリジナルデータの一部が見当たらないという申し立てがあって、あなたの論文が取り下げられた。だが、あなたはそれを知らなかった。となれば、だいたい見当がつきますよ」

「そうね、ある意味ではそうよ。彼らは行方不明のデータの載ったものを探していて、わたしはそれを手伝っていたの。休暇はその仕訳が済むまでの一時的なものよ」

「『彼ら』というのは、大学の研究倫理課によって招集された調査官ということですね?」

「ええ、そうだと思う。つまり、そういう決まりになっているってことよ、そうでしょ?」

「でも、まだ研究所に籍はあるんですね?」

「そうよ。でも、それがどうしたって言うの? だいたいね、彼らはわたしに訊きもせずにわたしの論文を取り下げたのよ。わたしのキャリアを台無しにしたの。調査が完了するまで待つことさえしなかった。正式な調査のことなんて、誰も気にしていないのは明らかだわ。ただの見せかけよ。自分たちの大事なキャリアに傷がつかないように、不都合なことはうやむやにしてしまおう。そのためには、誰かに責めを負わせなければならない。彼らはそう決めたのよ。その誰かというのが、わたしってわけ。削除、消去、そして忘れる」

「その『彼ら』ですが、この場合はおもにトム・パーマーのことをおっしゃっているんでしょうか？」

「さあ、どうかしら。だいたい、どうしてあなたにこんなことを話しているのかしら。そもそも、話すべきじゃなかったのかもしれない」

「とてもありがたいと思っていますよ、その……」

彼女は電話を切った。

もう！

あまり賢明じゃなかった。うかうかと全部ぶちまけてしまうなんて。このクリストファーなんとかというのがどういう人かも知らないのに。でもきっと、誰も名前も聞いたことがないような雑誌の人ね。この〝ストーリー〟とやらについて彼が何を書こうが書くまいが、気にする人なんていやしない。それはストーリーなんかじゃなくて、わたしの人生なのに。ちぇっ、忌々しい。

ひとっ走りしてこよう。うんと長く走らなくちゃ。

◆◆◆

彼はもう電話してこないつもりなのだろうとクロエは思い始めていた。わたしを知っていたことさえ、都合よく忘れるつもりなのかもしれない。歯ブラシやいろいろな衣類を残したままなのに。もう2年近くもつき合って来たという明白な事実があるのに、忘れることにしたのだ。取り下げから丸2日になる。ひとりぼっちで悶々とする2日間だった。

「やあ、マーチンだけど」

「こんにちは。元気？」

どうして電話をくれなかったのとほんとうは訊きたかった。皮肉や怒り、失望に満ちた言葉をどっさりぶつけてやろうと思っていたのに、実際に出て来たのは冷静で超然とした声だった。

「元気だよ、えーと、君は?」ほんとうにそんなことが訊きたいのだろうかと彼女は思った。これはご機嫌伺いの電話なの? でも、そうではないらしい。すぐにこう続けたからだ。「『ネイチャー』の取り下げをいま見たよ。すごく残念だ」

「残念? とんでもない大惨事と言うべきよ」いまや、ほんものの怒りがこもっている。

「もちろんそうだね。ごめん。大変な思いをしたんだろうね」。どちらもしばらくは口を開かない。とうとうマーチンが沈黙を破る。「でも、いったい何が起こったんだ? 僕には理解できない。すべて、ちゃんと対応したと言っていたよね。君が何も不正はしていないことをトムも知っていて、問題を解決しようとしているって。どうしてほんとうのことを僕に言わなかったんだい?」

「あなたをわずらわしたくなかったの。そのうち収まるだろうと思ったのよ」

「収まる? でもデータは? データはどうなったんだ? データに何かトラブルがあるなんて、君は一度も言ってなかった。君は何をしたんだ?」

「何も。何も間違ったことはしていないわ。盗まれたスライドのことは話したでしょ。ちゃんと話したわ。ともかく、そのことはこれ以上話したくないの、わかった? 嫌なのよ。とんでもなく大きなゴタゴタなの。それだけよ」

「ゴタゴタって、どういう意味だい? いきなり取り下げが起こるなんてことはないよ。この2、3カ月家にいたのは、それが理由なのかい? 申請書や論文を書いているんだって、君は言ったね。すべて解決したようなふりをしていた。でも、そうじゃなかった、そうだろ?」

「いい、マーチン。そのことはいまは話したくないの。もしあなたがほんとうに気にかけていたんだったら、2日前に電話をくれたはずよ」

「でも、僕はたったいま見たばかりなんだ。そう言っただろ。それにほんとうに忙しかったんだ。どんなふうだか、君も知っているはずだよ」

「どんなふうか知っているわ。それにわたしはバカじゃない。取り下げがオンラインで発表された瞬間に、研究所じゅうに知れ渡ったに決まっている。とびきりのゴシップだもの。黙っていられる人なんていないわ。あなたは2日も待ってから電話してきたのよ」

「ちょっと待てよ。僕に隠していたのは君のほうだろ。何も問題ない、すべて対処済みだって、そう言ったじゃないか。そして僕はこの途方もないできごとを、取り下げを、雑誌で知ったんだ。そういうことだよ。君からは何も知らされていなかったんだ。僕がどう感じたと思う？　君が僕をシャットアウトしていたんだ。その逆じゃなくてね」

「そんなことどうでもいいわ。ねえ、マーチン、あなたは電話してくれた。それで十分。あなたは義務を果たしたの。もう、仕事に戻っていいのよ」

「でもクロエ、そんなわけにはいかないよ。ほんとうに君のことが心配なんだ」

「そう」

「クロエ、やめろよ。フェアじゃないよ。何が起こっているのか、僕にはさっぱりわからない。君のこと、君の仕事のこと、僕たちのこと。僕は理解しようとしているんだ」

「複雑なのよ。わたしはいま、やらなくちゃならないことがたくさんあるの」

「わかった、わかった」。彼も、こんな会話を続けてもらちが明かないと悟ったに違いない。きっと、電話から、彼女から離れて自分の世界に戻りたくて、じりじりしているのだ。一刻も早く。

ついに彼が尋ねた。「何か、僕にできることがあるかい？　君の助けになるようなことが？」

「いいえ、ないわ。自分のことをして、マーチン。だいじょうぶよ。そうして」

「ほんとうにだいじょうぶ？　知らせてくれるね、もし何かあれば……」

「ええ、もちろん」彼を締め出すように電話を切る。「さようなら、マーチン」

ゆっくり受話器を下ろすと、突然、言いようもない悲しみに襲われる。何もかも悪いほうに行ってしまう。彼を責めたりすべきじゃなかった。

すぐにまた電話が鳴った。

「マーチン、わかってるってば……」

「いや、違うよ……」ややためらうような答えが返って来た。「バリーだよ」

「バリー。ごめんなさい。わたし、ええと、別の人と思ったものだから。電話で話したばかりだったの。偶然ね」

「偶然？　なんだい、それ？　ともかく、もっと早く電話しなくて悪かった。あんまり驚いたので。ほら、取り下げだよ。君のすばらしい論文が突然取り下げになっただろ。ひどいね。すごく気の毒だよ。だいじょうぶかい？」

「そんなに気の毒に思わなくていいのよ。わたしはだいじょうぶ。そうね、ほんとうはだいじょうぶじゃないわ。でも、あなたの声が聞けてうれしい。優しい声がね」

「すぐに電話すべきだったのはわかってる。正直言うと、ショックだったんだ。あれだけいろいろおしゃべりしていたのに、このことについて君は何も言わなかった。だから、ちょっとわけがわからなくて。僕たちは何かを共有している、ほんもののつながりがあるって思っていたから。そこへ突然これだもの。論文やラボについて何かトラブルがあるなんて、ひとことも教えてくれなかっただろ」

「ごめんなさい。話すべきだったわ。現実から目をそらしていたのね」

「いや、僕のほうこそ、ごめん」彼がすばやく言う。「自分のことなんか考えるべきじゃなかった。君はそっちで、ほんとうに恐ろしい目にあっているに違いないのに。僕には想像もできないよ。でも、僕に話してくれてもよかったのに。そっちの事情は知らないけど、僕には君をどうこう言う気はないよ。判断を下すのは未来とか、そういうものだろうね。僕たちはいろいろ計画していたよね。それとも、あれはただのゲームだったのかな?」

「いいえ、ゲームなんかじゃないわ。わたしが心から望んだこと、わたしの完璧な夢だった。夢を見続けていられたら、どんなによかったかしら。こんなことさえなければ……。取り下げは不意打ちみたいなものだったの。対処すべき問題はいくつかあるけど、切り抜けられるだろうと思っていたのよ。わたしはここからどうしても抜け出したかった。そうなる未来を、とても楽しみにしていたの」

「僕たちにはいろいろな計画があったのにね。カリフォルニアドリームってとこかな。こんな大変なことになる前に、どこからか採用通知が来たかい?」

「いいえ、首を長くして待っていたけど、どこからも音沙汰がなかった。あなたなら、真っ先にわかる立場にいたはずよね。そんなニュースがあったら、わたしだったら真夜中にだって電話したでしょうよ。もしかすると、選考委員会は取り下げのことをわたしより先に知ったのかもしれない」声に出してそう言って初めて、彼女はその可能性に気づいた。すぐにそれは確信に変わった。「たぶんトムがそっちの友人に電話して、警告したのよ。だから、何も知らせが来ないんだわ。きっとそう。ありうるわ。いいえ、わからない。彼はわたしと話すこともしなかったのよ。雑誌に接触して取り下げを要請したあとで、そのことをメールで知らせてきたの。既成事実ってわけね。相談もなければ、配慮もなし。わたしのキャリアなんて、メールひとつでどうにでもなるんだわ」

「いまは無理だって、君もわかるよね? 仕事のオファーはひとつも来ないだろうね」

「もちろん、『ネイチャー』の論文を取り下げたばかりの人なんて、誰も雇おうとはしないでしょうね。10フィートのポールでだって、わたしには触りたくないはずよ。きっと、関わり合いになる前にこうなって、胸を撫で下ろしているに違いないわ。いまじゃわたしの履歴書は大幅に魅力が薄れているし、別の人に目を向けるいい口実があるってわけね。そのために特別何かをする必要も、言う必要もないのよ」

「君は？　君はこれからどうするの？」

「わからない。ほんとにわからないの。ひょっとしたら、別のポスドクの口とか？　セカンドポスドクはそれほど珍しくないわ。セカンドポスドクでとてもいい仕事をして、すばらしい就職口を手に入れた人たちを知っているもの。それとも、トムとの関係修復を試みるべき？　彼はしなければならないと感じたことをしたわけだし。わたしなら、ほかにもいくつか論文を出せるし、新しいことを始められる。アイディアはたくさんあるの。挽回できるかもしれない。２年くらいで、求人市場に復帰できるわ」

「クロエ、こんなことは言いたくないけど、それはとてつもなくむずかしいだろうね。酷なようだけど、正直に言うよ。時が経てば、10フィートのポールはちょっとした杖くらいになるかもしれないけど、でも相変わらずそこにある。プロジェクトが失敗したり出し抜かれたりして論文が刊行されなかったのとは、違うんだ。そういうのは、やり直しが利く。でも今回のように注目を浴びた取り下げは記録に残るんだよ。実験にどんな問題があったのか僕は知らないけど、状況から察する限り、かなりひどいことがあったように見える。そして、その印象がずっと残る。君に賭けてみようという気を学部長に起こさせるのはむずかしいだろうね。それに、トムと仲直りしてラボに戻ることについて言えば、それは到底問題外なんじゃないかい？　ほら、最近出たオンラインの記事だかインタビューだか知らないが、あれのことを考えるとね。あれは君の言葉を引用しているみたいだけど、トムにかなり手厳しいじゃないか」

「オンライン記事ですって？　どの記事のこと？」

「『At the bench』の記事だよ。科学雑誌と称しているようだが、どっちかと言うと科学ゴシップ雑誌だね。まだ見てないの？　こっちの学生やポスドクはそこらじゅうにリンクを送っているよ。教授のなかにも読んだ人がいて、すごく不安になっている。君のことでというより、自分のラボのことで心配なのさ——ああいうようなことをね。不満を持っているポスドクや学生が、自分たちのラボについて雑誌に告げ口するんじゃないかとね。ともかく、君は知っているんだとばかり思っていた。君へのインタビューに基づいて書いたそうだから。でも、もちろん、この手のスキャンダル雑誌は信用できないからね。たぶん、記事はでっち上げで、インタビューしたようによそおっているだけなんだろう」

「もう！　まだ見てないけど、その雑誌のクリストファーとかいう人に話をしたのは確かよ。もっと慎重になるべきだった。2日ほど前、取り下げが発表になった直後だったの。わたしはかなり頭に来てたんだと思う。でも話をすべきじゃなかった。『At the bench』なんて聞いたこともなかったのに。あの日はただ、誰かに話をする必要があったの。誰でもいいから、胸の内を吐き出してしまいたかったのよ。そして彼は同情してくれているようだった。当然よね。嫌らしいろくでなし。どんなことを書いているか、見当もつかないわ。読んでみたほうがいいわね」

「言っておくけど、かなり不愉快な内容だよ。ジャーナリストがどんな連中か、知ってるだろ。一部のジャーナリスト、最低の連中はってことだけど。じゃあ、トムもまだ見てないのかな？　見たら怒るだろうな」

「見たかどうか、知らないわ。彼からは何も連絡がないから。でもわたしはその記事を見てみたほうがいいわね。何を相手にしなきゃいけないのかわかるようにね。すぐに見てみる。電話ありがとう、バリー。ほんとうに感謝してる」

「なんでもないよ。電話男バリー、それが僕さ。体に気をつけるんだよ、いいね？ それに、何か僕にできることがあったら知らせてほしい」

「ありがとう、でもこれは自分でなんとかしなきゃいけないことよね」

「それでもやっぱりね。それから、もし僕の魅力的な街を訪問する気になったら教えてよ。君はへっぽこ科学者かもしれないけど、一緒に過ごすには楽しい相手だからね」

「どうもありがとう。でも、へっぽこ科学者ですって？」

「ごめん、つい、口が滑った。深刻な状況になると冗談を言う癖があるんだ。君はへっぽこ科学者なんかじゃないよ、断じて違う。僕にはわかる。まったく逆だ。何かがうまくいかなかったんだね。詳しいことは知らないし、知る必要もない。誰にだって、起こりうることなんだ」

「科学者にも」

「科学者にもね。科学者の場合は特に、きびしい目で断罪される。二度目のチャンスはないんだ。黒か白かなんだよ」

「そんなこと、言われるまでもないわ。でもとにかくありがとう。いろいろ知らせてくれたことと、率直に話してくれたことに感謝するわ」

もしかしたらまたいつか会おうというあてのない約束を交わして、ふたりはようやく電話を切った。もしかしたらね。

記事は簡単に見つかった。グーグルで〝At the bench〟と自分の名前とを打ち込むと、目の前に記事が現れた。2日前、あの電話のわずか数時間後に投稿されている。タイトルを見ただけで、どういう展開になるか予想がついた。バリーがなぜ、トムが腹を立てるだろうとあれほどはっきり言い切ったのかわかる。

◆　◆　◆

氷山の一角？
クリストファー・タレル

本日、数カ月前に一流誌『ネイチャー』に掲載された注目すべき論文が取り下げられた。ここ数年のあいだに科学界を震撼させた多くの同じように見苦しい取り消しのひとつである。それだけ正直な人間が増えているということなのか？　断言はできない。この最新の取り下げを申し出たのは、我が国きっての科学研究所に所属し、これまで高い評価を得てきたトーマス・G・パーマー教授の研究室である。今回は何がまずかったのかと、誰しも疑問に思うところだ。単純ミス、不運、それとも、またしても科学的な不正行為があったのか？　記者は調査を開始。取り下げられた論文の筆頭著者へのインタビューを敢行し、衝撃的な実態を暴くことに成功した。この研究室では、科学的説明責任に対する適切な配慮を欠いたプロしからぬやり方で研究が行われていたのだ。しかもこれは税金で賄われている。この研究所を事実上支えているのは、死にもの狂いで成功をつかもうとしている若く野心的な大勢のポスドクだ。多忙なパーマー教授は最小限の助力と最小限の監督で事足れりとしているが、誰かが成功したときには喜んでその栄誉を頂戴する。いきおい、この研究室で行われる仕事は多くの問題をはらむことになる。手抜きやずさんな記録管理は日常茶飯事。ここに窃盗と不正行為の疑惑が加われば、一流研究所の実験台に向かう生活の驚くべき実像が完成する。科学的探究の輝かしい担い手であるべき研究室が、実は野望と密告と即座の隠蔽の巣窟(そうくつ)だったのだ。この世界的に有名な研究室ならびに研究所から発表された論文のどれだけ多くが同じような問題に侵されているのだろうかと、疑問に思うのは当然だろう。これは取り下げの大波の最初のひとつに過ぎないのだろうか？　氷山の一角に過ぎないのだろうか？

記事は続いていわゆる事実と称するものを挙げているが、それは電話越しに彼女がぶちまけた不平不満を捻じ曲げたものだった。いったいどうして、こんな男に話をしたのだろう？　どうして、すぐに電話を切らなかったのだろう？　先方の狙いを知っているべきだった。彼女はこんなことは言っていない。というか、そんなつもりで言ったのではない。とはいえ、あちこち思い当たる部分はある。会話はいまもはっきりと頭に残っていて、記事の中の歪んだ事実のどれほど多くが、彼女の言ったことに結びつくかをたどることができる。故意に誤解したり、誇張したりはしている。だが、完全なでっち上げとは言えない。その事実から逃れることはできない。インタビューは実際にあったのだ。彼女の名前がそこにあり、誰も見落としようがない。記者は彼女の経歴まで読者に提供している。彼女の（一点の曇りもない）博士論文に、家族関係（誰が気にする？　どうやって調べた？）、彼女が現在ラボではなく自宅にいるという事実にも当然触れ、そこから、現在進行中の調査と不正行為の疑惑へと話は進む。ちょっぴり知識をひけらかすように、科学的な不正行為のさまざまなタイプまで解説している。このミニ解説のあとでやっと、彼女がしたとされる不正がまだ公式に証明されたわけではないとつけ加えている。あくまでも公式には、とほのめかしているのが見え見えだ。ありがとうね、ミスター知ったかぶり。続いて、告発と取り下げの悲しい物語、というよりむしろ記者によるその焼き直し版を一通り述べている。カレンの名前も挙がっていて、内部告発がラボ内での競争や嫉妬、個人的な確執によるものである可能性にも触れている。クロエが会話中にカレンのファーストネームを漏らしたため、残りは簡単に見つかったに違いない。論文の結果を再現しようとするトムのラボの努力は、茶番であり隠蔽の企てだと揶揄されている。さらに記者は、その茶番に告発者らしき人物が参加していることの不適切さを嘆いてみせる。いい加減にしてよ、とクロエは思う。少なくともつじつまくらい合わせてよね。再現の努力は隠蔽なのか、それともわたしの不正を証明するための嫉妬深い試みなのか。両方ということはありえないじゃないの。記事はその後、取り下げというできごとから離れる。トムの著名な研究室と、そこでものごとがどのように行われるかという話題に舞い戻って、ラボで何が進行しているかをトムがよく知らない、あるいは理解していないという非難が、手を替え品を替え、繰り返される。記事はダラダラと続く。独善的な調子といい、不適切な行為に対する執拗な当てこすりといい、タブロイド紙そのものだ。

最初に流し読みしたあと、クロエはもっと注意深く読み直した。この記事で彼女はもちろん傷つけられたが、取り下げそのもののほうがもっとひどく痛めつけられている。この悪意に満ちた記事の一番の標的は実は彼女ではないのだと、だんだんにわかってきた。標的はむしろトムのようだ。〝ずさんな〟やり方への度重なる言及や、ほかの論文にも誤りがあるのではないかというほのめかしは、特にトムのラボに対してなされている。トムは、研究を主導もせず知的な貢献もしていないのに、いったん研究が完了するとその栄誉を自分のものとする人物として描かれている。以前の業績がつっかい棒となって、研究者として通用しなくなってからも何年も彼を支えているのだという。トムに関するこの悪意に満ちた憶測の多くは、インタビューに直接基づくものではない。だが、書きぶりからすると、そう見えてしまう。クロエは自分に対するトムのやり方に腹を立てていたし、いまもそれは変わらない。だが、トムがどういう人かは知っている。記事は彼のラボを、一流のラボでどのように研究が行われているかを示す特にひどい例であるかのように書いている。そしてトムを、時代遅れで役立たずの恐竜のように表現している。それは真実でもなければフェアな見方でもないと、彼女は認めないわけにはいかない。記事には有名な研究所や科学界の〝偽善者ぶった〟主流派に対する当てこすりも見られるが、トムに対するものに比べれば迫力や熱気に欠ける。これは過剰に資金を供給されている医学・生命科学研究の世界の内幕を暴く記事であり、その世界は貪欲な教授と野放しの子分たちによって（またしても）誤った方向に導かれているのだと、記者は言いたいらしい。だが、もっと個人的なもののように感じられる。ひょっとするとこのクリストファーとかいう男はトムに恨みがあって、彼女の論文の取り下げはその恨みを晴らす手段に過ぎないのではないだろうか。

こんなことをくだくだ考えていても何の役にも立たないことは、クロエもわかっている。このオンライン雑誌と称するものは、不満を抱いていてもっといい時間の使いみちのない科学者向けのブログに過ぎないのかもしれない。だが記事を見つけるのもアクセスするのもあまりにも簡単なのが気がかりだ。書き手の動機がうさんくさかろうと、どこに発表されたものであろうと、記事は拡散しうるし、すでに拡散している。この記事と電話での彼女の軽率な会話にごく大まかなつながりしかないことは、彼女しか知らない。もし結構な数の人々が記事を読み、もしその人たちがほんの少しでもそれを真に受ければ、とても厄介な事態になる可能性がある。バリーによれば、記事へのリンクが大学院生のあいだに拡散しているという。若手の教員であるバリーは、もっと年長の教授たちよりも先に、学生からそのことを聞いたのだろう。もしかするとトムの目には触れずに終わるかもしれない。彼女だって、バリーから聞くまで気づかなかった。ひょっとすると、オンラインの宇宙のかなたに消えてしまうのではないだろうか。そんなのは虫のいい考えだと、わかってはいる。しばらくのあいだだけでも、何もかも消えてくれたらいいのに。世界があるべき姿に戻ってくれたらいいのに。ずうっと、そう願ってきた。でも、それはありえない。それどころか、さらに悪くなっていく。

窓の外を眺めながら、この悪意に満ちたバカ話はどこで書かれたのだろうかとぼんやり考える。どこであってもおかしくない。ここから数マイルのところに座っているのかもしれない。大学のたまり場かどこかで、記事へのアクセス数が増えていくのを見て仲間と舌なめずりをしているのだろうか。もし彼がコンピュータに精通していて、アクセス数の数え方を知っていたらの話だけれど。それに仲間がいればの話。もしかすると、パーマー教授に悪い成績をつけられた仕返しをしようとしている元学生なのかもしれない。それとも、トムとのあいだに何か昔の問題を抱えていて、取り下げのニュースを見たことでその古傷が開いたのかもしれない。声からすると、彼は若者ではなく、いい年をした大人のようだった。でも、声だけでは区別がつきにくいし、特に電話越しの声はむずかしい。正体は不明だということだ。クリストファー・タレルという名前だって、本名ではないかもしれない。ググルで調べてみようか。いや、知りたがっていると思われたら癪だ。そんな満足感を与えるべきではない。そんな価値はない。

だが、インターネットでどうにかして手がかりを探したいと思っているうちに、別のやり方を思いついた。サーチエンジンを使って、記事がどれくらい読まれているかをある程度知ることができる。あの記事はどれくらいトムの名前と結びつけられているのだろうか。〝トーマス・G・パーマー教授〟と打ち込むと、結果が表示された。研究所のウェブサイト上の彼のページが相変わらずトップに来ていて、教員としての略歴といくつかの重要な論文がその下にある。そのとき、あの恐ろしい〝氷山の一角?〟というタイトルが目に入った。検索結果の1ページ目にあって、とても目立つ。まだ2日しか経っていないのに。トムはカンカンになるだろう。

第16章

Sの字をかたどったシンプルな青いアイコンがヒロシのスクリーンの一番いい場所を占めている。スカイプに命を救われた、少なくとも正気を保っていられるのはスカイプのおかげだと、彼は考えている。そこで万が一の場合に備えて、〝ログイン時に開く〟設定にしてある。大学院時代の友人には、まだ日本にいる者もいるし、少数ながらカリフォルニアでポスドクをしている者もいるが、スカイプがあるから、彼らともつながっていられる。長距離電話の費用の心配をかけることなく、両親に定期的に近況を知らせることもできる。いきおい、彼がスカイプを使うのは、ラボが人もまばらになって、残っているのは夜型人間か彼のように故郷を遠く離れた人間だけという深夜の時間帯になる。だから、真っ昼間（まっぴるま）に着信通知を目にしたときには一瞬、面食らった。かけてきたのはサンフランシスコのアキラだ。重要な用件でなければこんな時間に電話を寄越すことはないだろうと思ったヒロシは、ヘッドホンを着けて受信をクリックした。

電話は短く、内容は当惑と不安をもたらした。言われたようにアキラからのメールを開いて、そこにあったリンクをクリックしてみる。現れた記事は長かったが、最初のパラグラフを読んだだけで、なぜアキラが心配していたのかわかった。嫌悪感と、関わり合いになりたくないという思いと同時に、かすかな警戒心が湧いてくる。ほんとうは読みたくなかったが、気を落ち着けて読み通した。

半時間後、ヒロシはトムの部屋のドア口に来ていた。半分開いているので、トムは在室のようだ。ヒロシはためらう。使命を放棄して自分のデスクに戻りたいという誘惑に駆られる。だが、そうはしない。義務感と、重荷を下ろしたい気持ちとが半々。それが退却の邪魔をする。ノックして、小さな声で「パーマー教授?」と言いながらドアから顔を覗かせる。

「ヒロシ、入りたまえ。それに、その呼び方についてては話がついていたはずだが」トムがにっこりしながら言う。「トムでいいよ。みんなそう呼んでいる」

「はい、そうですね、トム。忘れていました。すみません」ヒロシは中に入ってドアをそっと閉めた。だが、トムが椅子のほうに促しても腰を下ろそうとはせず、床に視線を落として足をもぞもぞと踏みかえる。見るからに気まずそうだ。

「で、どういう要件かな、ヒロシ? 何か新しいデータでも? 新しい結果は喉から手が出るほどだからね」トムは努めて気楽な口調で言う。ヒロシのことは気に入っている。頭の回転が速く意欲的で、とてもおもしろいアイディアの持ち主だ。やや無口でもある。最高に好ましい結果が出たときでさえ、うまくおだてて意見交換を促さなければならないと感じるときがある。だが、あらかじめ設定した面談時間以外に部屋に来るのは異例だ。

「いいえ、別のことです」ヒロシがやっと答える。「友人からあるものが送られてきたんです。好ましいものではありません。先生も見る必要があると思ったので。申し訳ありません」

ヒロシは友人のアキラのこと、彼からオンラインの記事について知らされたことをごく手短に説明する。「愉快なものではない」というのが、ヒロシがそれについて言ったことのすべてだった。すぐにそのリンクをメールでトムに送るという。それ以上の説明を聞き出す間もなく、ヒロシはオフィスから出て行った。

数分後、トムにメールが届き、リンクと記事がスクリーンに現れた。ヒロシの言った通りだ。タイトルに目が留まったが、ほんとうに彼の注意を引いたのは署名欄の「クリストファー・タレル」という名前だ。彼のはずがないと一瞬思うが、もちろん彼以外には考えられない。タイトルを見ただけで、批判的な記事だとわかる。全体を要約した最初のパラグラフで、その疑念が裏づけられる。好ましいものではないとか愉快なものではないというのは、とんでもなく控え目な表現だ。それでも、彼は残りも読んでみた。どんな展開になるのか想像はついたが、確かめる必要に駆られて素早く目を通す。「氷山の一角だと？ このクソがきめ。まだこんなことにうつつを抜かしてやがるのか？」と低いながらも声に出してののしる。タレルから最後に連絡があったのは5年前だ。「相変わらずのクズ研究？」というタイトルの、内容のない不可解なメールだった。彼を最後に見てからもう10年になる。トムはラボを去った当時も、とにかくトラブルを引き起こすことばかり考えているような人間だった。トムはしなければならないことをしただけだが、タレルが一矢報いようとすることは意外でも何でもなかった。あのメールには、どちらかというと当惑させられた。5年も前のことにまだこだわっていることを示していたからだ。だが、クソがきがこっちのことをどう思っているかなど、深く考えたくはなかったから、頭の隅に追いやってほとんど忘れていた。だから、これほどの年月が経ったあとでこのような公の場での攻撃を受けたことは、いささかショックだった。とはいえ、もちろん、タレルにとってはまたとないチャンスというわけだ。

トムは座ってスクリーンを凝視していた。卑劣なしろものに、煮えたぎるような怒りを感じる。改めてクロエをののしる。これはすべてクロエのせいだ。ルールを守れないクロエが引き起こしたことだ。ちくしょうめ！ 彼女にはまんまと騙された。その結果がこれだ。こんなことが彼の身に降りかかったのだ。記事は取り下げの話題から始まっているが、一直線に彼への個人攻撃に向かっている。どうやってクロエはこんなまねができたのだろう？　それにどうして？　彼女だってひどい扱いを受けている。不誠実なキャリア亡者で、要するに哀れむべき人間に見えるように書かれている。彼女はタレルに何を話したのだろう？　記事はすべて、悪意に満ちたほのめかしと当てこすりだ。中傷だ。その曖昧さゆえに、証明することも反証することもできない。それに、実はそうしたことはどうでもいいのだ。トムにはわかる。重要なのは、誰がこのバカ話をすでに読み、誰がこれから読むかということなのだ。『ネイチャー』論文の正式な取り下げはつらかった。威信が傷つき、それが衆目にさらされた。だが少なくとも、あの件は封じ込められ、コントロール可能だ。こっちの卑劣なナンセンスがどれほどの衝撃をもたらすかは、まったく予測がつかない。取り下げという話題が人々の興味を掻き立てることは間違いない。そこへこのいわゆる人情話が加わり、もっと大掛かりなスキャンダルの可能性というスパイスまで振りかけてある。タレルはいったいどうやって、これほど早くネットに記事を上げることができたのか？　クロエに直接電話したに違いない。そして記録的速さで書き上げ、投稿したのだ。だが、そもそも取り下げをどうしてこれほどすぐに知ったのか？『ネイチャー』のホームページに毎日アクセスしているのだろうか？　もうひとつの可能性が頭に浮かんだ。トムに対する怒りをこれほどの年月持ち続けているということは、妄執の域に達しているということかもしれない。トムの出版物や活動を絶えず追跡しているとも考えられる。トムの名前を毎日グーグルで検索しているのかもしれない。トムもやってみた。〝氷山の一角？〟が最初のページに出て来た。トップではないが、最初のページだ。くそっ。いまにもあらゆる人がこれを見るだろう。ちくしょうめ、クロエのやつ、とまたしても思う。それにタレルもだ、卑劣なクソがきめ。

クリストファー・タレルはずば抜けて優秀な大学院生だった。トムのラボに学生の配属希望が殺到していたあの当時でさえ、クリストファーはリストの先頭にいた。トムは普通、研修生を年にふたり受け入れていた。そのうちのひとりがそのまま大学院生としてラボに残ってもいいと考えていたが、それはあくまでも可能性であって、約束があるわけではなかった。現在は、相変わらず応募はどっさりあるものの、大学院生はごくまれにしか受け入れていない。アリソンはいささか異例ということだ。頭がよくて勤勉なことに加え、彼女は態度にもそつがない。あの年に起こったことに懲りて、扱いにくくて気まぐれなタイプの学生は敬遠するようになったのだ。彼らは自分の能力を証明しようと躍起になりすぎる。トムを必要としているくせに、そうと認めたがらない。それなのに、トムには彼らに対する責任がある。彼らは知恵の回りすぎる甘やかされた子供のようなものだ。彼は嫌というほどそれを味わわされた。あの年、トムは大学院生をふたり受け入れた。ふたりはあまりにも違っていたので、優劣をつけるのはむずかしかった。それにどちらも完全に自立しているように思われた。だから両方受け入れるのが理にかなっていると思ったのだ。クリストファーは常にクラスのトップを走って来た。ハーヴァードで学部学生時代を過ごし、いまは大学院生としてここにいることを考えると、これはなかなかの偉業だ。トムはこういうタイプを知っている。若いころの自分と似ていなくもない。彼らは頭がよく、天才と言ってもいいくらいの者もいて、そのことを隠す気はさらさらない。意欲満々だが、勤勉というのは相手を見下すときに使う言葉だと考えている。彼らの過剰な自信はトムには気にならなかった。その先にあるものを見ることができたからだ。それに、手元に残しておく価値のある人物を見分けるこつがあった。インスピレーション（ひらめき）とパースピレーション（汗）に関するお馴染みの格言、天才は1パーセントのひらめきと99パーセントの汗からなる、だ。ひと言で言えば、来る日も来る日も進んで努力する覚悟があるかということだ。恐らく、何かを達成しようとするなら、どんな場合にも努力が肝心なのだ。ほかにも注意すべきしるしはある。不器用なのは問題だ——実験がうまくこなせないようでは困る。観察眼も欠かせないが、傲慢さはそれを台無しにする。トムは再びクロエのこと、彼女がどうやってこの一切のゴタゴタの火付け役となったかを思い出した。

クリストファーはダンと同時に研修をスタートさせた。ダンは物静かなタイプで、自分を売り込むのは得意でなかった。だが粘り強く、時間があればなんでもじっくり考えた。確か、どこか南部の出身だった。ダンはトムが大いに悔やんでいる例のひとつだ。指導者としての務めをうまく果たせなかったこともそうだが、一番の後悔はダンが見つけたものを理解してやれなかったことだ。ダンもわかっていなかったのだが、それは言い訳にはならない。トムは理解すべきだった。よく見て、その重要性に気づくべきだった。のちに、それは途方もなく重要なものだと判明したのだ。だがトムはすぐ目の前にあるものが何なのか、見抜けなかった。ダンは当時、栄養素を与えなかったり、その他の方法でストレスを与えたりした細胞に奇妙な点のようなものが現れるのに気づいた。最初にそれが観察されたのはまったくの偶然で、特性のよくわからない抗体を使ったせいだった。その後もその抗体は引き続き点状体の最高のマーカーだったが、その構造体が何なのかを説明する役には立たなかった。追跡調査は困難をきわめた。ほかにも、抗体染色反応によって点状体を出現させる抗体はいろいろあったが、一貫性がなかったのだ。ダンは1年かそこら、それを丹念に調べた。いろいろなマーカーを収集し、その小さくてわずかに湾曲した構造体を誘発する条件を明らかにした。だが、構造体が何のためのものなのかは見当もつかず、研究は打ち切りとなった。ダンは別のラボに移ってもっと明確な疑問に取り組むことを希望した。トムは気が進まなかったが、彼を手放すしかなかった。2、3年後、オートファゴソームのことを耳にしたトムは、自分たちが目にしていたのはそれだったのだと気づいて、苦い思いを味わった。このとき初めて、自分はもう知的な明敏さにおいては下り坂なのかもしれないと思わされたのだが、世間一般の見方からすれば、まだ40代後半という働き盛りなのだった。あとから考えれば、ダンをもっと励まし、挫折を乗り越える手助けをして、アイディアをもっと与えるべきだった。電子顕微鏡で観察することを検討すべきだった。結果が一定しないのをダンの経験不足のせいにせず、謎めいた抗体染色パターンを真剣に取り上げるべきだったのだ。そうする代わりにトムはすべてが手から滑り落ちるままにし、ダンに別のラボを選ばせてしまった。二重の意味で悔やまれる。

ダンがラボにとどまらなかったのはクリストファーとの人間関係のせいもあると、トムは確信している。クリストファーは最初から、自分は何かすごいことを思いつくのだと自信満々だった。平凡なものやわかりやすいものは、彼には用がなかった。いつまで経っても、延々と文献を読んだり計画を立てたりして過ごしていた。もしかしたら、もっと彼に行動を促し、何かをすることが考えることにつながるのであって、その逆ではないと言い聞かせるべきだったのかもしれない。だがトムは、真に学ぶ道の険しさに彼が自分で気づくほうがいいだろうと考えたのだ。そこで彼に完全な自由を与え、自分のアイディアで好きなように仕事をさせた。だが、すばらしい実験が一向に現実のものとならないまま時が過ぎるにつれ、クリストファーは変わり始めた。だれかれとなく他人の仕事のあら探しをして、グループミーティングのときだけでなく、ほかの人がいないところでも面と向かってねちねちと批判するようになった。あらゆるものを、二番煎じあるいはまったくのお笑い草として切り捨てた。そして常に、関連のある参考文献を引用できるくらい相手の仕事を熟知していたため、彼のコメントはいっそう辛辣さを増した。彼に泣かされたポスドクが何人かいたし、特にダンは格好の標的だった。トムはクリストファーをラボから追い出すしかなかった。あまりにも破壊的な存在だったのだ。非常に冷ややかなやり取りが交わされ、それが最後通告となった。公式には、仕事のスタイルが合わないためということにした。全容を知っていたのは、所長を含め、スチュアートと数人の同僚だけだった。

クリストファーはまだ大学院2年目で、輝かしい学業成績があったから、博士論文を仕上げるための別のラボを研究所の外に見つけるのは簡単だった。彼は研修希望を出していた別のラボを選んだので、そが受け入れたのか知らないが、承知の上なのだろうとトムは感じた。かけ離れた分野だったので、その後どうなったのか、一度も耳にすることはなかった。

なるほど、タレルの性格は変わらなかったわけだ。そして彼は忘れていない。5年前には例のメール、今度はこれだ。完璧な後知恵と微妙に手直しした過去像とで、彼はもしかすると、トムとダンにはわからなかったものを自分は「理解していた」と感じているのかもしれない。ダンが見つけた構造体を、一種の細胞のクズ入れ、つまりリサイクル施設だと直感的につかんでいたというわけだ。当時自分がいろいろなものをクズと呼んでいたことは都合よく忘れて、自分だけが真相を見抜いて正しく呼んでいたと信じているのだろう。有名な教授もお手上げだったのだと。そう考えれば、記事の中に、自分のラボで何が起きているのかトムが理解していないというほのめかしが何カ所もあることの説明がつく。ダンの研究を思い出させて、トムを嘲っているのだ。それとも、これは自分が拒否されたことに対する単なるかんしゃくなのだろうか？　どちらであろうと、この記事には大きな被害を与える力がある。タレルがひとかどの人物となったとは思えない（もちろんよく知っているわけではないが、そう考えて間違いないだろう。でなければ、古傷をつついて時間をつぶしているわけがない）。だが彼にはいまや聴衆がいて、インターネットを自由に使える。もしこの一件が消えずにしつこく残るようなことになれば、トムのキャリアは断たれるかもしれない。職を失うことはないだろうが、名声がなければどうにもならない。疑惑が疑惑を呼び、彼は以前のように仕事ができなくなって、ラボは分解し始める。優秀なポスドクはもう彼のラボに来たいと思わなくなる。落ち目の哀れなラボに人が集まるわけがない。まてまて、悲劇の主人公を気取っている場合じゃないぞ、と彼は自分に言い聞かせる。そんなに自分を無力に感じる必要はない。まだ57歳、全米科学アカデミーの会員にして、この一流研究所の教授なのだ。たとえタレルがいまは支持者をつかんでいても、1年もすれば見向きもされなくなるだろう。不愉快な話があったなと、ぼんやり思い出されるのが関の山だ。だがトムは相変わらずここにいて、すぐれた研究をしているだろう。それが一番の防御策だ。すべて誤りだと証明するのだ。ただし、彼のラボにはいますぐ対策が必要だ。ラボの連中がもしまだ記事を見ていないとしても、すぐに見るだろう。彼らもある意味では攻撃を受けている。特にカレンは実名で言及され、ばかにされている。ほかの者たちはラボの研究成果の質の悪さに対する露骨な当てこすりによって、まとめて名誉を汚されている。ほんのいましがた、ヒロシがそこに立って申し訳なさそうにしていたのが思い出される。かすかな恐怖も混じっていたのかもしれない。ヒロシだって、こんな目にあういわれはない。前進するための最善の方法を見つける必要がある。クロエの状況とこの醜悪なしろものをどうすべきか。いまや醜悪なものがふたつというわけだ。たぶん、もう一度スシュマに連絡するのが最善だろう。

◆　◆　◆

「トム、メッセージを受け取って、すぐに来ることにしたんですよ。わたくしも少し時間がありますし、話し合うことがたくさんありますから。あなたのほうの都合はだいじょうぶだとダイドラが請け合ってくれたのでね。所長室のグレースを一緒に連れて来ました。かまいませんよね。こちらはグレース、こちらはトーマス・パーマーです」

スシュマの突然の入室と、主導権を握ることに対する形ばかりの謝罪は、彼女の権威と魅力によってすぐにすんなりと受け入れられた。彼女はそのふたつの組み合わせをいかにも自然に振りまく。彼女のすばしこくて知的な目がトムの視線を捉え、こうした状況にもかかわらず、トムは束の間ほほ笑まずにはいられなかった。彼の望みはこの一件すべてにできるだけ早く対処することだ。スシュマが以前と同じく冷静で平然としているようなので、トムはいくらか安心した。喜んで意見を拝聴するつもりだ。スシュマの隣に立っている女性は彼女のような権威を漂わせてはいないが、静かなプロ意識が感じられる。30代半ばと思われ、小さな鼻に薄い唇のかわいらしいと言ってもいい顔が、あごの長さの黒っぽい髪に縁どられている。仕上げはごく普通の灰色の事務服だ。トムに手を差し伸べる。

「パーマー教授、やっとお目にかかれて感激です。先生のラボからのプレスリリースの仕事をいくつか、させていただいたことがあるんです」。トムは面食らった。プレスリリース？　彼女はどうしてここにいるんだ？　グレースが説明する。「わたしは特に、研究所のPRの仕事に携わっています。通常は、先生方の発見を一般の人たちや寄付をしてくださりそうな人たちが理解できる言葉に書き換えるお手伝いをしているわけです。建設的な報道機関向けの仕事ですね。ときには、今回のように建設的でないものもあります。所長室ではそれにもうまく対処しなければなりません。わたしたちは報道機関と良好な関係を保っています。わたしがここにいるのは、もしできることがあれば、お手伝いするためです」

「はい、いいでしょう」とスシュマが割って入る。「状況を考えると、グレースにも来てもらったほうがいいと思ったのです。彼女が時間を作ってくれてよかった」グレースのほうにうなずく。トムがもうひとつの椅子から荷物をどかし、３人揃って、小さな丸テーブルを囲んで座る。

「では、トム」スシュマが書類を何枚か取り出してテーブルの上に置く。「これが、まだ正式なものではありませんが、クロエ・ヴァルガおよび問題のある彼女のデータに関する予備的な調査結果です。これについてわたくしたちが話し合うことはすべて、もちろん内密に願います。グレースとわたくしはクリストファー・タレルによるオンラインの記事も読みました。できれば、これらの問題の両方に対処すべきだと思います」

「まったくその通りです」

「いまあなたを一番悩ませているのはたぶんオンラインの記事でしょうが、それに対して直接わたくしたちにできることはほとんどありません。非難がとても曖昧なのです。書き手はあなたが知っている人物のようですが?」

「はい、彼は大学院生のときに短期間、僕のラボにいました。およそ10年前のことです。彼はラボを去り、その後どうしていたのか、僕は知りません。彼はなごやかに出て行ったわけではないのです。そのことをお話しすべきでしょう。ラボ内の人間関係をめちゃくちゃにしたので、出て行くように頼まざるをえませんでした。最初、自分が出て行かなければならないのは不公平だと言って、少しばかり騒ぎ立てました。公式には、ラボの方針に合わなかったためということになっています。僕たちはともに先へ進みました。というか、僕はそう考えていました」

「それで彼の反感の説明がつきますね。でも法的には、それがわかったところで、役には立ちません。彼は博士課程を退学させられたわけではないのですね? 何かひどく悪いことをしたわけではないのですね?」

「ひどく悪いことはいろいろやったと思いますよ。ほかの学生やポスドクに対して意地が悪く、敵意を持っていました。まさに厄介者だったんです。最後のころには敵愾心むきだしでした。とはいえ、データを改竄(かいざん)しているところを見つけたことはありません。もしそういう意味でおっしゃっているのなら。それにどんな形にしろ、不正行為に関わっている現場を押さえたこともありません。そんなことになる前に追い出したんです」

「よくわかります。状況をはっきりさせるためにお聞きしただけです。彼に関するファイルには何も特別なものは見つかりませんでした。告発も正式な苦情申し立てもありません。記録にあったのは、彼が博士号取得プログラムを開始し、ラボを変え、結局学位を取得しなかったということだけです」

「さっきも言ったように、僕たちは状況をそれ以上悪化させないような方法で彼の問題に対処しようとしていました。僕たちというのは、所長にもその件を話して、穏便な解決策を取ることで合意したからです。表向きは、大学院生の単なる移籍という形にしました。メインキャンパスにある別のラボに移ったのです。そのラボで博士課程を修了しなかったとは知りませんでした」

「わかりました」スシュマが目の前の書類に目を向ける。「クリストファー・タレルの問題はまたあとで取り上げることにしましょう。まずクロエ・ヴァルガの件をどうにかしなければなりません。どのように進めるか話し合う必要があります」

「僕がすでに一番むずかしい部分は済ませました。論文を取り下げたんです。永久に僕の名前について回ることでしょう。その件はそれで十分なんじゃないですか？」

「でも、調査のことがあります。調査とは切り離して、あなたは論文の取り下げを選びました。それはあなたが決めたことです」

「ええ、そうです。そうしたのは、ある特定の一連のデータが再現できなかったからです。大量の仕事をこなしたあげく、そういう結果になりました。あなたもこの方針に賛成なさったのでは？」

「確かにそうです。わたくしどもは取り下げに反対しませんでした。正しい判断だったと思います。それに調査で明らかになったこととも矛盾していませんでした。ただ、こちらが論文の取り下げをさせたのではないと申し上げているだけです。でも、細かいことをいちいちあげつらうのはやめましょう」

「もちろん、その通りです。僕はこれがすべて片づけばいいと思っているだけです。早急に。いささか甘い考えであることはわかっていますが」

「では、今後どういうことになるのか、考えてみましょう。まず、クロエに関する予備調査結果をかいつまんでお話しいたします。わたくしどもの調査官は取り下げ通知の声明に賛同しています。図7Fを裏づける生データを回収できなかったという点です。クロエ・ヴァルガは、実験ノート中の一揃いの数字以外に、前述の図で言及されたマウスが存在し検査されたといういかなる証拠も提示することができませんでした。というわけでわたくしたちはともに、ここで同じ認識に立っているわけです。また、これまで調査された限り、論文のほかの部分の裏づけとなるデータはまあまあ整理されています。データを取り出すことができ、記録も一貫しています。ただし、調査官は全般的な記録管理が最適ではなかったと指摘しています。彼らの調査結果を見てみましたが、その点は同意せざるをえません」。トムが口を開きかけたが、スシュマがわずかに手を挙げて制止し、言葉を継ぐ。「でも正直に言って、それは学術機関で普通に行われていることとなんら違いがありません。わたくしは一般的な状況を知っています。ですから、全般的な記録管理に批判の余地があるとしても、すぐに心配すべき問題ではありません。脇道にそれているように思われるかもしれませんが、辛抱して聞いてください。もっと総合的に考えるべき理由があるのです。記録管理の質は、もしあなたがたとえば特許をめぐる争いに巻き込まれたようなときには、深刻な問題になる可能性があります。そうしたたぐいの状況は大学に多額の金銭的負担をもたらす場合があるのです」

「可能性だって？　それどころか、僕は現に評判を失ってるんだ」

「トム、ちょっと辛抱してください。わたくしたちはここで明らかになっている事実と、誰が責任を問われるかをよく考えてみなければなりません。もし誰かが、クロエが論文に盛り込んだデータの質の管理をもっとよく行えた可能性があるとしたら、それはあなたです。わたくしたちはどちらもそのことを知っています。率直に言ってあなたに責任があるのに、あなたは裏づけとなるデータをチェックすることなくグラフを信用することを選んだ。そして論文にあなたの名前をつけたのです」

「どうすればよかったと言うんです?」トムは爆発寸前だ。「数字が図に書き入れられる前に生データを一つひとつ確かめる? そんなの、不可能だ。そんなことをしていたら、ラボはやっていけませんよ」気を静めて、説明する。「ひとつには、チェックには膨大な時間がかかるからです。それに、そんなことをしたらポスドクは自分たちが信用されていないしるしだと考えるでしょう。彼らは頭がよく、大きな志を抱いた自立心旺盛な者たちで、博士号を取るために何年も努力を重ね、そしていまは自前のラボを立ち上げる前のポスドクの段階にいます。僕が彼らのプロジェクトに貢献していると認めることさえ、彼らにはむずかしいんです。彼らが研究し、僕はそれについて彼らと意見を交わす〝だけ〟なんですよ。もちろん僕は論文を書くのを手伝いますし、ときにはダメな論文をそっくり書き直して、掲載に漕ぎつけるわけです。それでも、彼らの心の中では、それは彼らのプロジェクトなんです。一部の者は僕との討論や指導の重要性を理解しますが、たいていは、自分の研究が僕のラボの研究として言及されると不機嫌になります。いずれにしろ、微妙なバランスが必要なんです。そのうえ何もかも細かく管理しようとしたらうまくいきっこありません。絶対にね」と強調するように首を振る。「だが彼らの研究は僕のラボから発表されるわけだし、僕の知的な貢献がなければほとんど価値がないでしょう。資金を集めるのも僕です。それが実態なんですよ」

「ちょっと待ってください、トム。脱線していますよ。わたくしたちがここにいるのはあなたを批判したり、あなたのラボの運営法を変えたりするためではありません。ラボの運営が一筋縄ではいかないことくらい、誰にでもわかります。わたくしが言いたいのはただ、責任が伴わない名声はないということです。自明のことです」。トムはしぶしぶうなずく。「では、クロエの調査とそれがもたらす影響に戻りましょう。すでに論文は取り下げられたので、その件は対処済みです。ではクロエ本人についてはどうしましょう？　現在は休暇中ということですね」

「はい、調査開始以来、休んでいます。誰にとってもそのほうがいいと思ったので。ただし、有給休暇です。彼女には自分の研究助成金がありますから。今年の夏ごろまでだったと思います」

「わかりました。そうとわかってよかったです。では状況はこうですね。生データは見当たらないが、不正行為の直接の証拠はない。ここだけの話ですが、彼女がデータをでっち上げた可能性が非常に高いと、わたくしたちのどちらも考えていますよね。でも直接の証拠はないわけです。関連するデータが見当たらないというのは論文を取り下げるには十分な理由ですが、不正行為を立証するには不十分です。改竄されたデータとか、操作されたり再使用されたりした画像があれば、立証が容易なのですが。わたくしたちにあるのは証拠の欠如だけです。甚だしく不十分な記録管理という調査結果の正しさを証明することはできますが、それ以上は無理でしょう。たとえどんなにありえなさそうに見えても、クロエが主張したようにものごとが進行した可能性はあります。ものが盗まれたという彼女の逆告発を裏づける証拠はありませんが、厳密に言うとこれもまた反証できないのです。とはいえ、その実験については他の記録が見当たらないことを考えると、盗難の申し立ては身を護るための策略の可能性が高いと思います」

「同感です」とトム。「それにいまでは、内部告発者のカレンがスライドを盗んだのだと、クロエは言っています。ところがカレンは僕の見るところ、完全に信頼できる人間であることを自ら証明してくれているんですよ」

「それはオンラインのゴシップ記事で言及されているカレン・ラーソンのことですか?」グレースが尋ねる。「記事には何かほかの場面でも彼女が不適切な役割を果たしたとありました。どういうことでしょう?」

「ええ、そのカレンです。彼女もクロエの実験の再現に参加したポスドクのひとりだったんですよ。それについては、僕の判断が誤っていたかもしれません。そうするのが一番いいと思ったのですが。彼女の得意分野の実験から締め出せば、内部告発者として名指しするも同然ではないかと考えたのです。もしかすると参加させるべきではなかったのかもしれません。しかし、何の害もありませんでした。再現実験はすべて適正に行われました。そのことには絶対の自信があります」

「個人的な切り口、身近に接しながら激しく競い合うライバルたち、嫉妬が絡む確執、と来れば、人を惹きつける物語ができあがりますね。そこへさらに、先生がこの再現実験とやらで隠蔽を図ったという示唆が加わるわけです。わたしはそれが事実ではないことを知っていますが、書き手は否定的な宣伝記事をとても効果的に組み立てていますね」グレースの口調には、不承不承ながらもちょっぴり称賛する気持ちが混じっていた。

「それは僕にもわかります」トムが硬い口調で言う。「下劣な好奇心を煽る読み物だ。僕はどうすればいいんでしょう?」

「オンライン記事については、先ほども言いましたように何もなさらないことをお勧めします。残念ながら、それがわたくしにできる最善のアドバイスです」とスシュマ。

「わたしもそれしかないと思います」グレースが口を添える。「そして、そのことについて誰かに訊かれた場合はわたしたちのほうに回してください。研究所としての短い声明を用意しておきます。記事の著者が科学者としてもジャーナリストとしても信用できない人物である点を指摘するつもりです。研究所は彼の過去の事情や先生に対する昔の敵意を把握していますから。そのことは所長に確認いたします。声明では、先生が長年にわたって高い評価を受けている科学者であることと、先生の側には不正行為を行ったといういかなる証拠もないことを説明します」

「それはあまり明確な支援とは言えないですね。いかなる証拠も……」

「ええ、どう感じておられるかはわかります」スシュマが割って入る。「でも、支持を表明することのような一般的な声明は、それほど細部に立ち入らなくても、状況を鎮静化させる効果があるのです」

「そうです」とグレースがつけ加える。

「では、クロエに対してどんな選択肢があるかに戻りましょう」とスシュマが続ける。「不正行為の直接の証拠はなく、彼女の側もそうした行為を一切認めていない。ただしこちらとしては、不適切な記録管理という事実をつかんでいるわけです。彼女は一時契約の身分で、その契約は彼女の研究助成金とつながりがあります。一番無理のない選択肢は、この夏に助成金が終了するまで休暇の状態でいてもらうことでしょう。そのあと、研究所は新規契約を結ばなければいいのです。幸い彼女は常勤スタッフではありませんから。もしそうだったら、対処は遥かに厄介だったでしょう」

「確かにそれが理にかなったやり方でしょうね」トムが賛同する。

「ただし、問題はクロエがどう反応するか、異議を唱えるかどうかです。わたくしたちは別の選択肢も検討しなければなりません。この場合のわたくしたちとは倫理委員会のことです。月曜に定例会議があって、そこでクロエに関する予備調査報告を取り上げることになっています。関連する問題についても話し合う必要があり、クリストファー・タレルによるきわめていい加減な主張も、そこに含まれるでしょう。なにしろ、彼はあなたに対する苦情の表明として、記事の修正版を研究所の所長に直接送りつけているのです。彼が投稿したことで記事は公開の文書となりましたから、わたくしがこうしてあなたと対応策を話し合っても問題はないわけです」

トムは口を開きかけてやめた。驚くにはあたらない。当然タレルはできるだけ騒動を大きくしようとするだろう。トムはスシュマに続けてくれるように合図した。

「倫理委員会では所長に渡す勧告を策定し、それを受けて所長が最終的な指示を出すことになります。こうしたことをお話ししているのはあなたの意向を伺うためですが、この場で何かを決めることはできません」。トムは肩をすくめてうなずく。「で、クロエに対する選択肢の件ですが、そのひとつとして、クロエの以前の仕事をもっと詳しく調べることが考えられます。データの不適切な扱いがほかにも見つかれば、不正行為を指摘する強力な論拠となるでしょう。でも、契約状況を考えると、それは必要がないようですね。また別の選択肢もあります。きっとお聞きになりたくはないでしょうが、委員会と所長室は次のような道も検討する必要があります。クリストファー・タレルの非難に基づいて、あなたのラボのもっと広範な調査を行う可能性です。それにはラボのすべての科学者の仕事が含まれ、期間は、データをファイルに保管することが求められる7年前にまでさかのぼることになります」

「冗談だろう」トムが思わず声を上げる。「そんなことをすれば、ラボの仕事は完全に止まってしまう。それにまるで僕が有罪のように見える。まさにタレルの思う壺じゃないですか」

「トム、あくまでもどんな選択肢があるかという話ですよ。実際にそうなると思っているわけではありません。もしあなたが言うように所長がクリストファー・タレルにまつわる裏の事情を知っているなら、きっとそれを考慮に入れると思います。ラボの全面的な調査がとても不愉快なものであることは、わたくしたちも承知しています。でも、理解していただかなくてはなりませんが、所長は隠蔽という非難から研究所を護る必要があると感じるかもしれません。だから、この選択肢も落とすわけにはいかないのです。ラボのやり方に関する広範な非難のどれがクリストファー・タレルによるもので、どれがクロエによるものなのかが重要になりますね。もし彼らが手を組んで、同じような申し立て、つまり共同申し立てを提出するようなことがあれば、全面的な調査を避けるのはむずかしくなるかもしれません」

「誰が何を言っているのか、僕は知りません。どちらとも話していないので。タレルとは、もし可能だったとしても、もう関わり合いになるのはごめんです。クロエは、ええ、クロエとは、2、3カ月前までは何も問題はありませんでした。だからこそ、こんなことになるなんて信じられないんですよ。クロエをラボに迎えられてほんとうによかったと思っていたんです。もちろん、最近は彼女に腹を立てていましたし、ほとんど接触していません。この恐ろしい記事のあとはまったく連絡を取っていません」

「いましがた話し合ったことからすると、彼女と話をしてその意図を探る必要があるかもしれませんね。わたくしたちが一緒に話を聞くべきでしょう。なぜわたくしの同席が最善であるかは明らかだと思います」

「そうでしょうね」トムはためらう。「クロエと話せばたぶん役に立つでしょう。つまり、タレルとは違ってという意味です。確かに僕は彼女に腹を立てています。確かに、彼女はみっともない振る舞いをしました。しかし、彼女に悪意があるとか、ほんとうにラボに害を与えることを望んでいるとは思えません。ひょっとすると、彼女を説得して賢明な解決策を受け入れさせることができるかもしれません」

「彼女はフェアでない扱いを受けたと感じていて、その仕返しをしたいのかもしれません。それとも、防御策のひとつとして、攻撃を続けているのでしょうか」

「そうかもしれないし、そうでないかもしれない。論文を失ったいま、彼女に残されているものはそう多くはありません。それに正直、彼女がタレルのような人間と手を組みたがっているとは思えないんですよ。彼のような執念深い復讐心を抱くには歪んだ性格が必要です。ひょっとすると、彼女をいくらか正気に戻して負けを認めさせることができるかもしれません。そうすれば、この件が制御不能なところまで拡大するのを防げます」

「ひょっとするとね。彼女の側が責任を認めれば、大いにあなたの助けになる可能性があります。これまでのところ、彼女はいかなる罪も進んで認めようとはしていません。でももし認めれば、そうですね、そうなればものごとはずっと単純になるでしょう」

「僕が単独で彼女と話すべきでは？　そのほうが彼女もそれほど身構えないでしょうから」

「それはお勧めできません。発言は立会人の同席のもとに正しく記録されなければなりません。でないと、委員会にとっては何の価値もありませんから」

「僕がまず非公式に彼女と話すのはどうでしょう？　僕なら、以前知っていた、というかそう思っていたクロエを引き出せるかもしれません。もし彼女が心を開いてくれたら、あとできっとあなたのところに行くようにさせますから」

「それでもいいでしょう。わたくしはできればわたくしのオフィスで彼女と直接話をする必要があります。彼女が誠実で、正式の苦情申し立てをする気がないこと、それに何もごまかしていないことを確認しなければならないのです」今度はスシュマがためらう。「クロエが持ち出しそうなこれ以外の問題はないでしょうね？　もし彼女が機嫌を直さなかった場合ということですが？」

「これ以外の問題？　どんな問題です？」

「セクシャルハラスメントを申し立てる可能性は？　魅力的な女性ポスドク、ストレスの多い職場環境、そういったことが重なると、実際にとても多いものなんです。そしてほんとうに厄介な問題になることがあるんです」

「いいえ」トムは断固否定した。「そのような問題には一度も巻き込まれたことはありません。もしお望みなら記録をご覧になればいいでしょう」

「拝見しました」とスシュマは認めた。「決まった手続きですから。事件を引き受けるときは関係者全員のファイルに目を通すんです。可能性について申し上げたかっただけです」

トムは無言だ。

「わかりました。では、彼女がなんと言うか、見てみましょう。ただし、月曜の倫理委員会の前に、最新情報をいただく必要があります。あなたからと、できればクロエから」と言いながらスシュマは書類をまとめる。グレースも従う。トムも立ち上がり、堅苦しい口調で言う。

「おふたりとも、来ていただいてありがとうございました。感謝いたします」

「当然のことですよ」と言いながらスシュマはしっかりと握手したが、笑顔は見せなかった。

疲労困憊して、トムは椅子にどっかりと腰を下ろした。事態がこれ以上悪くなりようがないなんて、決して思うべきじゃないんだな。セクシャルハラスメント？　恨みを晴らすためとあらば、クロエはそんなことまででっち上げるつもりだろうか？　いや、そんなことをするには、彼女はプライドが高すぎる。つまり、記事の中傷がタレルの考えたことで、クロエの言葉でないという直感が正しければ、ということだが。そうに決まっている。この件を収めてみせる、とトムは自分に約束した。このラボを休業に追い込ませたりはしない。もう十分ダメージは受けている。ラボの連中に、あるいは少なくともヒロシには、タレルの記事について話をする必要があるかもしれない。いや、しないほうがいいのか。だいたい、何を言えばいいのかわからない。だが、クロエとは話をする必要がある。

第17章

彼が話をしたがっている。

最初は素っ気ない失礼なメール、次が冷淡な沈黙、そして今度はこれだ。いまさら話なんて。何を言えばいい？　見当もつかない。オンラインの記事を読んでからというもの、ジェットコースターに乗ってでもいるように、論文、トム、ラボ、彼女の将来について、気持ちがめまぐるしく移り変わっていた。ときには、前のように腹を立て、元の状態に戻るために戦おうと決心した。こんなことが自分に起こるわけがない、間違っているしフェアじゃない。別のときには、足をすくわれて何も確信が持てず、まるで崖から飛び下りたものの空中に宙づりになっているような気がした。何か仕返しをしたいという衝動から考えなしにしたことが、もはや彼女の手に負えない事態に発展している。警戒心を緩めた結果、電話越しの優しい声に手玉に取られ、利用されたのだ。記事には気分が悪くなった。真実を捻じ曲げ、似ても似つかないものにしてしまっている。彼女を作り変え、誰か別の人間のようにしてしまっている。見知らぬラボの見知らぬ人たちによってこれがダウンロードされ、正義面(づら)したほくそ笑みとともに拡散するのだと思うと、居ても立っても居られない。記事がクリックされる回数は1分ごとにますます増えていくだろう。そのクリックの一つひとつが、この新たに作られたクロエ像を確固たるものにする。あの記事とそのあらゆるコピーを消去することができさえしたら。だが彼女には何もできない。たぶん今ごろはトムも読んだことだろう。非難、嘲笑、憎悪。すべて彼女から出たものだ。そこに疑いの余地はなく、彼は激怒するに違いない。もしかすると、正式に解雇するためにに会いたいのかもしれない。面談の結果次第でそうなる可能性がある。どうなるか確かめに行かなければならないだろう。

もう家を出る時間だ。薄手のコートを羽織ってウォーキングシューズを履き、バックパックを背負う。うらめしくなるくらい気持ちの良い日だ。研究所まで歩いて行くことにしよう。着くころには、どう考えればいいかわかるかもしれない。

研究所の建物は相変わらず誇り高く自信に満ちて見える。赤い石、調和のとれた曲線。彼女はしばし足を止めて見とれ、一体感を得ようとした。でも、できない。ばかにされているような気がする。彼女の大志、彼女の真剣なアイディア、何年にもわたるきつい仕事を建物が嘲笑っているように感じられる。そうでないふりをしても無駄だ。それに、こんなところでぐずぐずしていてもしかたがない。ちょうど時間だし、さっさとトムのオフィスに行こう。行き方は足が知っている。

きびきびと脇目もふらずに進むつもりだったが、建物の中に入ったところで気後れする。街の喧騒と風や明るい日光のあとでは、建物内の静けさと薄暗さが重苦しい。向きを変えて出て行きたいという強い衝動を懸命に抑える。エレベーターのそばで気持ちを落ち着け、サングラスを外して階数表示ボタンを押す。

トムは彼女を待っていた。ガラス張りの廊下を歩いていくと、ラボの中から気まずそうに見つめる目が追いかけてくる。避難所に入るように、トムのオフィスに入る。ただし、ここは避難所などではない。トムはひとりで、立会人も仲裁人もいない。ではふたり差し向かいで、誰もしたいとは思わないような会話を試みるわけだ。でも、少なくともプライベートな会話ではあるようだ。トムが口火を切る。どちらも前置きの世間話をするような気分ではないので、トムはすぐに本題に入る。

「『At the bench』の記事を見たよ。君へのインタビューをもとに書かれたものだね。想像がつくと思うが、ショックなんてものじゃなかった。腹が立ったよ」トムの声はしっかりして抑制が利いており、そうした感情はどうやら封じ込められているようだ。「取り下げについて記者と話をするのは、まだわかる。だが、僕に対して、ラボに対して、あれほどの非難と当てこすりを浴びせるとは。いったいどうして、そんなことができたんだね?」

「トム、そういうことじゃありません。その男性と話はしました。それは認めます。取り下げが発表されるとすぐ電話してきて、どっさり質問されたんです。でもわたしは、あんなことは言っていません。信じてください。彼がわたしの言葉を捻じ曲げたんです」

「では、またしても君は否定にしがみつくつもりかい? 自分には何も落ち度がないと?」

「そんなことは言っていません。もちろん、わたしの落ち度でもあります。彼と話をすべきではありませんでした。でも、先生のことをあんなふうに言ってはいません。彼がいろいろとでっち上げたんです。どこから思いついたのか、わたしにはわかりません」

「しかし、カレンの名前とか、論文の内容を再現しようとする試みをばかにしていることとか、そういうものの出所は君だろう、そうじゃないのか?」

「そうですけど……でも、聞いてください。わたしは傷ついて腹を立てていたんです。何もかもが……」いったん言葉を切って、言い直す。「このことが起こる前、わたしたちは仕事でいい関係を築いていました。わたしは自分のため、そして先生のためにいい結果を出していました。そうしたら突然、こんなことが起こったんです。まず説明する機会を与えるべきなのに、先生はそうせずに、調査とやらをいきなりわたしに投げつけて寄越しました。わたしに話すことさえせず、論文を取り下げました。わたしのキャリアを、ためらいもなくどぶに捨てたんです。だからわたしは腹を立てました。そして確かに、このクリストファーとかいう人物に、話すべきではないことまで話したかもしれません。でも、腹を立てるだけの理由があったんです。先生にもいくらか責任があるんです」

「いや、違う」と言いつつも、トムはためらう。「そうだな、僕ももう少し思いやりがあってもよかったかもしれない。でも、いいかいクロエ、この件では君は被害者じゃない。君にいきなり降りかかったことじゃない。これは君が不適切な行為をした結果なんだ。君が起こしたことなんだよ」

「わたしはしていません。わたしは……」

「クロエ、僕の言うことをもっとちゃんと聞いてくれ。いいね？　正直になろう。作り話はなしだ。何の痕跡も残っていない架空のマウスが別にいたとか、スライドが盗まれたとかいう話は信じられない。いまも信じていないし、当時も信じていなかった。誰かが君を陥れようとしているという話で何もかもごまかし続けることはできないんだよ。あの実験に限って、あまりにも多くのものが行方不明だ。君の言葉を除いてあらゆるものが、別の筋書き、つまり図7Fのデータが捏造されたという筋書きを指している」

「わたしは優秀な科学者です。データの捏造なんかしません」

「君はすばらしい科学者だし、並外れて有能だ。だからこそ、理解に苦しむんだよ。僕のラボに受け入れたポスドクのなかでも、特に有能な部類に入る。嘘じゃないよ。そして何もかも順調だった。あの結果をでっち上げるまではね。僕は君を信じていた。いつかきっと、君を指導したことを自慢できるようになるだろうと思っていたんだよ」トムはクロエをまっすぐ見つめて、静かに心を込めて語りかけた。依然として抑制が利いた決然とした口調だったが、いまはその下にもっと優しい調子が窺える。思いやりだろうか。トムは両肘をデスクに載せ、手を組み合わせている。時折クロエの視線を捉えようとするが、彼女はトムの左手の本棚に目を据えたままだ。「でも君はああいう近道をして、そんな将来を投げ捨ててしまった。君がつらい仕事を大量にこなしていたことは知っている。それに、ほかのデータは捏造などしていないし、ほかに間違ったことはしていないと信じている。君は創造力豊かで、頭がよく、粘り強くて大きな志を抱いている。すぐれた研究者になるための資質をすべて持っている。ただし、そう、ただし謙虚さを除いてね。何が起こったのか、僕は理解しているつもりだよ。君にはあの最後の実験の結果がどうなるか、確信があった。ほかの証拠はすべて揃っていたし、それらにはきわめて説得力があったから、最後の実験はする必要がないと思った。それに、必要なマウスが手に入らなかった。だが、最後の実験の結果がこうなるはずだという君の当て推量は間違っていたんだ。僕たちがいまそれを知っているのは、再現実験をしてみたからだ。いや、君はしなかったんだから再現ではないな。僕らは2回やった。別々の人間がね。だから僕らは知っている。君が主張している結果を、君は手に入れられたはずがないんだ。君の当て推量は間違っていた。とはいえ、間違っていたことが問題なんじゃない。当て推量をしたことが問題なんだ。データをでっち上げたことで、君は自分のキャリアに終止符を打ったんだよ」

彼は言葉を切ったが、返事は返って来ない。しばらく待って、再び試みる。

「説明してほしい。何か説明があるはずだ」

クロエは椅子の中で姿勢を変え、肩の緊張を緩めた。ふたりとも相手の出方を待つ。とうとうクロエが囁くような声で話し始めた。

「博士課程でプリンストンにいたころ、わたしはある重要な細胞死変異体に関して、とてもとてもきつい仕事をこなしていました」

トムは耳を傾けているというしるしにうなずいたが、口を挟もうとはしない。この話がどこへ向かうのかまったくわからないが、少なくとも彼女は話している。

「博士課程に入学するのは変な感じでした」クロエは単調な声で続ける。「ドイツで学位を取得した際の研究でたくさん経験を積んでいましたから、また教室に座るのは後戻りのように思えました。ほかの院生たちは子供でした。彼らは科学者になること、大人になることを学ぶ必要があったんです。わたしはもう知っていました。彼らの一員だと感じたことは一度もありません。友達づき合いをする代わりにわたしは仕事に没頭し、長時間働きました。すばらしい体験でした。たくさんの成果を挙げました。大量の変異株のバンクをスクリーニングして、興味深い表現型を持つものを見つけました。それまでそのラボで研究されていたあらゆる変異株とは正反対の表現型でした。CED-14です。わたしはその働きを遺伝的特徴から論理的に割りだし、その後遺伝子も見つけました。7年前ですから、変異株があっても、対応する遺伝子を見つけるのはまだまだ大変な仕事でした。でもわたしは固い決意のもとに仕事に励み、成功したんです。分子レベルでどのように作用するのかも見つけ出しました。すべて完璧につじつまが合いました。作用経路のなかの欠けているピースだったんです。ほんとうにすばらしかった」クロエは思い出してほほ笑んだが、すぐに真顔に戻って続ける。「わたしはヒトのCED-14についても細胞培養をいくらかやってみました。でも、この研究はご存知ですよね。わたしが結局『デベロプメント』誌に発表したものです」

「ああ、もちろん。見事な研究だったと記憶している。ポスドクの面接でここに来たときに、それについての話をしてくれたね」

「ええ、ここで大事なのは〝結局〟と〝デベロプメント〟という部分です。重要な発見だったのに、『ネイチャー』の論文に出し抜かれたんです。最悪なのは、『ネイチャー』の論文が出るずっと前に、わたしにはその研究のストーリーが用意できていたっていうことです。原稿まで書いていたんです。もちろん完璧なものではありませんでしたが、最初の草稿としてはなかなかの出来でした。ラボの責任者のハンナが何カ月もそれをほったらかしにしていたんです。いつになっても、原稿をチェックする時間がないと言うんです。いつも、「来週ね、約束するわ」でおしまい。彼女はウィルソンのラボが何か似たようなことをつかんでいたことさえ知っていたのに、その脅威を全然真剣に捉えようとしませんでした。もちろん、彼女にとってはたいした脅威ではなかったんでしょう。あの年齢だし、終身在職権だって持っていたんですから。とにかく、どうなったかご存知ですよね。「大事なのは性急な仕事ではなく堅実な仕事よ」というのが口癖でした。とにかく、どうなったかご存知ですよね。ハンナは当然、申し訳ないと言い、わたしは立派な論文を出せたものの、三大科学誌ではありませんでした。ほったらかしにしていたのは彼女の落ち度なのに。わたしがここの研究所で独立の特別研究員のポストに就けなかったのは、たぶんそのせいです。有名誌の論文がないから。先生のラボに応募したころ、特別研究員の職にも応募していたんです。どっちみち……」

「また同じことになってほしくなかったんだね」

「はい、二度とごめんです。それに最初のうちは、きっともうそんなことにはならないだろうと思っていました。いったんストーリーが用意できると、先生と一緒に仕事をするのはすばらしいことでした。ハンナとのあとでは、ほんとうにほっとしました。先生はすぐにフィードバックしてくださいましたから。制約をもたらすものがあるとすれば、それは実験だけ、結果だけであることが、わたしにはわかっていました。わたしたちはすばらしいストーリーを作り上げ、理論は鉄壁でした。でもそこで、やっぱりああいうことになりました。去年、『ネイチャー』の対応は信じられないほど遅々としていました。原稿は何カ月も査読に回されたままになり、査読者は次から次に要求を出してきました。そこへ先生から、ジム・ディー・テンを研究している競争相手グループがいると聞いて、わたしはとても心配になりました。査読者はあのマウスの実験を要求していましたが、交配するマウスを十分な数揃えるには3カ月かかり、実験にさらに3カ月かかることになります」

トムは口を挟まずにいられなかった。「だから、実験したふりをすることにしたのか？」

「いいえ、そういうことじゃありません。ただ座って、全部でっち上げようと決めたわけではないんです。実験をやってみようとしました。ほんとうです。でも運がなかったんです。アンディが言ったように、妊娠したメスが2匹いました。ほかのやり方でも交配を試みましたが、どういうわけかうまくいきませんでした。そして、2匹のメスの片方が死んでしまいました。それが不運の始まりでした。もう片方のメスは出産に漕ぎつけ、8匹の子を産みました。例のメンデル遺伝学によれば、二重ヘテロ接合体が2匹得られるはずです。尾の一部を切ってポリメラーゼ連鎖反応を行い、チェックしてみました。そうしたら、求める遺伝子型の子は1匹もいなかったんです。ゼロ。とても耐えられませんでした。あまりにも不公平です。あまりにも運がなさすぎます。だから、そうです、実験はどっちみち不必要に決まっていると思ったんです。そこで、ばかなことをしました。まともに頭が働いていなかったんです。過ちを犯してしまいました」

しばらくはふたりとも無言だった。

「だが、僕のところに来て話し合うこともできたじゃないか。編集者に異議を唱えてみてもよかったのに。査読者は要求が多すぎたからね」

「実験に同意したひと月あとにですか？　いいえ、わたしにはわかっていました。実行可能だと先生はおっしゃったことでしょう。必要なだけ時間をかけさえすればいいのだと。最後までやり抜くことを望んでいらしたんです」

「そうかもしれない。だが、君も知っていると思うが、もっと時間をかけても問題はなかったはずだ。競争相手はそれほど迫っていたわけじゃないし、阻害剤を持っていなかったんだから」

「そんなこと、わたしには知りようがなかった。そうでしょう？　追いつかれそうなのだと思っていたんです。それにわたしは……わたしは去年の秋、どうしても求人市場に打って出たかったんです。わたしにはその準備ができていました。ついに自分のラボを持って自分の研究をすること、それがわたしの一番の望みでした。ほかにしたいと思ったことなんてありません。それに、ふさわしい仕事を手に入れ、いい場所にいることがとても重要なんです。誰だって知っています」

「いずれにしろ、君はそうできただろう。求人市場に出ることができただろう。君の実績と、今後出る別の論文があればね」

「今後出る論文ですって？　誰も知らないような雑誌にですか？　いいえ、有名誌の論文なしでは、最高のところでの面接なんて手が届くはずがありません。どこかぱっとしないところに行くしかなくなるでしょう。またもや、まあまあの雑誌での論文発表なんて耐えられませんでした。何年もこれほど一生懸命やってきたのに、そんなのはあんまりです。有名誌の論文をもう一度奪われるわけには行かなかったんです」

「しかし、まあまあの雑誌での発表になんかならなかったはずだ。たとえ最後のデータがなくても、見事なストーリーに変わりはなかっただろう」いったん言葉を切って、仮定に基づく筋書きを頭の中で検討する。「もし必要なだけ時間をかけてRas＋Mycのマウスの実験をして、その結果、僕らがいま見ているような否定的なデータが得られたとしたら、『ネイチャー』はノーと言ったかもしれない。しかし……」

クロエが遮る。「ノーと言ったに決まっています。そしてわたしたちは別の雑誌を相手にまた最初からやり直すはめになったでしょう。さらに1年が過ぎたでしょう。でもわたしは、阻害剤がマウスでは効かないなんて思いもしなかったんです。効くとばかり思っていました。否定的な結果になるとわかっていてそれを隠そうとしたのではありません。違います。そのほうがずっと悪いですよね。わたしは望ましくない結果を隠したわけじゃないんです。ただ、結果がどうなるか知っていると、完全に信じ込んでいたんです。いまでもまだ、実験がうまくいかなかったなんて、なかなか信じられません。2回もやったとおっしゃったのはわかっていますけど、それでも、理解できません」

「やれやれ……」トムは言いかけてやめた。どうなるはずだと思っていようとデータを尊重しなければならないと言ってやることもできた。結果をでっち上げたことに言い訳などありえない。結果を知らなかったのは知っていて隠したのより罪が小さいなどという言い訳は通用しない。そう言ってやってもよかった。だが言う必要はないだろう。再び、ふたりとも無言で座っていた。クロエが目を上げる。まっすぐにトムを見つめて、そのまま視線を外さない。

「さあ、これで言いました。説明しました」とクロエ。「すみませんでした。心からおわびいたします。論文を取り下げなければならなかったことを申し訳なく思っています。先生に影響が及ぶことは承知しています。でもほんとうのことを言えば、わたしのほうが遥かに大きい影響を受けているんです。わたしたちはどちらも、わたしのキャリアが終わってしまったことを知っています。わたしにもう一度チャンスをくれる人はいないでしょう。先生の場合は別です。先生にはすでに立派な論文がたくさんあります。一回の取り下げで評判が駄目になることはありえません。ほかに責めるべき人間がいるんですから」

「たぶん、そうなんだろう。だが、人々は気にするものだ——なにしろ僕は多少は名が知られているからね。シャーデンフロイデ、他人の不幸は蜜の味ってやつさ。人は誰か有名な人物がつまずくのを見るのが好きだからね。タレルに話をすることで君がますますその火を掻き立てたんだ」トムは話がその方向に進むのを自制した。注意深く抑え込んでいる怒りを解き放つのはまずい。「しかしなぜなんだ、クロエ？　なぜ何もかも危険にさらすようなことをしたんだ？　君のキャリアも、僕の評判も。あまりにも愚かな行為にしか思えない」

答えるクロエの声に突然、苦々しさがあふれる。

「誰も彼も、わたしが想像もできないほどひどいことをしたみたいなふりをしている。冗談じゃないわ。当時を振り返ってみてください。あの論文を『ネイチャー』に確実に掲載するにはどういう結果が必要か、査読者はそのものズバリ、わたしたちに言ってきましたよね。そういう誘惑に負けたのがわたしだけだなんて、到底信じられません。違うのはただ、わたしが捕まったってこと。それもまったく偶然にね。わたしはがむしゃらに働いて、何年も何年も、すべて正しくやってきました。でもたった一度、たった一度だけ、わたしは一線を越えた。とたんにバン！　すべての目がわたしに向けられ、誰もがショックを受けた」彼女は自分を抑え、口をつぐんだ。「ええ、悪いことなのはわかっています。あんなことはすべきじゃありませんでした」そこで身を乗り出し、驚くほど激しい口調で言う。「でも、ほかの人たちが誰も彼も聖人だなんていう話を受け入れる気はありません。そんなこと信じません」

「クロエ。他人を責めても、自分の罪をなかったことにはできないよ」トムはいったん言葉を切る。「越えてはならない一線があるんだ。もし越えれば、それでおしまいだ。それはわかっているね。それに、ほかの人間――僕やカレン――まで自分と一緒に引き摺り下ろそうとするのは言い訳の立たない行為だ。どうしてクリストファー・タレルにああいうことを言ったんだ？」

「トム、それについてはほんとうに、ほんとうに申し訳なく思っています。彼が書いたものを見て、わたしの言葉がどれほど捻じ曲げられているか知ったとき、わたしは恐ろしくなりました。先生にはとても腹を立てていましたが、あんな記事になるなんて思いもよらないことでした。わたしがわざとやったように見えるのはわかっていますけど、そうじゃないんです。彼が書いたことの多くは、わたしが言ったことじゃないんです。ただ……電話があったとき、わたしは先生にすごく腹を立てていました。それで、言うべきでないことまで言ってしまいました。でも、誓って、取り下げを見たばかりだったので。それで、先生やほかの人を引き摺り下ろそうとなんかしていません。信じてください」

「君は過ちを犯した。そして大きなツケを払うことになる。だが、僕もクリストファー・タレルのことは知っている。というより、ずっと以前に知っていた。そのころのことで僕を憎んでいて、復讐したがっているらしい。今回、取り下げの件を利用して恨みを晴らそうとしたのは明らかだ。ただし、彼にそういう動機があったからといって、君の責任が消えるわけじゃない。君が弾薬を与えたんだ」

「すみません、トム。あの日、彼と話をすべきではありませんでした。でも彼はわたしが言ったことを捻じ曲げて、まったく別のものにしてしまっています」

「彼はひねくれた男だった。ほんとうに悪意のある人間だった。君にもそれがわかっているといいんだが」

「ええ、わかっています。二度と関わりを持ちたくありません」

「そうだな、僕の同僚たちもあれを見たときに悪意から出た中傷だと気づいてくれるといいんだが。記事に対する関心は時と共に薄れるだろうが、いまはまだ大きな関心を集めている。タレルはきっと、この状況を最大限に利用しようとするだろう」トムは、タレルとその悪だくみにこだわりすぎて、本来の目的からそれそうになっているのに気づいた。クロエとのあいだで解決しておくべきことがあといくつかある。「ところで、どうしてカレンの実名を出したんだ？　それにどうして誰かを、はっきり言うとカレンを、何かを盗んだと非難したんだ？　そんなことがありうるとはとても思えないんだが。君は彼女の名前まで、この中傷記事に出してしまった。どういうわけで、彼女が内部告発者だなんて言ったんだ？」

「わたしには確信があったんです。彼女がわたしを妬んでいるのは見え見えでした。わたしの論文が受理されたお祝いのときから、はっきりしていました。覚えていらっしゃいますか？　もう何年も前のことのように思えますね。彼女はわたしにお祝いを言いにさえ来なかったんですよ。ほかの人たちはみなお祝いの声をかけてくれたのに、彼女は別でした。シャンパンのグラスを持ってただ隅っこに立ってこっちを見つめていました。まるで、自分には絶対に手に入らないものを見るみたいな目でした。心の広さなんて、これっぽっちもないんです。わたしの論文は彼女とは何の関係もなかったのに。わたしたちはライバルでも何でもなかったのに。そのあと、事態は悪くなるばかりでした。彼女は変な時間にラボをコソコソ探り始めたんです。ホアンがある朝、わたしのデスクのところにいる彼女に出くわしたと言っていました。わたしが旅行中のことです。彼女はわたしのものを調べ、嗅ぎまわっていたんです。ホアンに訊いてみてください。何を見たか、話すはずです。ほんとうに信じられない話です。だから、彼女なら、わたしを困らせるためにそういうちょっとした妨害行為ができたのは確かです。同じように、彼女が内部告発者であることも確かだと思います。だって、アンディが単独でそんなことをするなんてありえませんから」

「しかし、彼女は実際には何も盗っていない。そうじゃないか？」

「たぶんわたしは、スライドについてあんなことを言うべきじゃなかったんでしょう。いろんなことがあまりにも急に起こったものですから。いきなり、面と向かって非難されたんです。先生は完璧にわたしをシャットアウトして、まるで壁のようでした。そしてあの偉そうな弁護士を連れて来たんです。彼女がすでに考えを固めているのがわかりました。あなたがた両方ともです。そのあと、彼女とラボにいたとき、誰かがわたしの冷蔵庫をいじったことに気づきました。物が動かされていたんです。だから、頭に浮かんだこと、説明として考えられることを言ったんです」

トムは何も反応を示さない。

「で、これからどうなるんでしょう?」とうとうクロエが尋ねる。

「たいしたことは起こらないと思う」

「どういう意味ですか?」

「論文はすでに取り下げられたから、その部分は終了している。君の正式な調査については、僕が理解している範囲で言えば、不適切な記録管理は明白だが不正行為に関しては決定的な証拠がない。だから、調査範囲の拡大が決まらない限り、この結果が適切なファイルに綴じこまれて、事件は解決済みということになるだろうな。僕たちの会話の内容をスシュマ・ナイヤルに知らせるつもりだ。彼女は公式の資格のもとに、君と直接話をする必要があるだろう。でも僕らはそれ以上、公式に何かをする必要はないと思うね」

「それで終わりということ?」

「そうだな、君は正式に辞職する必要が出てくるかもしれない。彼らがどう言うかだな。僕は要求するつもりはないよ。たぶん、単に君の契約期間が切れたという形にできるだろう。どっちみち、君の研究助成金はあと2カ月しか残っていない。そういうふうにすれば、君も独り立ちするまで少し時間が稼げる。だが、ラボに戻ってくることはできないし、いかなる種類の延長措置もないだろう。僕からの推薦状もない。もちろん、わかってくれるね?」

「はい。わかります……それでビザは?」

トムは戸惑った顔をする。助けてほしいと言っているのか？　正規の手続きのことで？　自分たちは同じ会話をしていたのではなかったのか？

「それは助けになれない」

「わかりました」クロエは椅子を後ろに押し下げる。「それでは、これで失礼します」

トムも立ち上がり、かけるべき言葉を探す。

「デスクから持って行きたいものはないかな？　何か個人的なものとか？」

「ないと思います。あそこのものはなんでも捨てていただいて結構です」

クロエはまっすぐ前を見つめ、一定の歩調で外を目指す。気持ちが軽くなり、自由だと感じる。これはきっと一時のことで、やがて別の感情に道を譲るのだろう。でも差し当たってはこれで十分。今回はラボのガラスの壁越しにカレンの姿が見える。ふたりの視線が絡み合う。だがカレンがすぐに目をそらす。クロエはじっと立ち尽くし、カレンが何かするかどうか、また目を合わせるかそれとも寄ってくるかと見ていた。だが、対決は起こらず、クロエはまた歩き出した。エレベーターに着いて、5階のことを考える。マーチンのところに顔を出してみようか。もしかすると仲直りを試みることができるかもしれない。いや、そのチャンスはとっくに失われている。あの人生はもう過去のものだ。ボタンを押し、最後にもう一度、廊下を見渡す。

第18章

「すごい、ほんとうに効いている」

青い作業衣姿の研究者が3人、マウス飼育室の隣の小さな処置室で身を寄せ合っている。彼らの前には仰向けにされたマウスが1匹、まだ生きていて激しく足を蹴りだしているが、しっかり捕まえているアンディの手を逃れることはできない。貴重なダブルトランスジェニックマウスで、薬剤を与えられた3匹のうちの2匹目だ。これも1匹目とまったく同じように、正常で健康に見える。信じられないほど健康状態がいい。3対の目がマウスを凝視する——カレンは拭いきれない不信を込めて、ルーシーは不安と驚嘆の混じり合った思いで、アンディは静かな受容を滲ませて。カレンは1週間前から、こうした結果になるとうすうす気づいていた。だがいまだに信じられない思いだ。かがみ込んで、手袋をした手で最初は片側、次にもう片側と、胸郭と腹部を触ってみる。はっきりわかるような塊は感じられない。この2匹の前に調べた対照群の3匹はまったく違っていた。おびただしい腫瘍が肉眼でもはっきり認められ、指で探ると触れることができたのだ。カレンはカメラを取り上げた。

「アンディ、何枚か撮るから押さえててくれる？　さっきのと同じように、仰向けにして肢を外側に向けて、動かないようにしてね」。撮影に取り掛かり、作業に集中する。終わると、身をよじるマウスの尾をアンディがつまんで持ち上げ、撮影の済んだ仲間と一緒に新しいケージに入れる。続いて3匹のうち最後の1匹をつまみあげる。これも同じように見える。

「わたしたち、先生に言うべきですよ」ルーシーが言う。「だって、効いていることを先生も知るべきでしょう？　もう疑いの余地はないんですから」

彼女はカレンに目を向ける。

「そうね、疑いの余地はないわね。あなたの言う通りよ。トムに話さなくてはならない」とカレン。でも、そうしたくない自分がいる。この予想外の結果をおおやけにするのが怖いのか、それともトムがどんな反応をするか心配なのか、自分でもよくわからない。

「3人揃って行ったほうがいいわね。何か質問があるかもしれないから」それにひとりでトムに向き合いたくないから。カレンはこのことをトムに話すのをずっと避けてきた。でも、始めたのは彼女だから、最後まで見届けなくてはならない。まったく、どうしてこんなことを思いついたんだろう？

すべては2カ月前に始まった。再現チームの最後のミーティングから数週間後のことだった。カレンは依然として、トムに信用されていないことに苛立ちを感じていた。あの肝心の実験は2回以上繰り返す必要があったのだと、頭では理解できた。だが、実験についてルーシーに口止めし、そうすることでカレンの誠実さを試したトムのやり口はカレンを傷つけた。その痛みを忘れるのはむずかしい。ほかの人たちだって、なぜカレンの仕事はこっそり追試されたのかと不思議に思ったに違いない。問題を指摘してあげたことを感謝するのが筋なのに、感謝どころか、トムは彼女を疑わしい人物であるかのように扱った。あんなことをする必要はまったくなかったのに、彼女を屈辱的な目にあわせたのだ。でも少なくともルーシーとは、モヤモヤが残らないように片をつけることができた。おかげでふたりのあいだにはなにがしかの絆が生まれ、ラボのほかの人たちとの関係がますますぎくしゃくし始めるなか、カレンの心のよりどころとなってくれた。

誰もが、取り下げに関するオンライン記事の影響をこうむった。ラボから発表されたほかの論文にも不正があるのではないかという曖昧な指摘によって、論文を発表したことのある全員が守勢に立たされたのだ。それに、喜んで再現チームに参加していた者などいないにもかかわらず隠蔽に加担したと非難されるのは、傷口に塩を擦り込まれるようなものだった。だが、カレンにとってはそれどころの話ではなかった。実名で言及されたあげく、嫉妬深く悪意に満ちた人物で、悪事を働いた可能性があると当てこすられたのだ。これを読んで、危うくわめき出すところだった。激怒すると同時に羞恥心に駆られた。わたしはやるべきことをやったのよ、と大声で叫びたい気分だった。だがカレンは沈黙を守り、そのことで何か言う者もいなかった。ただ時折、彼女が通り過ぎるとこっそり盗み見るような視線を感じる。遠慮なく話しかけてもらったほうがずっと気分がいいのに。でも、そうする者はいなかった。そしていまや、彼女の名前はクロエのいかさまと結びつけられてしまった。グーグルでカレンの名を検索すると、本人の業績より先にあのひどい記事が目に飛び込んでくる。あっさり無視することはできなかった。最後に見たクロエの顔を忘れることができないのと同じように。「あなたが悪いことをしたのよ、わたしじゃない」と、その幻影に向かって言う。

何をすべきか言うべきか、誰にもよくわからないままに憶測を囁き交わす日が何日か続いたあと、ついにヒロシが、グループミーティングの席上で記事について遠慮がちに尋ねた。トムの返答は冷静で感情のこもらないものだった。「悪意に満ちたゴシップ、それに尽きる。無視していればいいんだ」。おそらく賢明な答えなのだろうが、あまり役には立たなかった。どうしたら、無視なんてできる？僕が冷静でいられるなら、君たちも当然そうできるはずだと言いたいのだろう。なにしろ、標的は彼なのだから。トムにそれ以上何も言う気がないのがはっきりしたので、ホアンが直接クロエのことを尋ねた。彼女は完全にラボを去ったのか？　辞めたのか？　トムの答えは同じように短くて素っ気なかった。「そのことについて君たちと話し合うことはできないんだ。申し訳ない。僕に言えるのは、彼女がラボに戻って来ることはないということだけだ。それぞれ自分の仕事に専念してほしい。いいね？　次のテーマに進もうか？」明らかに、おぞましい記事のこともクロエがどうなったかも、討論不可ということだ。そこで彼らはグループミーティングを続けた。そして時が過ぎるにつれ、ラボは多少なりとも正常に戻った。けれどもトムは前よりよそよそしくなり、不必要な関わり合いを避けるようになった。カレンはもちろん、トムに近寄りたいとは思わなかった。まだ恨みがくすぶっていた。もしトムと直接話したりしたら、その恨みつらみがどっとあふれ出すのではないかと怖かった。そんなことになれば自分のためにならない。そこで、ルーシーがマウスと阻害剤について最初にカレンのところに話に来たとき、トムを直接巻き込まないことにした。そのときはそれが一番いいように思えた。あとで結果がわかってから、話せばいい。

ルーシーはクロエの研究の阻害剤の実験をそのまま続けていた。まもなくすべてのマウスに大きな腫瘍ができ、安楽死させる頃合いのように思われた。しかし、ルーシーがカレンに言いに来たのはそのことではなかった。阻害剤を与えられたマウスが普通より遥かに不活発でほとんど嗜眠（しみん）状態であることに、アンディが気づいていたらしい。対照群のケージでは、腫瘍があることを除けばマウスたちは元気だった。腫瘍は処置群と対照群の両方にできていた。導入遺伝子がもたらした結果だ。全般的な健康状態の問題は処置群にだけ見られた。もしかすると、なんらかの毒性があるのかもしれない。ルーシーとカレンは一緒にマウスを調べに行った。阻害剤を添加した水のボトルを交換していたとき、飲み方が少ないのにカレンが気づいた。いったんそう気づくと、嗜眠状態は脱水のせいかもしれないとすぐに思い当たった。案の定、混ぜ物のない新鮮な水も選べるようにしてやると、すぐにそちらに飛びついた。そして回復し始めた。阻害剤は臭いか味がよくないに違いない。だからマウスが嫌がったのだ。十分に水を飲んでいなかったのなら、薬剤も十分に摂取していなかった可能性があるとカレンは気づいた。もしそうなら、阻害剤が効くのかどうか、ほんとうのところはまだわかっていないことになる。確かに、阻害剤が効果を発揮するのに十分なほど水を飲んでいた可能性だってあるし、どんな方法で投与しようと阻害剤は腫瘍に何の効果もないとも考えられる。それでも、疑念は頭から離れなかった。実験がこれほど見事に失敗したのを見るというちょっぴり意地悪な満足感がいったん収まると、3D培養ではあれほどよく効いた阻害剤がマウスには全然効果がないというのは、どうも腑に落ちない。もちろん、前例のないことではない。動物の薬物代謝は複雑だ。それでもやっぱり、妙だ。効果がなかったのは摂取量が少なすぎたせいかもしれない。カレンとしては、もっと詳しく調べずにはいられなかった。そこで、薬剤を注射で直接投与してみてはどうかと提案した。関連のある研究を調べれば妥当な用量を算出できる。トムとのコミュニケーションが前ほど密でなくなったため、マウスの繁殖をやめるべきかどうか、トムにわざわざ訊きに行くことはしていなかった。だから利用できるマウスはたくさんいて、一部はすでに交配も済んでいた。ダブルトランスジェニックマウスが簡単に用意でき、注射のアイディアを試すための小規模の実験をセットするには十分だった。そこで、彼女たちは実験に踏み切った。

それは単純明快な研究だった。アンディとカレンとで、週齢をマッチングさせた正しい遺伝子型のマウスを処置群と対照群それぞれ3匹ずつ選び出した。アンディが特に気をつけて世話をすると約束してくれた。ルーシーとカレンが、処置群には薬剤溶液、対照群には薬剤なしの溶液を毎日注射することを始めた。カレンにとっては週末の仕事が増え、心配事も増えることになった。しかし、彼女は知る必要があった。結果がどうなってほしいのか、どうなるだろうと思うのかは、絶えず入れ替わった。彼女の推理と介入のおかげで今度は効くだろうと思うときもあれば、前と同じく効果はないだろうと思うこともあった。もしこの新しい方法でも効果がなければ、そのまま何もする必要はない。もしうまくいって効果があったとしたら、どうなるだろう？　こうした思いが頭の中に渦巻いていたが、いくら考えても、すっきりした答えは得られなかった。しかし、実験をすると決めた以上、どうなるか彼女たちは見届けなければならない。いや、決めたのはほんとうはカレンだ。もしカレンがリードしなかったら、アンディもルーシーもトムに相談せずにものごとを進めようとはしなかっただろう。それはカレンにもわかっている。だから、どんな結果になろうと潔く受け入れなければならない。そしてついに先週、腫瘍が現れた。どこから見ても明らかで、ぴったり予想通りだった。ところが驚いたことに、対照群にだけ現れたのだ。薬剤を与えたほうにはまったく腫瘍がなかった。それ以来、毎日マウスをチェックせずにはいられなかった。いずれにしろ注射は毎日しなければならない。今日は「正式な」検査の日だ。アンディが記録のためのカメラを持って来た。腫瘍は先週より大きくなっているが、やはり対照群のマウスにしか見当たらない。薬剤は効いているのだ。もはや疑いの余地はない。トムに話さなければならない。

トムの部屋のドアは閉まっている。

「彼は中にいるわ」カレンがうろうろしているのを見たダイドラが言う。「ミーティング中ではないし、電話に出ているわけでもないから、ノックしてみたら」

カレンはまだ用意ができていない。かすかに首を振る。「ルーシーとアンディにも来てもらわなくちゃならないの。午後に時間があるかどうか見てもらえない？」

「ええ、いいわよ」スクリーンをチェックする。「3時でどうかしら？」

「ええ、だいじょうぶ。ふたりにも知らせるわ」

カレンはそそくさと退却して裏のエレベーターに急ぐ。しまった、ばかね。ふたりはまだ無菌室の中だわ。デスクに取って返し、3時の約束になったことをメールで知らせる。あと4時間ある。いますぐのほうがよかったかもしれない。重大な話し合いが控えていると思うと、何も集中できそうにない。

◆　◆　◆

3時になる直前、アンディとルーシーが打ち合わせ通り、カレンのデスクのところに来た。3人揃ってトムの研究室に行く。

「今日はまた大勢だね。どうしたんだい？」とトムは訊くが、笑みを浮かべている。たぶん、クロエ関連の緊張が消えつつあるのだろう。小さなテーブルに3人のための場所を空け、腰を下ろした彼女たちの顔を順番に見る。

「で、どういうことかな？」誰も進んで口を開こうとしないので、繰り返し尋ねる。よくあるようにイライラしているわけではなく、ただ好奇心に駆られているようだ。ここでも自分がリードする必要があるのだとカレンは気づく。

「Ｊｍｊｄ10阻害剤を使ってわたしたちが行ってきた実験について、お話ししたいんです。ＭＭＴＶ-Ｒａｓ＋Ｍｙｃのマウスの実験をもう少ししていたので」

トムが驚いた顔をする。「どうしてまだＪｍｊｄ10の実験をしているんだ？　それはすべて何カ月も前に終わっただろう？」

「説明いたします。わたしたちが正しいことをしたと、先生も認めてくださると思います」

「わかった。聞こうじゃないか」トムが慎重に言う。ワクワクしているようには見えない。

カレンはそもそもの発端となった、薬剤を与えていたマウスが十分に水を飲んでいないと気づいたことから説明を始めた。何も抜かさないよう、時系列に沿って順序よく説明していこうと決めていた。

「水を飲んでいなかった？　最初のときにそんなことを見落とすなんて、どうしてそんなことがありうるんだ？」トムはカレンに尋ねてからルーシーとアンディに目をやる。「君ら全員がそんなことを見落とすなんて、どうしてだ？」と繰り返す。

「全然飲まなかったわけじゃないんです」ルーシーがすばやく答える。「飲み方が少なかっただけです。それほど明白ではなかったんです」

「ところがいまになって気づいたって？　重要なことだったのに、そのときは気づかなかったって？」声が大きくなり、間違いなく怒っている。いきなり怒り出されることは計算に入れていなかった。カレンはたちまち調子が狂ってしまう。ルーシーはそれ以上に動転している。いまにも泣きだしそうだ。

「トム、どうか最後まで聞いてください」とカレン。「ルーシーとわたしはどちらも、クロエの論文に書いてあった通りに正確に最初の実験をしました。薬剤の用量も投与法も、記述の通りに行いました。そうするように先生に言われましたから」

「だが、目をしっかり開けているべきだったんだ。観察しているべきだったんだ。それが、経験豊富な科学者というものだ」

「そのころは何もおかしなところはありませんでした。問題に気づいたのは5週目を過ぎてからです。そのとき、初めて問題が明らかになったんです」カレンはトムにじっと目を合わせて、ゆっくりつけ加える。「ともかくトム、わたしたちに雷を落とす代わりに結果をお聞きになったほうがいいですよ。阻害剤は効いたんです」

カレンは阻害剤を注射で投与したことや用量や手法を説明した。持参したラップトップを開いて、写真を見せる。トムはラップトップを引き寄せ、画像のいくつかをクリックして拡大した。写真を凝視し、頭をかすかに傾ける。とうとう、非常にゆっくりと言う。

「つまり君は、阻害剤が想定通り、実際に効いたと言っているんだな？　マウスで？」

「そうです、とてもはっきりしているように見えます。処置されたマウスには検出可能な腫瘍はひとつもできていません。ひとつもです。まだ、開腹して小さな結節を探すことや組織学検査はしていません。そのタイミングやなんかを先生と話し合いたいと思っているんです」

「それで君はこれが、薬剤を飲み水に入れる代わりに注射することにしたせいだと確信しているのか？」

「はい。同じ薬剤の同じバッチですから」

「だが、腫瘍の発現が少し遅れているだけかもしれないし、投与時期または週齢が正しくないのかもしれない。それについてはどうなんだ？」

「わたしたちは前と同じように、乳離れした子に5週間薬剤を与えました」とルーシーが割って入る。「処置群と対照群にそれぞれ3匹使い、2匹1組でマッチングさせました。対照群は前の実験とまったく同じ経過を示しました。薬剤処置したほうだけが違っていたんです」

「もちろん、わたしたちはもう一度やってみることができます」カレンがすばやく言い添える。「数字を改善または最適化するためです。もう少し時間をかけてもかまいません」

トムは首を振る。「正気とは思えない。この実験がうまくいかないというのが、論文を取り下げた理由なんだぞ。君らはふたりとも、うまくいかなかったと言った。自信満々だった。そしていまになって、否定的な結果は誤りだとわかったたって？　薬剤は効いているって？　いい加減にしてもらいたいな。何を信じたらいいかわからないよ」

「前回、ルーシーもわたしもクロエの論文に書いてあった通りにやりました」カレンが落ち着いた声を保とうとしながら繰り返す。「まったく同じ方法で実験したんです。明らかに、実験のデザインに問題があったんです。だから、わたしたちが最初にやったときはうまくいかなかったんです」

「2カ月前にそれがわかっていれば……」トムはあとの言葉を呑みこんだ。わかっていれば、論文を取り下げなくてもよかったかもしれない。何もかも違っていただろう。

「もしかしたら、事態を正せるのでは？　取り下げを撤回しては？　結果を確認してから、ということですけど」カレンが恐る恐る言う。

トムがかぶりを振る。「撤回はできない。時間を巻き戻すことはできないんだ。過ぎたことは過ぎたことなんだよ」

「でも、わたしたちが再現実験に注ぎ込んだあれほどの労力、あれは真実を突きとめるためだったのではないんですか？　もっと前に突きとめていたほうがよかったのはわかりますけど、いまは真実を知っているわけです。それはやはり無視できません。しかもいい結果です。もっと分析が必要なのは確かですが、実際に効果があるんですよ。わたしたちが効果を発揮させたんです。つまり、理論は正しくて、薬剤には効果があります。それは重要なことです。これを発表すれば、誰もが真実を知ることになるんです」

同じことを繰り返していると、カレンは自分でもわかっている。トムも最初は驚くだろうが、最終的には、当初のストーリーが正しかったと証明されて喜ぶだろうと思っていた。ところが彼は不当な扱いを受けたと言わんばかりの顔で、ゆっくり首を振り続けている。

「しかしどうして君らはこんなことをしたんだ？　プロジェクトはもう終了している。そう言ったはずだ。カレン、これは君が言い出したことだな？　なぜそのままにしておかなかった？」

「どうしてこれが気に入らないんですか、トム？　わたしたちは助けになろうとしたんですよ」

「こんなことをしろなんて僕は言っていない。なぜまだこれにかかずらっている？　もう終わったことなのに。なぜ君にはこれがそんなにも重要なんだ？　終わって喜んでいるとばかり思っていたよ。自分のプロジェクトに専念できるんだから」

「マウスが水をあまり飲んでいないとルーシーが気づいたとき、わたしたちは、そのせいで実験が失敗したのかどうか突きとめなければならないと思いました」カレンが語気を強める。「わたしたちには、わたしには、知る必要があったんです」

「なるほど。しかし君たちがどう思おうと、いまそれについてできることは何もない。取り下げをなかったことにはできない。取り下げ通知には、ほぼすべての結果が正しいと記してある。注意深く読みさえすれば誰にでも、理屈と主要な所見はやはり正しいとわかるようになっているんだ。君が今回学んだのは、マウスへの正しい薬剤投与法というわけだ。それだけ。それ以上の意味はない。新規の発表を正当化するほどのことではない」

「でも……でも、2カ月前にはとても重要なことだったのに」

「ああ、そうだった。だがいまはもうそうじゃない。それだけのことさ」

「でも、論文は正しかったんですよ。それなのに、もし誰かがいまその論文のことを調べようとしたら、取り下げられたとわかるわけです。取り下げ通知をとても注意深く読まない限り、論文は正しくなかったんだなと思ってしまいます。でも、そんなものを隅々まで読む人なんていません。もしこれを公表しなかったら、誰にも知られずに終わるでしょう。この阻害剤はがんの治療薬となるかもしれないのに、実際に効くことを誰にも知ってもらえないんですよ。ラボがその発見の功績を手にするチャンスだって失われるんです」

「その通りだ。しかし、この件をこれ以上引っ掻き回しても何もいいことはない」

「でも、そんなの、すごく間違っていると思います」

「カレン、もう君が心配すべきことじゃないんだよ、いいね？」

「じゃあ、わたしたちはどうすればいいんでしょう？」

「何も。何もしなくていい。そのままにしておけ。僕らは注射のプロトコルを手に入れた。役に立つ情報だ。阻害剤を将来マウスの実験に使う必要が出てくるかもしれないから、シン博士に伝えておこう。しかし僕らに関しては、この件は終わっている。済んだことだ」

カレンはさまざまな結末を想像していたが、これはまったく想定外だった。「そのままにしておけ」とは。思いつけるあらゆる根拠を持ち出して反論を試みたのに、全然らちがあかない。トムはしっかりカレンと目を合わせている。カレンはルーシーとアンディを見やった。片方は下を向き、片方は視線をそらしている。全員、言うことはもう何もない。しばしの沈黙ののち、3人は立ち上がって出て行こうとした。トムがカレンに合図する。

「カレン、そのまま。君にちょっと話がある」

カレンは再び腰を下ろす。重苦しい恐怖が忍び寄る。こんなことを始めるべきじゃなかった。心の中の賢明な警告の声に耳を傾けるべきだった。たぶんトムは、ルーシーとアンディを巻き込んだことで彼女をきびしく叱るつもりなのだ。だからふたりを先に出て行かせたのだ。自分には間違ったことをする才能でもあるんだろうか。

ドアが閉まるとトムがまた話し始めた。だがその声は思いのほか穏やかだ。苛立ちは彼女の予想より早く消えたようだ。

「カレン。君がなぜこの件全体にある程度の責任を感じているのか、理解しているつもりだ。だが、これはもうほうっておかなければならない。マウスについてつじつまが合わない点があると声を上げたことで、誰も君を責めはしない。もちろん、僕もね。この逆転劇が予想外だったことは確かだ。皮肉と言ってもいい。もしそう呼びたければね。だが、済んだことだ。僕はこの件を忘れる必要がある。君も忘れる必要があるんだ、わかるね？」いったん言葉を切り、承諾のしるしに彼女がうなずくのを待ってから続ける。

「ところで君のナノチューブのプロジェクトはついに論文発表できる体裁が整ったようだね。先週のグループミーティングで見せてくれた切断実験の結果は非常に説得力があった。すばらしい実験だ。それに腫瘍の進展との相関関係も実に見栄えがする。あれのおかげで病気との関連がある程度明確になるから、論文の審査には有利だ。ほんとうにいい仕事だよ、カレン。そろそろ、まとめ上げて投稿することについて話し合うべきじゃないかな？　今年中には確実に活字にしてもらえるようにしよう。がんばればまだ間に合う。君はどの雑誌を考えているのかな？」

◆　◆　◆

ドアを開けるとすぐ、キッチンから声が聞こえて来た。低い声と穏やかな笑い声、それに鍋やフライパンの立てる騒々しい音がする。あたりには、カレーリーフ（インド料理に使う香辛料）と炒めたチリの香ばしい匂いが満ちている。アショクが来ているのだ。今夜のことをすっかり忘れていた。でもアショクのことだから、たぶんだいじょうぶだろう。ビルが不機嫌にならなければいいけど。カレンはしっかりほほ笑みを浮かべてから入って行った。

「遅くなってごめんなさい。こんな時間だなんて気づかなくて」

ビルがコンロから振り向く。あまり歓迎できないと言いたげな顔だが、口に出しては何も言わない。ビルにキスをする。アショクには、親しみを込めて腕に触れる。握手ともハグともつかないしぐさだ。彼にはどちらも全然ふさわしくないような気がするのだ。アショクがほほ笑みを返してくれた。

「アショクから手作りのインドカレーの奥深い秘密を教わっているところだよ。それにピクルスのね」ビルが説明する。

「とんでもない」アショクがかすかに後悔を滲ませて言う。「ちょっとしたコツだけですよ。僕にお嫁さんを送りつけることができないと悟ったとき、母が教えてくれたんです」頭を振り振り、にここしながら、今度は裏声で言う。「アショクや、ちゃんと見てるんですよ。何があろうと、食べなきゃならないでしょうからね」

カレンは笑う。独身生活を守るために家族からのプレッシャーと相当戦ったに違いない。愉快な人だ。

「ほんとにすごくおいしそうな匂いね。わたしはおなかがペコペコ。それで、あなたの学生たち、今学期はどうだったの?」とアショクに尋ねる。「もう試験は終わったんでしょう? わたしたちの誤りを正してくれる科学哲学者の卵はいそう?」

「学生たちは残念ながらこれまでと同じですよ。今年は頭のいいのが数人いたんです。ほんとうに見どころがあったんですが、弁護士や株式仲買人になりたいんだそうです。あとは医者とか」

「お母様たちは満足でしょうね」

「そう思いますね。というわけで、相変わらずブタに真珠。でも僕なりに楽しんでますよ。それで、あなたの仕事のほうはどんな具合ですか？　ビルから話を聞いていたところなんですが、すでに掲載された論文のデータの再現をやっているとか？　わたしには妙な話に聞こえますが」

「アショクがクロエの話に興味を持つんじゃないかと思ったんだよ。実験科学の現場の奇妙で厄介な例としてね」ビルが説明する。

「ええ、そうなの。実は今日、トムとそのことで最後の話し合いをしたのよ」

「それは何カ月も前のことだろ」ビルが半ば質問のように言う。「いずれにしろ、終わったのはいいことだ。のめり込みすぎていたからね」

「あのね、予想より長くかかっていたの。正しいことをしたと思ったのに、結局、何もかもいっそう悪くしてしまったみたい。この件の状況全体が異様だし恐ろしいわ」

「もう少しさかのぼって話してもらう必要がありそうですね。よく理解できません」とアショク。

「わかった」カレンは溜息をつく。「じゃあ、超簡略版を話してあげる。ラボのあるポスドクが昨年の秋に一流誌に論文を載せました」

「『ネイチャー』に」とビルが補足する。

「実験のひとつにインチキがあったため、論文は取り下げられました」カレンが続ける。「そのポスドクは論文のためにあることを行ったと主張していたんだけれど、マウス飼育係とわたしはそれが実行できたはずがないことを見つけたの。彼女が使ったと主張したマウスが存在したはずはないのよ。とにかく、わたしはトムにそのことを言わないわけにはいかなかった。正式な調査が必要だと彼は言った。なんらかの理由で彼は、ラボとして論文の実験の多くを再現することも決めたの。論文のほかのデータに間違いがないかどうか確かめるためと、問題の実験を再現するためということだった。つまり、雑誌に掲載された内容が真実かどうか確かめるためというわけ」

「理にかなった措置のように思われますね」とアショク。「で、そうだったのですか？　つまり、真実だった？」

「それがね、イエスでもありノーでもあるのよ。すべて問題なかったんだけど、存在しないマウスを使った最後の実験だけは違ったの。論文に書いてある結果が得られなかったの」

アショクが割って入る。「活字になった結果の非常に多くが再現できないということを知っていますか？　製薬会社によれば、ということですが」

「ええ、聞いたことがあるわ。もしほんとうなら大変ね、そうじゃない？　ともかく、最後の実験は全然うまくいかなかったの。強い効果があるはずだったのに、何の効果も認められなかった。そこでトムは論文の取り下げを決めた。一大事件よ。『ネイチャー』の論文を取り下げるなんて、ものすごく体裁が悪いわ。トムにとってもそうだけど、特にクロエにとってはね。だって取り下げはキャリアキラーと呼ばれているのよ。彼女はもういないわ。辞職したのか、それとも解雇されたのか、わたしは知らない」

「でも、彼女の落ち度だったんですか？」

「そうね、そうだったのだと思う。でも重要なのはね、彼女がでっち上げた結果は正しかったと、わたしが見つけたことなの。もし彼女が適切な方法で実験をしていたら、そういう結果が出ていたはずなのよ。彼女が記述していたやり方では、うまくいかなかった。でもわたしがその欠点を見つけて適切な方法でやり直したら、うまくいったの。だから、論文の科学的な内容は完全に正しかったことがわかったわけ。ところがいまじゃトムはそれについて何もしようとしないの。もう終わった、そのままにしておけ、の一点張りよ」

「ちょっと待った」ビルが振り向く。「どういう意味だい？　論文が正しかったって。前に話してくれたことと違うじゃないか。取り下げ通知の内容とも一致しない」

「わたしが自分で突きとめたのよ。正しくやれば、実験はうまくいくの。論文の記述通りにやると、うまくいかないのよ」

「じゃ、論文はやはり誤りなんだな?」

「そうよ。彼女は実験したふりをしたの。でも結論は正しいのよ」

「ずいぶん、ややこしいですね」アショクは俄然、興味をそそられたようだ。「でもこうしたたぐいのことはかなり頻繁に起こっているに違いありません。やり方は間違っているけれど仮説は正しい。あるいは、やり方は正しいけれど理論が間違っている。でも、どうしてそれが異様だし恐ろしいと言うのですか?」

「そうだよ、それにどうしてそんなに気にするんだ? 君の論文じゃないのに」ビルの発言は先ほどのトムの言葉そのままで、苛立たしげな様子もそっくりだ。

「それはね、この抗がん剤となりうる薬剤が実際に効果を発揮したのに、このままでは誰にも知られずに終わりそうだからよ。異様だというのは、そもそもわたしが何も口出ししなければ、いまも何の問題もなかったはずだから。だって結論は正しかったんだもの。それに、クロエが何もかも失ったことを思うと、なんだか恐ろしい気がするの。彼女がしたことに弁解の余地なんてないことはよくわかってる。でも、あまりにも無意味だし、あまりにも悲しいわ」

「ちょっと待った」ビルがフライパンの火を消す。いかにも惨めそうなカレンの顔をまっすぐに見て言う。「このクロエってのはペテン師だ、売り込みのうまいズルだって言ってたよね」

「その通りよ。でも優秀な科学者でもあったの。インチキをする前はね。なんとなくわたしの責任みたいな気がするの。わたしが何をしたかみんなが知っているし」

「君には責任なんかない。責任があるのはクロエだよ。変わったのはただ、彼女の実験がそもそもどういうふうに行われるべきだったのかを君が突きとめたことさ」

「でも、誰にも知られずに終わるのよ。トムは公表するつもりがないの」

「世界の終わりってわけじゃないさ。たとえば僕は君がずっと正しいことをしてきたと知っている。彼女はイカサマ師で嘘つきだ。自業自得なんだよ」ビルは料理のほうに向き直る。会話はこれで終了というわけだ。

カレンはもっと話したかった。空席となったクロエのデスクのそばを通るときにどんな気持ちになるか説明したかった。それになぜ、ホアンの凝視を受け止めることができないのか。でも説明できない。その部分だけはだめだ。ほかの人たちが彼女のことや彼女のしたことをどう考えているのかわからないことが、嫌でたまらない。軽蔑している？ 憐れんでいる？ 一晩に言うべきこととしてはもう十分言ったのは、カレンにもわかる。ビルには、聞きたくないことまで聞かせてしまった。それは完璧に明らかだ。

沈黙を破ったのはアショクだった。

「この相手の人物に関しては複雑ないきさつがあるようですね。僕が口を出すべきことでないのはもちろん承知していますが、あなたはご自分に少しばかりきびしすぎるのではありませんか？ いずれにしろ、僕としてはあなたの別のプロジェクトの進み具合のほうを聞きたいですね。前回お邪魔したとき、細胞間の例の長くて細いつながりについて話してくださった。とても興味をそそられましたよ。あれはどうなっていますか？ むずかしい切断実験はうまくいきましたか？」

去年のことを、どうやったらそんなに何もかも覚えていられるのだろう？ でも、ありがたい。思いやりがあるのね、アショク。カレンは熱心に質問に答え始めた。

第19章

生と死のダンス――それともただの無駄話？　いったい何をしているのだろう、この絶えず変化するおチビちゃんたちは？　いつものように、顕微鏡の下では極微のドラマが演じられている。そしていつものように、そこにはカレンがいて観察している。遠い宇宙から来た生き物が主演する無声映画を見ているようだ。わたしたちの直感では捉えることのできない理由で、わたしたちには理解できない活動にいそしんでいる。細胞って、ほんとうにおもしろい。それぞれが独立した個体で、すべきことをたくさん持っている。そしてたとえこうした単純な細胞であっても、その上には、互いにつながり合う複雑な生活がある。と言っても、ニューロンほど密接につながり合っているわけではない。ニューロンは脳の至るところに絶えず情報を伝え、処理し、記憶している。しかしこのチビ助たちも、やはりそれなりに印象的だ。この小さな生き物たちがどうやって意思疎通しているのか、理解したい。いや、正確に言うと、解明したい。教科書で学べるのは、十分に知られたこと、定義されたことだ。でも、自分で学び、答えを見つければ、新しい知識のかけら、未知のことが手に入る。そうなれば最高だ。

観察している細胞のひとつには緑色の蛍光標識、少し離れた別の細胞には赤い蛍光標識がついている。いまでは見慣れた長く細い結合が、緑の細胞から赤の細胞へ伸びているのが見える。しかしこのペアには逆向きの結合、つまり赤から緑へ伸びる結合もある。これは何を意味しているのだろう？双方向の結合とこれまで見てきた一方通行の結合とは、細胞に及ぼす影響が違うのだろうか？　その答えはまだ手にしていないが、興味をそそられる。最初に気づいたのはひと月ほど前だ。赤い細胞をもっと鮮やかにする方法を見つけるとすぐ、はっきり見えた。いまでは赤い細胞も緑の細胞と同じくらい明るく輝いている。逆方向の結合は突然、そこにあった。訓練の甲斐あって、いまではすぐに気づくようになっている。見当たらないとき、確実にないと断言するのはまだむずかしいが、だんだんにそうできるようになっていると思う。あとはただ、それが何を意味するのか見つければいいだけだ。彼女はふっとほほ笑んだ。見つければいいだけ？　途方もない望みだ。だが彼女には難題に立ち向かう覚悟ができているし、いまは頼もしい手段もある。細胞切断実験は9カ月前に成功して以来どんどんうまくなっている。ゆっくりとではあるが、前進しているのだ。

彼女はもう一度記録を調べ、2個の細胞を追跡して、双方向結合のひとつが離れるところを観察した。これは正常なものなのだろうか、それともアーチファクト（人為的な結果）なのだろうか？　顕微鏡の下にあまりにも長時間置かれたため、細胞が劣化したのだろうか？　きちんとチェックしなければならない。顕微鏡の下に置く前とあとにサンプル中の結合の数を計測すれば、答えが出るはずだ。とはいえ、アーチファクトだと思っているわけではない。結合はダイナミックだ。細胞の変化につれて変化する。離れるのはたぶん、結合の振る舞いの別の側面なのだろう。でも結合は何のためだろう、どうして双方向なのだろう？　仮説を立てるにはもっと多くのサンプルを観察して、もっといろいろ考えてみる必要がある。とてもワクワクする。この細胞間の細い結合、いわゆる〝ナノチューブ〟の発見はほんの始まりで、その先に大きな広がりを持つ研究が待っていてほしい――そんな彼女の願いはどうやらかないそうだ。この結合とその働きについては、知るべきことがどっさりある。

カレンはスクリーン上の時刻に目をやった。午前10時近い。この暗く静かな部屋にいると、すぐに時間がわからなくなる。もう何時間もここにいて、割り当てられた時間は終わりだ。自分のものをまとめて片づけ始めながら、双方向結合についてあれこれ考え続ける。誰かに話したい。でもトムは駄目。まだトムには話せない。前はよく、朝や夕方にビルと意見を交わしたものだった。もう、そういうことはない。停戦の申し合わせの一部だったが、その申し合わせ自体、もはやそれほどいい考えとは思えない。前のようになりたいと、彼女はその日見つけたことについてさりげなく話しかけてみた。ところがビルは興味を示さず、なんとなく腹立たしそうなことさえあった。だから彼女も試してみることをやめ、いいことも悪いことも自分の胸ひとつに収めている。それでも、やはり誰かに話したい。興奮を分かち合い、その意味について大胆な推測を述べ合いたい。研究のなかでも、この段階が一番楽しいのだ。たとえ、適切な実験によって自分の考えの誤りが判明するという現実に直面することになろうとも。

組織培養室に戻ると、普段彼女が使っているフードでエッコが作業中だった。近づくと、気づいたエッコが一瞬、慌てたような顔をした。立ち上がりそうにしたが、フードの内側にある片手にフラスコ、もう片方の手にまだピペットを持ったままなので、ほんの2、3センチしか動けない。

「いいえ、いいの」とカレン。「心配しないで、エッコ。それはわたしのフードっていうわけじゃない。毎朝独占しようなんて思ってないわ。そのまま続けて。わたしは別のを使うから」

エッコはためらい、ありがとうと言うようにうなずいて、自分の仕事に戻る。

カレンは隣のフードのスイッチを入れ、消毒薬で拭く。今日は博士論文の口頭試問があるから、アリソンが午前中にフードを使うことはないだろう。アリソンの論文発表の時間を忘れないようにしなくちゃ。そのあとはラボでのお祝いの準備もある。必要なものが全部揃っているか、ルーシーともう一度確認しなければならない。アリソンとはこの1年、以前ほど話さなくなっていたが、それでも友達だと考えていた。彼女がちゃんとお祝いしてもらえるように、しっかり準備しておきたい。午後はやることがたくさんあるから、細胞培養はいま始めておいたほうがいい。だが、最新の結果について誰かに話したくてたまらない。というより最新の予備観察結果と言うべきだろう。まだほんとうはちゃんとした結果とはみなせない。エッコは簡単に感激するほうではないが、とても思いやりがある。もしかすると、エッコこそ、これをぶつけてみるのにふさわしい人物かもしれない。

「いまね、昨夜の記録を見てきたところなの」とカレンは口火を切る。「すごくクールなのよ……一部の細胞のあいだには双方向のナノチューブが存在するって、いまでは確信してるの」。エッコがうなずくのが、後姿からわかった。ここの騒音越しに話をするのがどんなにむずかしいか、気づかされる。もっとあとにするしかない。「よかったら、あとで見せましょうか？　どう思うか、見てくれないかしら？　もし時間があれば」

「ええ、とてもおもしろそうね。今日の午後はどう？　それとも明日がいい？」

カレンは多忙な午後とエッコのスケジュール、それに話したくてたまらない自分の気持ちをよく考えてみる。「明日がいいわ。わたしのほうから声をかけるわね」

消毒が済むと、フラスコを培養器からフードに移し、ひとつずつ顕微鏡で調べる作業を始める。ドアが開いてユキが入って来る。カレンが見上げる。このごろユキはどこか違って見える。頬の赤み、消えそうで消えないほほ笑み。来たばかりのころは少し不安そうなためらいがちのほほ笑みを浮かべていたものだが、ああいう新入り特有のほほ笑みとは違う。もしかすると、彼女も何かいい結果が出たのだろうか。あ、わかった。もちろんそうじゃない。まったく別のものだ。恋をしているのだ。その幸運な男性が誰か、カレンには思い当たるふしがある。今年の初めにラボに加わったアメリカ人ポスドクのジェフだ。ジェフは長身で横幅もあり、いわゆるアメリカサイズだが、とても内気なタイプのようだ。最初のころはいつも、スクリーンから目が離せないかのようにコンピュータの陰に隠れていた。ところが最近、自分から陽気に「おはよう」と声をかけてカレンを驚かせた。態度に変化が現れたのは、ようやくラボと研究所に慣れたせいとも考えられる。だがカレンは、いまそのほんとうの理由がわかったと思った。またもうひとつ、ラボのロマンスが進行中ってわけね。そう思うと、楽しくなると同時にちょっぴり懐かしさを感じる。ビルとの5年前の出会いが思い出される。激しい乱気流に毎日揉まれているような気がしたものだ。当時彼女はポールのラボの留学生だった。ビルがいるラボの中を移動するときのドキドキ感と複雑な気持ち。いい日もあれば、悪い日もあった。

ユキが3番目のフードに落ち着くとすぐ、カレンはやんわりとからかい始めた。

「このごろ、とっても楽しそうね、ユキ。何か特別なわけがあるの？」

ユキは否定しようとかぶりを振ったが、こらえきれずにまたほほ笑みを浮かべる。頬が赤くなるのも抑えることができない。だが、直答は避ける。

「ジェフはほんとうにいい人みたいね」カレンが続ける。

「ええ、とてもいい人」ユキはますます赤くなるが、それ以上は何も言おうとしない。困らせたいわけではないので、カレンもそこまでにしておく。どうしていままで気づかなかったんだろう？　ふたりはもう何カ月も前からデートしていたと思われるのに。ここはおかしな小世界ね。

「で、あとでアリソンの発表を聴きに行く？」

「もちろん」ユキがわずかに声の調子を変えて答える。「きっとうまくやると思うわ」

「わたしもそう思う。2番目の論文が受理されたって聞いたけど」

「そうなの。彼女が話してくれたわ。彼女にはお祝い事が重なるわけね」

カレンは自分の論文のことを考えた。ちょうど受理されたところで、まもなく掲載される。すっきりしていて明快で、とてもいい論文だ。新規性という点ではちょっぴりケチがついたけれど、誇りに思っている。1月に出し抜かれて、プロジェクト全体がもう駄目になったとすっかり悲観していたことを思えば、ほんとうによくやった。当然、最高の雑誌は狙わなかった。だが、気に入っている学会誌の『Journal of Cell Biology』に載せてもらうには十分なだけの新しい洞察が得られた。たいした修正の必要もなく受理されたこともあって、満足している。もしかしたら、次の論文は三大誌を狙えるようなストーリーにできるかもしれない。いい仕事を手に入れるにはこの論文ひとつでは不十分だ。でも、論文はもっと出せる。追究し続ければいいだけだ。そう心に決めると、目の前の仕事に全神経を集中した。

◆　◆　◆

「おめでとう、アリソン」。カレンはアリソンをハグしてから後ろに下がって、彼女の顔をまっすぐに見つめた。ほっとしたような顔のアリソンは、色とりどりの花束を渡されると晴れやかな笑顔になった。「発表はすばらしかったわ」カレンが続ける。「それに質問もうまく捌(さば)いたしね」

発表はもちろんそのあとの質疑応答をアリソンが特に心配していたのを、カレンは知っていた。心配する理由なんてまったくなかったのだが、心はいつも論理的とは限らない。

「ありがとう。すごく……あっという間だったわ。本格的にびくつく前に終わってしまった」信じられないというようにちょっと笑って首を振る。「わたし……」ラボのメンバーたちがお祝いを言いに寄ってきたので、アリソンは言い終えることができなかった。カレンは後ろのテーブルまで下がってから、花を挿す花瓶を探しに行く。これはアリソンの晴れ舞台なのだ。

講堂での口頭審査のあと、一同は3階に戻った。休憩エリアにラボの全員が集まる。カレンとルーシーが買い物をして、お祝いにふさわしい華やかな雰囲気に飾りつけてある。シャンパンもたっぷり用意したし、みんなに行き渡るだけのケーキもある。トムが密室でのごく短時間の審議から戻って、アリソンとそばにいた全員に、博士論文審査委員会が感銘を受けたこと、したがってお祝いがふさわしいことを伝えた。そうなることはわかっていた。論文の受理をすでに委員会が決めていなければ、口頭での審査は行われない。受ける側からすれば口頭審査は恐ろしいものだ。むやみにそんな目にあわせて何になる？　形式的なものではあっても、カレンは正式な口頭審査の伝統が好きだ。誰かが科学者の集団に正式に加わったことを祝う機会なのだ。アメリカ式のやり方はちょっぴり軽すぎるようにカレンには思えるが、それでも、心に残るイベントではある。

カレンが出席した博士号口頭審査には公開の発表がつきものだった。内容が理解できるかどうかに関係なく、親や友人がこぞってつめかけるのだ。アリソンの両親も今日の発表には来ていた。2列目にいた中年カップルはそれ以外に考えられない。ラボのお祝いにも参加し、アリソンの背後のドア近くに立っているのが見える。アリソンと同じく、この日のためにドレスアップしてきたようだ。手をつないでアリソンを見つめている。なんてすてきなのかしら。自分たちの娘が博士号を取得したことはおそらく、ご両親にはとても大きな意味を持っているのだろう。もしかしたら、この何年か娘がどんなところで仕事をしていたのかにも、興味津々なのかもしれない。ふたりは込み合った部屋の中に進んで、ためらいがちにあたりを見回した。アリソンは忙しくしているし、誰も声をかけないので、結局ガラスの壁越しにラボを覗き込み、研究道具が並ぶ実験台エリアを見ている。ラボなんて見たことがないのかもしれない。トムがふたりに目をとめ、話をしようと歩み寄る。くつろがせ、歓迎されていると感じてもらおうというのだろう。有名な教授に直接声をかけられて両親は喜んだらしく、たちまち会話が弾む。きっとふたりの記憶に残るだろう。カレンは見つめながらほほ笑み、自分の口頭審査を思い起こす。あのときも同じようなことが起こった。やや気圧（けお）されながらも誇らしげな両親は、年配の親切な教授に声をかけてもらったのだ。別の国の遠い昔のできごとのように思える。同じパターンが繰り返されるなんておもしろい。まもなくシャンパンの栓が抜かれ、トムの短いスピーチがあるはずだ。

　ラボでお祝いがあるのは、1年前のクロエの論文以来初めてだ。実は、カレンは何週間か前に自分の論文のお祝いを固辞したのだ。トムにも異論はないように感じられた。何かカレンに関することが理由なのか、それとも論文の投稿先が『ＪＣＢ』だからなのか、あるいは去年の不愉快な事件がまだ影を落としているせいなのか、カレンにはわからなかった。だが、博士号の口頭審査は別だ。誰もが心おきなく祝える。カレンは周囲を見回した。ラボには通常の入れ替わりがあったにもかかわらず、1年前と顔ぶれはほとんど同じだ。ジェフが新しく入った。クロエはもちろんいない。それにホアンも。あれは奇妙な話だった。マドリードから突然仕事の話があって、夏のあいだに慌ただしく去ったのだ。家族がここにうまく馴染めず、できるだけ早くスペインに戻りたがっていたらしいという噂があった。この求人はまさに青天の霹靂（へきれき）だった。周囲の人たちには、これは理想の仕事なので、たとえポスドクになってまだ日が浅いとしても、受けないのはばかげていると語った。そして彼はその仕事を得た。それだけのことなのか疑問だとカレンは思う。ラボを去りたい別の理由があったのではないだろうか。もしかすると、カレンのように何もかも気詰まりになってしまったのかもしれない。カレンにとっては、毎日ホアンの姿を見なくて済むようになり、ラボで過ごすのが楽になった。いまではそうしたもろもろのことを意識的に考えることなく日々が過ぎる。肩に重くのしかかる後悔と自責の念がゆっくりと取り除かれていく。だがときには戻って来る。ちょうど、ラボの全員が集合してトムのささやかな祝辞を待っている、いまこのときのように。カレンは身震いした。いまはクロエのことなど考えたくない。何かすることを見つけなくちゃ。ヴィクラムがたまたまひとりで近くにいる。彼の最近の論文について尋ねるのにちょうどいい機会だ。投稿誌に受理されたばかりだと聞いているから、たぶん喜んで話してくれるだろう。論文についての適切な質問が頭に浮かぶ前に今日がどういう日か思い出し、それを会話の糸口に使うことにする。

「ラボで博士号の口頭審査のお祝いをすることってあまりないわね。わたしたちはほとんどがポスドクだから。どんなにいいものか忘れていたわ」

「ああ、みんな興奮して舞い上がっているね」ヴィクラムは目をギョロッとさせ、両手でわずかに羽ばたくようなしぐさをした。「親たちはいつもとても場違いに見える。恐ろしいほど、自慢げだ。でも、その自慢に思っているものの正体をほんとうはよく知らないのさ」いったん言葉を切ってから大げさな諦めの口調で続ける。「もちろん、このすばらしく民主的な時代にあって、分子生物学の博士号を取得することは必ずしも非凡な業績ではない。必要なのは、実験台での5年に及ぶ苦役に耐えることと、担当教授が喜んで君の名を論文の最初に置いてくれることだ。たとえその教授が論文を書き、実験を全部考えたのだとしてもね。君からの重要な科学的見解の貢献はあってもなくても一向にかまわないんだ。でも親たちにはそんなこと、教える必要はないのさ」

「それはちょっと手厳しすぎるんじゃない？　アリソンは自分の研究の内容をよくわかってるわ」

「ああ、アリソンのことじゃないよ、もちろん違う。彼女は頭のいい子だ。いまのはただ、僕らの世界の悲しい現状に対する一般的なコメントだよ。君だって、その通りだって認めないわけにはいかないだろ、違うかい？」

「ええ、ある意味ではそうね。そういうことがあるのは知ってる。でも、博士号取得者のなかには十分その資格がある人もいるし、アリソンもそのひとりだと思うわ」

「はい、はい、もちろん彼女にはその資格があるよ。だけど僕はほら、あちこち見てきてるからね」と茶目っ気たっぷりに目をキラリと輝かす。「国道128号線の外側じゃ、博士号を持ったクズ連中にお目にかかったものさ」真顔になって続ける。「ちょっとがっかりだよね。大学の与える最高の学位である博士号が行儀のいい技術屋に行く。そして口頭審査はただの形式に過ぎないなんて」

「あなたの口頭審査はそうじゃなかったの？」

「ああ、僕はものすごく残忍な審査官の試験を受けさせられたんだ」

「じゃあ、今日の行事みたいなのじゃなかったのね？　おもしろいわ。わたしはちょうど、自分の口頭審査と思いがけず似ているなって思ってたところなの。少なくともある意味ではね。スウェーデンでは、公開の舞台の上で適切な専門知識を持つ教授を相手に正式な論戦をさせられるの。相手はできるだけ多く質問することを求められるから、ちょっと長引くのが普通ね。でもやっぱり形式的なものので、首が飛ぶことはないし、氷の上でシャンパンが冷やされているのよ」

「なるほど、僕の口頭試問、つまり博士号口頭審査はそうじゃなかったね。イギリスでは、少しばかり汗をかかせるためのものなんだ。きびしい試練ってやつさ。僕は何時間も、自分の研究テーマに関する過酷な尋問だけじゃなく、もっとかけ離れた分野の果てしない質問にさらされたよ。表面的じゃない知的な討論までなんとかやってのけたわけだ。ほんものの科学者みたいにね」

「でも、あなたは合格したようね」

「ああ、僕は合格したよ」といたずらっぽくニヤリとする。「でもね、ご覧の通り、僕は並外れた才能の持ち主でもあるからね。すばらしい成績で口頭試問に受かるのは当然なんだ。すっかり恐れ入った審査官に、このことは口外無用に願うと頼まれたくらいさ」

これは笑いを引き出すためのジョークで、実際にその役目を果たした。

「では、とても才能のあるヴィクラム博士、あなたの腫瘍不均一性に関するすばらしい研究のことを聞いたんだけど、それはどうなの？『サイエンス』に受理されたの？」

「いや、まだだけど、受理されると思う。査読者からデータ分析と統計処理をもう少し要求されているんだ。幸い、そういったことは得意だからね。もろもろの神よ、感謝します」とにっこりする。

「追加の実験の依頼はなかった。だから、来月にはすっかり片がついていると思う」

「すごいわ。おめでとう。この前あなたがその研究について話をしたとき、分析の範囲の大きさにとても驚いたの。オミクスの二乗[訳注1]っていう感じだった。今後の仕事のすばらしい出発点にもなるでしょうね。じゃあ、あなたは求人市場にすぐにでも出るつもりなの？」

「ああ、絶対にそうするつもりだ。前に進んで、老いぼれてしまう前にちゃんと自立する必要があるからね。教授職が僕を呼んでいるんだよ。まあ、准教授で手を打つつもりだけど」

「老いぼれるですって？　あなたが？　イギリスで博士号を取ったのなら、たぶんまだ20代なんでしょう？」

「いやいや、ふた月ほど前に30になったところさ。でも、僕のピークはもう終わりなんじゃないかな。そう見えないかい？　だいたい僕は精神的に老成しているからね」

「30歳なんてどうってことないわ。わたしなんかあなたより3つも上なのに、ポスドクになってまだ何も仕上げてない。本格的な仕事を手に入れる前に体も心も年寄りになってしまいそうよ」

しばらくはどちらも無言だった。

「とても運が悪かったね、出し抜かれるなんて。ほんとうに残念だよ」と言う彼の声には心からの同情がこもっている。「信じられないくらいツイてなかったね。ナノチューブの第一発見者になれたらすごかったのに。でも君の『JCB』の論文は自慢できる論文だよ。別に上から目線で言ってるんじゃないからね。ほんとうにそう思うんだ。見事な論文だよ。タイミングが悪かっただけさ」

ヴィクラムの言葉にカレンは心を揺さぶられた。起こったことを思い出させつつも、それを称賛の機会に変えてしまうなんて、ほんとうに優しいのね。でもいまは、自分自身や自分のキャリアの見通しについて話したいとは思わない。ヴィクラムの論文のことを最初に聞いたときの思いがまた頭に浮かんで、思わず口を突いて出る。

「こういうふうにみんなの論文が受理されるってことは、トムの評判がクロエの論文の取り下げにそれほどひどい影響を受けていないってことよね。あなたの論文が『サイエンス』に受理されようとしているのが、その何よりの証拠だと思うの。もちろん、わたしたちのプロジェクトはどちらもあの『ネイチャー』の論文とは関係がないわ。でも、もし科学界がトムに不信の目を向け始めていたら、こんなにすんなりとは進まなかったんじゃないかしら」

「同感だね。トムはずいぶんうまく切り抜けた。進路がちょっぴり狂っただけだ。もともと、深刻な影響を我慢する気なんかさらさらないんだ。これが完全に公平なのかどうか、僕には確信が持てないね。とはいえ、僕らにとって安心なことであるのは確かだ。もしトムが村八分にされていたら、僕ら全員が困ったことになっていただろうね」

訳注1　とても広範囲という意味。オミクスはゲノミクス、プロテオミクスなど、研究対象+omicsで表され、生体分子を網羅的に研究する学問の総称

「確かにそうね」

「それに、いささかムカついたかもね」ヴィクラムは軽い冗談の言い合いに戻ろうとしたが、カレンは乗らない。

「クロエは？　クロエがどうなったのか知ってる？」

「いや。全然知らない。ある日ここにいたと思ったら、次の日にはいなかったんだ」

「誰も何も聞いていないなんて、ときどき心配になるの」

「そんなものだよ。誰だって自分の心配で手一杯なのさ。僕らは家族じゃないんだ。ラボは一時的な寄港地、アパートで共同生活しているようなものなんだ。楽しいけど、ラボの友情をほんものの絆と勘違いしちゃいけないよ」ヴィクラムは思いがけず痛烈な言葉で締めくくった。彼なりに失望を味わったことがあるに違いない。

「ただ彼女のことを考えていただけ、それだけよ。お祝いで思い出しちゃったの」

向こうのほうで、トムがアリソンへの祝辞を述べようと動き出すのが見える。

「わかるよ」ヴィクラムがもっと穏やかな調子で言う。ふたりは口をつぐんでトムが話し出すのを待つ。

トムの型通りの祝辞といつもの軽い自虐ジョークを聴くのにたいした集中力はいらない。カレンの思いは別のほうに向かう。何カ月か前、マーチンのラボを訪ねたときの惨めな思い出がよみがえる。クロエがどうなったのか、どうしても知りたかった。あの記者にいろいろ書かせたクロエにはまだ腹を立てていたものの、そもそもの責任は自分にあるという複雑な感情のほうがもっと強かったのだ。トムは何も言おうとしなかった。まるでクロエなど存在しなかったかのように振る舞っていた。ほかの者たちもやはり何も言わなかった。たぶん詳しい事情は知らないのだろうが、それにしても。誰もが、気持ちを切り替え、先へと進んでいた。クロエがどこかで重い鬱状態に苦しんでいるのに、誰も気づかないとしたら？

彼らはほとんどがそうだが、クロエも家族から遠く離れていて、頼れるのは友人や同僚だけだ。とうとうカレンは勇気を掻き集めて、マーチンと話すことにした。5階に行くのは初めてだ。そしてこれが最後になった。狭い研究室に入ってマーチンを一目見ただけで、来たのは間違いだったとわかった。

「あの……クロエからは誰のところにも何も連絡がないので」なんとか言葉を絞り出す。「どこにいるか知っていますか……彼女がだいじょうぶかどうか、知っていますか?」

「たいした神経だな。僕が君と話をするだろうなんて、どこから思いついたんだ? 特にクロエのことで?」いまにも唾を吐きかけんばかりだ。「もう十分じゃないのか? 彼女のキャリアをつぶしたんだぞ? 君なんか逆立ちしたって及ばないほど優秀な科学者だったのに。さっさと出て行け」

マーチンのけんまくに思わず後ずさりしたのを覚えている。何も言えなかった。反論も言い訳も、すぐには浮かんで来ない。できるだけ急いで研究室から出て廊下を戻った。それ以来、マーチンにも5階にも絶対に近寄らないようにしている。幸い、それはむずかしくなかった。だが彼の一言一句がカレンの記憶にしっかり刻まれている。

陽気なおしゃべりとともにアリソンがシャンパンのグラスを手に回って来て、カレンは不意に現在に引き戻された。カレンが手ぶらなのに気づいたアリソンが、満たされたばかりのグラスを取り上げて渡す。

「一緒に乾杯して」と言うアリソンにみんなが唱和する。

「晴れの日を楽しんでいる? ご両親も?」カレンはお呼びでない回想を追い払って、なんとか心からのほほ笑みを浮かべた。

「もちろんよ。すっかり終わって、すごくほっとしたわ。それに、何もかもとってもステキ。こんなにまでしてくれて、あなたとルーシーにはほんとうに感謝しているのよ」

「いいのよ。一生懸命やったあなたなら、これくらいしてもらって当たり前だわ」カレンは泡立つ飲み物をひと口飲んだ。「で、今後の計画は？　しばらくはラボに在籍するの？　それともすぐどこかに移るの？」

「移るわ。家族と少し過ごしたあと、ここを離れてポスドク生活を始めるの。ここでやるべきことは終わったし……」

「あっちにはもっといいことが待っているのね？」

「当たり」アリソンはクスクス笑いながら「待ちきれないわ。アレックスとの超長距離恋愛が1年近くになるんだもの。もう限界。でも、わたしたち連絡を取り合いましょうね、いい？　どこかで学会があるときに会うのもいいわね」

「ええ、そうね」カレンはにっこりしながら言う。たくさんの別れの言葉。「またね」が実現することもときにはあるに違いない。

第20章

2014年12月

会議場の灯りが突然、活気を演出する人工的な明るさから営業終了を告げる薄暗さに切り替わり、カレンは物思いから覚めた。いろいろ思い出して、どこにいるのかすっかり忘れていた。乏しい照明が、最後まで残っていた人たちにも、荷物をまとめて出て行く時間だと告げている。何列も並んだポスター板やたくさんの垂れ幕も撤去され始めている。すぐに、ホールは別の大きな団体、住宅販売とかエレクトロニクスの動向を議論する団体に占拠されるのだろう。数年前のカレンなら、そんなことを議論するなんてくだらないと決めつけたことだろう。いまは、そんなにあっさり決めつけるつもりはない。ただし、自分の居場所が科学にあることに満足している点は、前と同じだ。つらい目にあい、つまずき、長時間労働という現実があるにもかかわらず。また、一つひとつの進歩がばかばかしいほどちっぽけだとわかっているにもかかわらず。彼女もそうした進歩に貢献しているし、もっと有名な研究者が熟練の技で成し遂げ、大事な縄張りを仕切るために使う成果も、同じように貢献している。

それが彼女の世界であり、彼女はその中に自分のささやかな居場所を作った。今日という日がその証拠だ。

会議場をあとにしたカレンを、ガラス張りのロビーに射し込む透明な午後の光が迎える。滞在している部屋のあるホテルの階へ連れて行ってくれるエレベーターを目指す。彼女の発表は最終日だったのだが、帰宅を急がないことに決めていた。いまは、いい考えではなかったような気がする。もう一晩ボストンにとどまる理由なんてあるだろうか？　ここへ来た目的は果たした。発表はうまくいったし、今日は久しぶりにトーステンに会えてよかった。それにもちろん昨日はアリソンにも会えたし、近況を報告し合うのは楽しかった。トムのラボにいた人はほかには誰も来ていないようだ。いまはもう、あちこちにバラバラになってしまったのだろう。クロエを見かけたと思い込むなんて、どうかしていたとしか思えない。ちょっとした気の迷いだ。だいたい、どうしてクロエがボストンにいる？　ここに姿を見せたりする？　彼女はそんなことしやしない。カレンは17階のボタンを押す。ログオンしてメールをチェックしたいという衝動には抵抗しよう。この24時間のあいだにラボにどんなささいな危機が襲いかかったかを確かめるなんて、いい加減にしなきゃ。代わりに、好天のもと足を延ばして、ケンブリッジで観光客を気取ってみようか。仕事をうまくこなしたのだから、少しは楽しんでもいいだろう。トムがここにいないのは残念だ。でも彼は、総会講演つまり基調講演をするのでない限り、こうした大きな学会には決して出ない。その気持ちはわかる。それでも、彼女の成功を見てもらえたら、どんなにすてきだっただろう。研究所からはほんの数マイルしかないのだから。

◆　◆　◆

1時間後、カレンは群衆を観察しながらハーヴァードスクエアを歩いていた。よく晴れた午後とあって、キャンパス周辺の通りは人で一杯だった。たぶん学生たちだろう。バックパック、カラフルな毛糸の帽子、ボロボロのジーンズやぴちぴちズボンで闊歩している。でも、冷たい冬の空気と薄れゆく光が、すぐに彼らの多くを彼女同様に通り沿いのカフェへと引き寄せる。彼女が入ったカフェは暖かくこぢんまりしていて、コーヒーの香りが天国のようだ。

カフェの中で話したり読書したりしている学生は少ない。大半は携帯やタブレットをいじっていて、光る画面に没頭している。こんなふうに自習室代わりにされて、カフェはどうやって商売を成り立たせているのかしら、とカレンはぼんやりと考える。彼らを見ても、学生のころに帰りたいという強い郷愁は感じない。ストックホルムでの自分の学生時代とはあまりにも違いすぎる。あのころ、カフェに行くのは当たり前のことではなかったし、学生が得体の知れないEワールドに四六時中つながっていることもなかった。文字通りひとりぼっちで過ごす長い時間があって、それは各人の性格次第で、恐ろしい時間にもなれば、気持ちの休まる時間にもなるのだった。ほんの15年ほどでこれほどまでに自分を時代遅れに感じるなんて、不思議ね。この若者たちはわたしとは違う世界に生きている。だが、郷愁を感じない一番の理由は、彼女が覚えているからだ。あの時代は彼女にとって、楽しく気楽な日々ではなかった。ほかの多くのことを犠牲にして一生懸命努力した。いま、その成果を収穫し、米国細胞生物学会での発表で好評を博したというわけだ。目標をついに達成したという満足感に包まれて、カプチーノとキャロットケーキを注文しようと待つ。特別な一日を締めくくるささやかな楽しみだ。店内の暖かさに、シカゴの寒さにも負けない無地の冬コートを脱いで腕に掛ける。

窓際の席はみな塞がっていたので、奥へ進んで座る場所を探す。知っている顔がある。東洋人だ。あれはユキに違いない。話している相手の男性は後姿しか見えないが、ジェフではないだろうか。ユキが目を上げてこちらに気づきもしないうちから、カレンはにこにこしながらふたりのほうへ進む。「カレンじゃないの。久しぶりね」ユキが独特の笑みを返しながら言う。「今朝の発表、とてもよかったわ。ジェフを覚えてる?」

ジェフが半分振り向き、カレンのトレーを見て、手伝おうと立ち上がる。

「ありがとう」カレンが両方に言う。

「座って、座って」ユキが少し場所を空けて椅子を一脚引き寄せる。

「じゃあ、あなたたち学会に来ていたの?」カレンが言いながら腰を下ろす。

「ええ、そうよ」ユキが答える。「すごく大掛かりな集まりだったわね。すぐに頭が飽和状態になってしまうって話していたところよ。少なくともわたしたちはね。もう頭の柔らかい学生じゃないんだもの。4日間も続いたら当然よ。でもおもしろかった。発表のあとで挨拶したかったんだけど、あなたの周囲は人がびっしりだったから。ここでわたしたちを見つけてくれてほんとにうれしい」

「アリソンに会った?」とカレン。「昨日、彼女のポスターのところで話したの。彼女がラボを出て行って以来、会うのは初めてよ」

「いいえ、わたしは会ってない。彼女、元気?」

「とても元気だったわ。すごくかわいい子供たちの写真を見せてくれたのよ。1歳と4歳ね。子供たちの話をするときの彼女ったら、誇らしさと喜びではちきれそうだったわ。ただ、家庭と仕事の両立に苦労しているみたいな印象を受けた。よくある話ね。でも幸せそうだったわ。仕事もうまくいっているし。とうとうポスドクとしての研究を論文として発表するそうよ。でも、あなたたちがどうしていたか聞かせて。いまどこにいるの?」カレンは急いでつけ加えながら、ユキからジェフ、そしてまたユキへと視線を動かした。

「僕は小さなバイオベンチャー、ジェネロック社に1年くらい前に移ったんだ」とジェフ。「ここボストンのね。トムのラボにいたときとはずいぶん勝手が違うけど、楽しんでいるよ。僕には正しい選択だったと思う。あとは、僕が何か役に立つ成果を挙げるまで会社がつぶれないでいてほしいだけだね。でなければ少なくとも、もっといいところに移れるくらい経験を積むまでね」

「それで、あなたはどうしてたの、ユキ?」

「わたしは結局、トムのラボにとどまることになったの。職員として」

「それは新しい試みね。つまりトムにとってはっていう意味だけど」

「ええ。ラボで誰か中核となるプロジェクト、つまりMyc関連のいろいろなことを継続的に進めてくれる人員が必要だって感じたんでしょうね。わたしの下には学部生やときには研修生がいて手伝ってくれるの。トムはわたしにある程度自由にやらせてくれるのよ。わたしはラボの管理業務もやってるわ。ちょっと退屈な仕事だけど、だいじょうぶよ。ダイドラが助けてくれるし」

「じゃあ、ルーシーはもうラボの管理業務はしてないの? その方面のことは彼女が面倒を見ていると思っていたけど」

ユキがためらい、束の間、目をそらす。

「聞いてないの?」

「聞くって、何を?」

「ルーシーのこと。4年くらい前にすい臓がんと診断されたの。かなり急速に悪化して。ほんとうに大変だった。それから1年くらいで亡くなったの」

「まあ、なんてこと。ちっとも知らなかった。恐ろしいわ。かわいそうなルーシー。あんなにいい人だったのに。それにまだ40代だったんじゃない?」

「50近かったと思う。トムにはとてもショックだったの」

「実はラボを離れてからは連絡を取っていなかったの。最初のころに何度かメールを出したきりで、その後は全然」とカレン。

「トムに会いに行くべきだよ」ジェフが急に確信ありげに言う。「トムは自分の〝子供たち〟から情報をもらうのが好きなんだ。君の今朝の発表はとても聴きごたえがあったから、彼は絶対、その話を聞いたら喜ぶよ」

カレンが反射的に「ありがとう」と答えるとすぐ、ユキが同調する。

「そうよ。それがいいわ。トムはあと2、3時間は研究室にいるはずよ。いつも7時までは帰宅しないわ。渋滞が収まってから帰るの」

ルーシーの死の知らせにまだ気持ちが動揺したままのカレンは、すぐにはなんと答えていいかわからない。

しばらく沈黙が続いたあと、ユキとジェフがまた会話の糸口を見つける。ふたりはかわるがわる、カレンが知っていそうな以前のラボのメンバーを挙げて、いまどこにいるか説明した。アリソンを除けば、誰とも音信不通になっていたのだとカレンは気づいた。ユキとジェフはみんなの近況を教えることができてうれしいようだった。ときどきカレンの質問を挟みながら、3人でラボの卒業生たちのリストをたどる。ほとんどは、カレンの場合のようにちょっとしたサクセスストーリーだった。准教授がそこかしこにいたし、ほかのいくつかの道で成功している者もいた。ヴィクラムがとてもよくやっているのは意外でもなんでもない。カレンは自分のラボについても、受け持ちの学生たちのこと、研究責任者としての生活のこと、自分のラボを持ててどんなにうれしいかといったことを進んで話した。だが、私生活の話は避けた。ユキとはほんとうに親しくなったことはなかったし、ジェフとは全然親しい仲ではなかった。だから彼らのほうでも尋ねなかった。もちろんアリソンには訊かれたので、ビルのことを話さないわけにはいかなかった。いまでは多くの結婚生活につきものの危機だったとわかっているが、ふたりは乗り越えることができなかったのだ。准教授時代の話だ。トムのラボでの長時間労働が何年も続いたあととあって、これからよくなるとビルには約束していた。すぐ、もっと余裕ができるはずだった。ところが、その〝すぐ〟は結局来なかった。彼女はますます多忙になり、ラボの立ち上げやもろもろの雑用、論文の執筆などに追われて、アップアップの状態だった。幸い、ビルのボストンでの仕事は休職扱いだったので、復職することができた。いまではビルはだいじょうぶ。彼女もだいじょうぶ。

気づくとカレンはコーヒーを飲み終え、ケーキも食べてしまっていた。あまり寒くならないうちに移動したほうがいい。ユキとジェフはすっかり腰を落ち着けているようだったので、カレンはふたりに別れを告げた。みんなの近況を聞くのは楽しかった。だがカレンの思いはどうしてもルーシーに戻る。この5年というもの、彼女とは連絡を取っていなかったし、考えたこともなかった。ルーシーとほんとうに親しかったとは言えない。それでも、彼女がもういない、それも何年も前にいなくなっていたのだと思うと、とても奇妙な感じがする。すっかり、完全に、行ってしまったのだ。単純な事実。それがなぜかショッキングだ。理不尽なほど、衝撃的だ。

数分後、彼女はきびきびした足取りでマサチューセッツアヴェニューを歩いていた。向かうのはもちろん研究所。これこそ、彼女がすべきことだ。トムはたぶんまだ研究室にいるだろう。

入り口では身元保証済み来賓として登録してもらう必要があった。ダイドラはすでに帰宅していたので、警備員はトムに電話した。いきなりドアをノックして驚かせることはできなくなったわけだ。別にかまわない。長居をするつもりもないし。

3階の廊下は変わっておらず、忙しそうなラボの様子がたっぷり眺められる。でも、とても違和感がある。立ち去りたいという突然の思いを抑えつける。不法侵入をしているような気がする。知っている顔はひとつもない。それなのに、みなここでくつろいで、居心地がよさそうに見える。当然だ。いまは彼らが、この新顔のポスドクや学生たちが、ここに属しているのだから。もう6時近いのにラボはまだ活気にあふれている。実験したり、キーボードを叩いたりして、それぞれの仕事に完全に没頭している。通り過ぎる彼女に気づく者はいない。自分のラボもこんなふうならいいのに、と彼女は思う。夕方まで活気があり、熱心な学生やポスドクで一杯だったらいいのに。ストップ。不平はやめなさい。熱意に乏しく、アイディアもほとんどないとあっては、彼女の学生たちが本格的な科学者になるのは到底無理だろう。でもいい若者たちだし、仕事はちゃんとやる。何をすればいいか言ってやれば、ということだけれど。大学院生だったころの彼女とは大違いだ。ともかく、あまり期待しすぎないようにして、彼らに合わせ、受け入れている。少なくとも、自分ではそうしているつもりだ。

トムはドアを少し開けておいてくれ、彼女が入ると温かなほほ笑みを浮かべて顔を上げた。立ち上がって、彼女のほうに数歩進む。デスクから離れた姿を見て、年を取ったなと思う。顔はあまり変わっていないが、少し痩せたようだ。短く刈られた髪はわずかに白髪が増えたかもしれない。だがなぜか前より背が低くなり、逞しさも薄れて、将来の弱々しい高齢者の姿が垣間見える。もう、彼女の記憶にあるような威圧的な存在ではない。

「カレン。これはまたうれしいね。細胞生物学会で今朝すばらしい発表をしたそうだね。おめでとう」

「ありがとうございます、トム。結果にはとても満足していますし、安堵の思いもあります。それに、盛会だったんですよ」

「発表内容もよかったんだろう。君の論文には注目しているよ。とても誇りに思う。もちろん、君が成功するだろうといつも思っていたんだがね」とウインクらしきものをする。〝いつも思っていた〟という部分を強調したのかもしれない。それとも、彼女の思い過ごしだろうか。

論文に気づいていてくれたと知ってうれしくなり、カレンはトムに自分のラボや進めているプロジェクトのことを話した。なるべくいい面に絞って話すようにした。なぜいけない？　トムは興味を持ったようで、ところどころで質問をした。学会と彼女の発表の成功の話に戻ったところで、アリソンのことを思い出し、彼女のかわいい子供たちやキャリアの見通しについて報告した。トムはうなずきながら聞いている。たぶんアリソンから直接聞いているのだろう。アリソンなら、昔の恩師とずっと連絡を取っていそうだ。カレンと違って。ユキとジェフに会ったことも話し、そこから、ルーシーのことを聞いてどんなに残念に思ったかという話になった。

「大変だったよ」トムが静かに言う。「彼女はほんとうによく闘った。医者が勧めることは何でもやってみた。しかしあのがんはやっつけるのがほとんど不可能なんだ。最後のころはほんとうに弱ってしまってね」思い出してまた悲しみに包まれているようだ。「間違っているよ。あまりにも間違っているように思えてならない。なにもこんな形で、僕らの研究の必要性を思い知らされなくても……」声が小さくなって消える。

「ほんとうにいい人でした。ほんとうにラボのことを考えていてくれました」カレンにはそんな言葉しか思いつかない。少し薄っぺらなのではないかと心配になる。

しばらく沈黙が続いたあと、カレンがトムのラボからの新しい論文について尋ねる。発表された論文は欠かさず読むようにしているので、誘い水となる適切な質問をすることができる。トムも元気を取り戻し、まもなく発表予定のいくつかのストーリーについて話してくれた。彼はまだ興味深い研究に携わっているのだ。そう思ってなぜかほっとする。

7時近くなり、ふたりともそろそろお開きにしようと思う。カレンにはもうひとつ訊きたいことがあるのだが、どう切り出したらいいか、よくわからない。これまでの会話と違って、これにはひな型がない。合意済みの共通認識がない。単刀直入に尋ねることにする。

「トム、わたし、ずっと疑問に思っていたんです。クロエはどうなったんですか？　その後ということですけど」

「どういう意味かな、その後どうなったとは？」

「そのう、ご存知でしょうけど、わたし、彼女に起こったこと全体に対して申し訳ないような気がして」

「そんなふうに思う必要はないよ。君は正しいことをした。彼女が間違ったことをしたんだ。それに最後には彼女もそれを認めたよ。だから、もう忘れていいんだ」

「認めたんですか？　彼女が？　ちっとも知りませんでした。最後のころは何もかもあまりにも混乱していたので」

「君とクロエのあいだには何やら奇妙な空気があったな」トムの声には突然、うんざりしたような響きが混じる。「そうじゃないか？　ポスドク間のライバル意識は別に珍しくない。しかしそれにこだわりすぎるべきじゃないんだ。何もいいことはない」

「たぶん、わたしは当時、クロエの成功をちょっと気にしすぎていたんです。ストレスの多い時期でしたから」いったん言葉を切るが、続けようと肚（はら）を決める。「でも、クロエはどうなったんでしょう？　その後グーグルで検索してみました。クロエ・ヴァルガとだけ入れて。でも、あの騒動のあとは何も見つけることができませんでした。それで、心配になったんです。もちろん、ヨーロッパに戻ったとも考えられますけど、それでも……」

「いや、まだアメリカにいると思う。彼女は無事に窮地を脱したよ。マッキンゼーでコンサルタントのいい仕事に就いて、そこからさらによそへ移った。彼女にはいろいろな才能があった。いや、あると言うべきかな。それに、何が起ころうと押し潰されないだけの賢さがあった。前進あるのみ、というところだな」

「でも、それならなぜ、見つけることができなかったんでしょう?」

「オンラインで検索したときという意味かな? それは名前を変えたせいだな。結婚して姓を変えたんだ。状況を考えれば、賢明だろうね」

「もちろんそうですね。筋が通ります。どうしてそのことを考えなかったのかしら。じゃ、先生は彼女と連絡を取ってらっしゃるんですか?」

「いや、実はそうじゃないんだ。知っての通り、僕らは必ずしも友好的な間柄というわけではないからな。だが、たまに手紙を寄越すんだよ」

では、劇的な事件はなかったのだ。それぞれの人生というだけのこと。

最後にひとつ、訊かなければならないことがある。「阻害剤が実際に効いたことを彼女に伝えました? マウスで効いたということを?」

「いや」トムは面食らったようにカレンを見る。かぶりを振ったのは強調のためか、それとも、今さらそんなことを聞いてどうすると言いたいのか、よくわからない。「いや、さっき言ったようにほとんど話す機会がなかったからね」

そろそろ切り上げる時間だ。帰りはどうしよう。歩こうか、それとも昔を思い出してバスに乗ってみようか。何か食べて、それから寝よう。明日は早いフライトだし。ふたりはそれぞれに別れの挨拶を交わす。もしかしたらまた会うことがあるかもしれない。なにしろ狭い世界だから。それに彼女もいまではそれなりの地位にいる。有名ではないが、ゲームに参加している。忘れずにトムに伝えなくちゃ。このラボにいられたことをどんなにありがたく思っているか、ここでどれほど多くを学び、どれほど幸せだったか。

トムの研究室を出るとき、あたりにはカレンの最後の言葉の余韻がまだ漂っていた。幸せだった？そうかもしれない。おそらく、そうだったのだろう。

パート2

著者ペルニール・ロースとの一問一答

1. 不正行為についての小説を書こうと思われたのはなぜですか？ 特定の事件がヒントになっているのでしょうか？

いえ、これは不正行為についての物語というより、科学者としての生き方の物語です。そうした生き方のもたらす感動はもちろん、苦難も描いてみようと思ったのです。小説の中心となるのは、キャリアの重要な転換点にいるふたりの科学者です。このふたりは、大学の教職員の地位をめぐる競争に初めて臨もうとしています。独立したポストを得て、科学界に完全に参入する段階にあるわけですね。これはたいていの科学者にとって、とてもストレスの多い時期です。そうしたきびしい時期だからこそ、科学者としてのキャリアのなかでも、小説の題材としてたいへん興味深い時期と言えます。科学における不正行為、つまりインチキを取り上げたのは、ひとつには一般の人たちの関心が非常に高いからですし、またひとつには、科学者にとって不正行為は大変なことだからです。もしばれれば、すべてを失うわけですから。告発によって調査が開始されることも、小説の緊迫感を高めるのに役立ちます。けれども、この小説は完全なフィクションです。実際の事件を下敷きにしたものではありません。

メディアが不正行為に関心を持つのは当然だと思います。科学者はたいてい公的な助成金をもらっていますから、公共の福祉に奉仕する義務があります。それに科学者は一般に社会的に尊敬され、かなりの信頼を得ています。その信頼が裏切られると、人々は失望し、動揺します。どうしてそのような過ちが起こったのだろう？ 二度と起こらないように、なんらかの方策がとられるのだろうか？　そんなふうに思うわけです。助成金を出している機関や、当の科学者が所属する研究所の利害関係者も、今後の防止策を考えるうえで、まずはその不正行為の根底に何があるのか、もっとよく理解したいと思うでしょう。もちろん、一般の人々の関心にはそれほど健全とは言えないものもあります。人は他人の失敗や転落に引きつけられるものですから。華々しければ華々しいほど、ゾクゾクさせられるわけです。その意味で、大きな不正行為の物語は興味をそそるものになるだろうと思いました。もし、告発された側が強烈で興味深い性格、ひょっとすると傲慢とも言える性格の持ち主で、この人物が反撃に出れば、物語はさらにおもしろくなります。医学・生命科学分野では、もっとドラマチックな事件も実際に起こっています。最近の例としては、デンマークのメディアを賑わせたペンコーワの奇妙な事件[訳注1]や、日本でのＳＴＡＰ細胞事件がありますね。日本の例では自殺という悲劇も起こっています。科学のほかの分野に目を向ければ、たとえばシェーンのスキャンダル[訳注2]のようにほかにも多くの事件があって、これまでにもメディアの注目の的になっています。こうしたことから、科学における不正行為を内部の科学者の視点から語る物語があってもいいのではないか、科学者でない人たちにも興味を持って読んでもらえるのではないかと思ったのです。

科学者にとって、不正行為は遠い世界のできごとではありません。ふだんからさまざま

訳注1　生命科学者のミレーナ・ペンコーワは不正研究に関わり、２０１５年に執行猶予つきの判決を受けた

訳注2　ドイツ人元物理学者のヘンドリッケ・シェーンは２０００年代に数々の研究不正が大きな問題となり、学位まで剥奪された

な場面で強く意識させられる問題です。わたしたち科学者は、研究をどのように行うべきか教育され、その原則を受け入れています。ですから、何が正しく、何が正しくないかは、十分にわきまえています。これに明確な形を与えるため、大学や研究機関では近年、必修の倫理講座を設けるところが増えていますね。自分たちの立場を護るためもあるのでしょう。また科学者は、不正行為にはきびしい罰が待っていることを知っています。それは科学界からの追放です。これは究極の罰と言えるでしょう。将来に夢を抱いている科学者にとってはおそらく、どんな高額の罰金よりもはるかに重い罰です。科学者もほかの人たち同様に派手なスキャンダル記事を読みますが、もっと地味なニュースもたくさん耳にします。論文の取り下げ通知を読んだり、なんらかのトラブルに巻き込まれた同僚のうわさを聞いたりするわけです。ときには、そうした事件をしつこく追及する人々の不愉快な独りよがりの熱意について、耳にすることもあります。いっぽうで科学者は、誘惑がどこから来るか、それに屈するのがどれほどたやすいかも知っています。また仮にそうしたできごとが起こった場合、それを見破るのがとてもむずかしいことも知っています。さらに、微妙なグレーゾーンがあることも認識しています。たとえば、結論の重要性を過度に強調するのは普通は不正行為とはみなされません。都合の悪いデータを無視するのは、場合によっては不正行為にあたるかもしれません。また、他人の所見やアイディアから少なからぬヒントを頂戴するのは激しい競争ではよくあることで、おそらくそのせいで、未発表のデータが学会で提供されることはもうめったにないのでしょう。でも、拝借したものを自分のものとして提示するのは道に外れた行為です。まあ、こんな具合に、はっきり白黒つけにくい場合もあるわけです。

この小説では、不正行為のなかでも軽度なケースを意図的に選びました。論文の本筋となる実験はすべて正しく行ったなかで、査読者から要求された追加の実験の結果ひとつだけを捏造したケースです。当事者のクロエは優秀な科学者です。現実認識が人とずれているサイコパスではありません。いわば、魔が差して悪事に手を染めてしまった人物です。科学者なら誰でも不正行為が悪だと知っているはずですし、発覚した場合にはきびしい罰が待っています。それなのに、明らかに頭のいい人間がいったいなぜそんなことをしてしまったのでしょう？　それが、わたしがこの小説で探ろうとしたことのひとつです。そのほかの登場人物たちの行動も、それほど褒められたものではありません。意地が悪いとさえ言えます。ですから、ひとりの登場人物が「悪い」ということではないのです。ラボの指導者にはどの程度責任があるのかという疑問も湧きますね。指導者であるトムは、クロエが何をしたかを正確には知りません。しかし、知っているべきだったのでしょうか？　知ることができたのでしょうか？　意外に思われるかもしれませんが、単純な答えはないのです。同じような状況下で仕事をしている科学者なら、そうしたジレンマに覚えがあることでしょう。

この種の不正行為は、科学の進歩にそれほど大きな影響は及ぼしません。不正行為が発覚すれば書面での論文取り下げ通知によって訂正されます。いわばズームアウトするわけですね。いまは取り下げがオンラインで元の論文とリンクしており、論文を検索すれば取り下げられたとすぐわかるようになっているので、読者が見落とすことはありえません。

この小説では、捏造された結果が実は間違っていなかったことになっています。正しい手法で実験すれば、捏造されたのと同じ結果が出るのです。実験手法の誤りと結果の正しさとのこの食い違いが、さらに事態をややこしくしています。でも、科学と科学的アプローチは、実験で得られたデータを絶対的に尊重することの上に成り立っています。いったんそれをもてあそび、自分には結果が「こうなる」ことがわかっていると考えるなら、それはもはや科学ではありません。だからこそ、たとえ、この小説の場合のように科学的にはたいした影響をもたらさないものであっても、このタイプの行為は絶対に許されないのです。捏造された結果は結局正しかったわけですから、そのままにしておいても、大勢に影響はなかったでしょう。でも、万一事件が大きな注目を浴びるようなことになれば、科学界にもっと深刻な影響を及ぼす可能性もあります。問題がメディアに取り上げられて収拾がつかなくなった場合、科学のすべてが悪く見えてしまうでしょう。科学者自身がときにはインチキをするというのであれば、科学的アプローチに絶対的な価値があるなどと主張することはむずかしくなります。大半の人は正直だ、だから科学は正しく機能するのだ、というのはトムの友人のスチュアートの言葉ですが、わたしも同感です。科学界全体として抑制と均衡が働くので、誤りは正されます――最終的には。ただ、ときには少しゴタゴタが起こるのです。

2. 医学・生命科学分野で発表された結果の多く――あるいは大半――が再現できず、したがって無価値だという主張があります。科学論文のピアレビュー（専門家による相互評価）は機能していないので廃止すべきだと言う人たちさえいます。どう思われますか？

まずピアレビューについて、そのなかでも特に、学術誌に論文を掲載するかどうかを決めるために行われる論文審査について考えてみましょう。分野によってやり方は異なりますが、ふつうは雑誌の編集者と2、3人の査読者によって行われます。編集者は一般にその分野の幅広い知識を持っており、研究熱心な専門家や、自身もラボを運営する多忙な科学者の場合もあります。査読者はふつう、その論文の分野の専門家、つまり論文の著者の同業者です。良識ある客観的な人物が理想ですが、きわめて独断的な場合もあれば、著者とはライバル関係にある場合さえあります。直接のライバル関係は、利益相反の可能性があるため開示されなければなりません。査読者からの情報を得て、編集者は論文が自分たちの雑誌に載せるのにふさわしいかどうか判断します。事実に間違いがないか、ほんとうに新規なものか、重要性は十分か？　掲載の可能性がある場合、査読者はさらに、論文をよりよくするための修正を要求します。これはささいな調整のこともあれば、医学・生命科学分野でよく見られるように、論文の主張を裏づける追加の実験のこともあります。その他の分野では、理論モデルを検証するさらなるコンピュータ解析が求められる場合もあります。こうしたフィードバックが非常に建設的な役目を果たすこともあります。著者や編集者としてのわたしの経験からすると、論文をよりよくするために役立つことが多いものです。けれども、完璧なシステムとは言えません。論文審査には多くの課題があり、それについて論じたおびただしい論説があります。データと主張の誠実さを確保しつつ、多忙な科学者が十分に審査できる時間を見つけられるようにするための最善の方法は何か、というようなことですね。新しい研究を「重要」とみなすための最善の方法は何かという問題もあります。わたしは『EMBO（*European Molecular Biology Organization*）』誌の編集責任者としての経験から、この問題がどれほど厄介なものか、よく知っています。何を重要と考えるかはきわめて主観的なもので、専門家の見解が一致しないことが多いのです。でもたとえ不完全であろうと、論文審査が廃止されるようなことがあれば科学にとっては大きな痛手だと、わたしは思います。そうなった場合を考えてみればわかるはずです。論文審査がなければ、科学者は誰でも思いのままに発表、つまり投稿できることになります。たくさんの論文のなかから、読者はどうやって、読むべき論文や信頼すべき論文を選んだらいいのでしょう？　もし、「XであるからYである」と自由に主張してよい、査読者や編集者というミニ陪審員団に対して結論を擁護する必要はないというなら、そのような主張には何の意味もなくなるでしょう。そのテーマの専門家でない限り、誰もその正否を判断できないからです。自分の仕事がきびしい論文審査に合格しなければならないと知っているからこそ、研究者は何をどのように書くかにいっそうの注意を払うのです。さらに、もし誰も新規性をチェックしなかったら、掲載リストは際限なく膨れ上がることでしょう。論文に関するオンラインでの公開論評が現実的な解決策になるとは思えません。わたしは科学界がこれからも論文審査の改善に取り組み続けてくれるものと信じています。改善を要する課題は分野によって異なりますし、テクノロジーや複雑さ、習慣の変化につれ、時と共に移り変わります。しかしながら、自分で選んだ科学者仲間にではなく中立の専門家や編集者にチェックと評価を受けるという一般原則は、理にかなったものだと思います。

医学・生命科学の論文が再現性に乏しいという主張は、ショッキングですね。もしほんとうなら、研究の大半が間違っているということになってしまいます。わたしに言わせれば、この問題は論文審査とはほとんど関係がありません。この分野の論文審査には実験を再現することは含まれないからです。現実問題として、不可能です。再現できないという主張がなされるのは、たとえば、製薬会社が費用のかかる薬剤開発を計画する際に、参考にできそうな論文の結果をいちいち再現してみようとするようなときですね。わたしはこの問題の専門家ではありませんが、多忙な科学者なら誰でも、事実上、ある程度は他人の発表した結果を下敷きにして自分の仕事を組み立てるものです。これは、わたしたちがそうした他人の結果が妥当かどうかを見抜いていることを示しています。それにわたしたちは、別のラボから発表されたデータセットを信頼している友人や同僚から、又聞きの知識をたっぷり仕入れています。そうした逸話的な情報から判断して、発表された結果の大半は基本的に正しいとわたしは考えています。しかし、なかには再現できない結果もあります。そこには、奇妙なことですがミスと運の両方が関わっていると思います。前者については言うまでもありませんね。後者は、生物学的な多様性や統計学の限界、それに実験科学においては意図した結論を裏づける好ましい結果を発表できるという事実と関係があります。困惑させられるような結果、つまり好ましくない結果を発表するのは気が進まないものです。ですから、もし好ましくない結果が出た場合は、そのアイディアを捨て、方向を変えます。その結果、発表されるものには偏りが生じるわけです。また、追試が行われる際には条件が微妙に違っている可能性があることも、心に留めておくべきでしょう。条件の微妙な差によって、結果が大きく違ってくることもあるからです。ラボを運営したことのある人なら誰でも覚えがあるはずですが、いつもうまくいっていた日常業務のような作業が突然うまくいかなくなることがあるものです。治験の場合もそういうことがあります。新しい研究がそれ以前の研究とは違う結論に至ることは珍しくありません。たとえ両方とも統計学的には信頼できる場合であっても、そういうことが起こりえます。ラボでなら、いろいろな条件の再現はそれほどむずかしくはないはずですが、それでも完璧ではありません。ラボの実験でも分野によっては、遺伝子変異による行動学的効果のように、条件のほんの少しの違いにも、きわめて敏感なものがあるのです。とは言うものの、管理された条件のもとで同系統のマウスを飼育する際の生存率というような単純な事象にさえ、実はばらつきが見られます。これは生物学の悩みの種ですね。ときには、結果の食い違いのもとをたどると実験上の差異（遺伝的背景や物理的環境のささいな違い）に行き着くこともあります。どうしても説明がつかないこともあります。こうしたことを考え合わせると、再現性がない原因はおもに、実験上の説明のつかない差異、うまくいった結果の選択的な発表、過度の一般化、この3つの要因が組み合わさったところにあるように思われます。不正行為に原因がある可能性も考えられなくはないのですが、まれだと思います。不正があると、腹立たしいし時間が無駄になります。でも、間違いはやがて科学文献から取り除かれ、いっぽうほんものの研究結果は別の実り多い実験の土台となって、わたしたちの知識体系の中核にしっかり組み込まれるのです。

3. パブリッシュ・オア・ペリッシュ、すなわち論文を書かない学者は消滅する、という有名な格言がありますね。科学に限らず他の学問分野にも通用する格言のようですが、この小説では、どの雑誌に論文を発表するかも、主人公たちの大きな関心事になっています。それはなぜですか？

学術機関に身を置く科学者にとって、論文の発表はとても大事です。自分の研究結果を公式にどう提示するか、そしてそうした研究結果に対する権利をどう主張するかが、それにかかっているからです。ですから、発表のタイミングが重要になります。もし誰かがあなたより先にその研究結果を発表すれば、あなたは「出し抜かれて」しまいます。とはいえ、論文審査のあるまずまずの雑誌に載せてもらいさえすればいいというものではありません。少なくともわたしの知っている分野ではそうです。事実上すべての科学者が、トップレベルの雑誌にトップレベルの論文を発表することを望んでいます。この小説にも出てくる『ネイチャー』とか『サイエンス』（それに『セル』）といった雑誌か、それに次ぐレベルの有名誌ですね。それにはもっともな理由があります。そうした雑誌に論文が受理されるというのは、雑誌の査読者や編集者がその研究結果を非常に重要だと考えたことを意味します。立派なお墨つきを得たことになるわけです。そのうえ、分野によってはおびただしい数の論文が発表されているため、どんなに勤勉な科学者でもすべてに目を通すことは不可能です。トップレベルの雑誌に掲載されたものなら、みんなが見ます。この小説のカレンやクロエのような若手科学者の立場になってみてください。彼らは自分の仕事に気づいてもらう必要があります。そうすれば、研究責任者や教職員の地位を目指す何百人もの応募者のなかで一歩抜きんでることができます。トップレベルの雑誌に載った論文がひとつあるだけで、とてつもない違いが出るのです。当然、そうした雑誌への掲載が非常に重視されるわけです。目指す雑誌に載せてもらえるようにもっと完璧なストーリーに仕上げようと、論文の投稿を何年も遅らせる人たちもいるほどです。投稿したらしたで、今度は査読者の要求を満足させなければなりません。納得して掲載してくれるところを探して、いくつかの雑誌に次々に当たってみる場合もあるでしょう。それには時間も労力もかかりますし、そうしているあいだに出し抜かれるかもしれません。リスクがあるわけです。この小説のケースのように、失うものも得るものも一番多い者、つまり第一著者であるポスドクが、どこへ投稿するかを決めるなら、リスクを負うのもいいでしょう。けれども、誰かほかの者——たとえば野心家のラボ責任者——が決定権を持っていると、状況はずっとややこしくなる可能性があります。ひとつのプロジェクトにラボの数人のメンバーが関わっている場合は、もちろんさらに問題が増えます。誌名の重視、つまりブランドイメージへのこだわりも、科学論文の発表状況に独特の影響を及ぼしています。でも、それはまた別の話ですね。

4. 出し抜かれること、つまり誰かに研究結果を先に発表されることについて言及なさいましたね。小説にも幾度か出て来ます。そういうことはよくあるのですか？　科学の世界では問題になっているのでしょうか？

それは分野によりますね。人気のある分野なら研究者もたくさんいるわけで、誰かほかの人が大なり小なりあなたと似たようなことを発見する機会は当然多くなるでしょう。出し抜かれた当人にとってはとてもつらいことですし、ほかに頼るべき刊行論文がない駆け出しのころには大きなダメージとなることもあります。この小説のカレンに起こったようなこと――新しい分野のユニークな発見だと思っていたのに、聞いたこともないようなラボに出し抜かれる――は、それほどよくあることではありません。大学院生だったときのクロエに起こったことのほうはもっとありふれています。彼女はすでによく研究されている作用経路の新しい要素を見つけました。ミッシングリンクが見つかったわけですから、トップレベルの雑誌に掲載してもらう資格は十分にあると彼女は考えました。ところがほかにもこの経路を研究している人たちがいて、誰かが彼女と同時期にその要素を発見していたのです。出し抜かれる恐れのあるそのような込み合った分野は避けるのではないか、特に若い科学者なら敬遠するのではないかと思うかもしれませんね。ところが実は逆なのです。もしある分野に人気があって人が群がっていると、ますます多くの大学院生やポスドクがその分野の研究をしたがります。「人気のある」分野ならおもしろいに違いないと考えるせいもあるのでしょう。逆説的にではありますが、ひょっとすると論文の掲載という点からも理にかなっているのかもしれません。人気のある分野なら短い期間に多くの論文が発表されるわけで、一次論文だけでなくレビューもたくさん出ます。するとたちまち引用もそれだけ多くなります。論文の発表後2、3年以内に何度も引用されることは雑誌にとって望ましいことです。雑誌のインパクトファクター[訳注3]を高めてくれるからです。そうなると雑誌は意識的にあるいは無意識に、その分野を優遇するかもしれません。その結果、「ホットな」分野とみなされる分野はますます強化されることになります。競争力はもちろんそれ自体が牽引力であり刺激剤ですから、人気のある分野は動きが速い傾向があります。それは興奮をもたらします。人々がそれについて聞きたがるので、重要人物が招かれてひんぱんに講演をします。人が群がることには予想外の好ましい側面があると思います。それは正しさです。多くのラボが同じアイディアを追求するのは一見「無駄」なようですが、それは結論がすばやくダブルチェックされることでもあります。発表を急ぐあまりミスが起こっても、長いあいだ訂正されずにいることはないわけです。発表された情報で重要とみなされるものはすぐにほかのラボが使います。そしてもし間違っていれば――十中八九嬉々として――訂正するでしょう。というわけで、出し抜かれる当人にとってはとてもつらいことかもしれませんが、総合的に考えると、込み合った分野があってそういうことが起こるという事実は、科学にとって有害ではないのです。

5. 科学における学術誌の役割とは何でしょう？ トップレベルの雑誌が（意図せずに）不正行為を助長している可能性もあるのではないでしょうか？ そうした雑誌には取り下げが多いように思われます。

学術誌のもともとの役割は、読んでくれそうな人たちに論文を届けることでした。インターネットの普及に伴い、そうした事情は変わってきています。いまでは記事をネット上に投稿すれば誰にでも見てもらえるので、2番目の役割である品質フィルターとしての機能のほうが、雑誌のレゾンデートルつまり存在理由となっています。ピアレビューをもとに記事を評価し、「良質」で「重要」な記事を選ぶという役割ですね。この小説では不正行為の背景として、人を間違った方向に押しやるかなり典型的な状況を設定しています。クロエの論文が、トップレベルの雑誌に受理されるという、誰もが望むすばらしい栄誉を獲得する寸前になります。ところが査読者は追加の実験を行うことを要求します。時間的な制約もあって、クロエにはプレッシャーがかかります。査読者がその実験でどういう結果を望んでいるのかが非常にはっきりしていたため、クロエはつい誘惑に負けて、手抜きをしてしまったわけです。しかし、実験（そしてある意味では特定の結果）を要求したからといって、雑誌あるいは査読者が不正行為を助長していることにはなりません。といっても、もしかすると、宝石類をショーウィンドーに一晩中置きっぱなしにするのに多少似て

訳注3 掲載論文の引用回数をもとに学術雑誌の重要度を示した尺度

いるかもしれません。盗みを奨励しているわけではありませんが、起こりやすくしているのは確かでしょう。ときには、査読者からの追加実験の要請が洞察力に富んだもので、論文の価値を高めてくれる場合もあります。しかし、ただこなさなければならない恣意的な障害である場合、あるいは著者にはそう思える場合もあることでしょう。でも、トップクラスの雑誌と取り下げに関する質問にズバリお答えするなら、わたしは雑誌または査読者が基準に関して手ぬるいせいで取り下げが起こっているとは思いません。もっと可能性が高いのは、その論文を受理してもらわなければならないというプレッシャーが強すぎて、誇大な主張をしたり近道をしたりしてしまうことでしょう。雑誌の注目度が高いほど、論文も結果もいっそう綿密に吟味されるのは間違いありません。

余談ですが、ここで、学術誌の権威は科学者が付与したものにほかならないことを指摘しておきたいと思います。学術機関の科学部門の職や、助成金とか賞などを誰に与えるかといった査定はふつう、同分野の専門家、つまりほかの科学者によって行われます。もしわたしたち科学者が論文掲載を科学者の価値を示す証拠として使うなら、わたしたちは雑誌に、つまり編集者および編集者が選んだ査読者に権限を持たせることを選んだことになるわけです。雑誌の評価が高ければ高いほど、そうした権限は大きくなります。もしある科学分野があまりにも小さく特殊で、誰もが他人の発見を、雑誌に掲載されたものであれオンラインに投稿されたものであれすべて知っているなら、雑誌はほとんどどうでもよくなります。代わりに、適切な人物と直接の知り合いであることが非常に重要になるでしょう。けれども一般に医学・生命科学のような幅広い分野では発表される論文の数があまりにも多いため、重要な人物や論文はどれなのか知るためのなんらかの事前選択が必要です。すでに雑誌によって行われているピアレビューを利用するのが理にかなっているように思われます。むずかしいのは、異なる雑誌に掲載された論文の価値を比較することです。ときには、雑誌のインパクトファクターを見るという簡単な方法が使えます。この方法の落とし穴についてはさまざまな議論がありますが、このやり方だと流行の最先端にあるものが過大評価される傾向があると言えば十分でしょう。誰が学術機関での職を得るかというような大きな決定については、プレゼンテーションや個別面接もとても大きな役割を演じます。クロエの就職面接に関する章は、そうしたきびしい戦いで善戦中の人物の感触をつかんでもらうことを意図しています。ただし、その大事な発表と面接に呼んでもらうためにはまず注目してもらわなければなりません。それにはふつう、卓越した論文が必要なのです。

6. 近年、研究結果を提示する際の不適切な「操作」やごまかしが話題になっています。科学的客観性という理想主義的な考え方とは相反するものですが、これは科学界において、また科学にとって、どれほど大きな問題なのでしょうか？

新しい研究結果やアイディアの提示の仕方がよくないと、多忙な読者には見過ごされてしまいます。もちろん、難解な論文を書いているにもかかわらず、尊敬を集め有名になるすぐれた科学者もいます。しかしそのような人たちは例外だとわたしは思います。特に現代のような多忙な時代には考えられません。すばらしいアイディアの功績の一部が、発案者よりコミュニケーションの才に恵まれた誰かのものになってしまうことさえあるのです。ですから、ほかの分野と同じように科学でも、アイディアとその潜在的意義を効果的に提示することが大事です。ただし、十分に提示することと誇大宣伝とには大きな違いがあります。操作やごまかしが目に余るような場合もありますね。がん治療とか性的指向の解明といった人間的興味を強くそそるテーマに近づけば近づくほど、そうした例が多くなるように思われます。論文の著者や研究機関、助成金拠出団体は、みずからの仕事が注目の的になることを望みます。そのことが、研究結果の重要性のあからさまな不当表示につながる可能性はあるでしょうか？　答えはイエスです。でも、それほどよくあることではないとわたしは思います。それより多いのは真実が徐々に歪められることでしょうね。少なくともわたしに馴染みのあるケース（「Xががんを治す」タイプ）では、こちらのほうがよく起こります。医学・生命科学分野で論文を掲載してもらったり助成金を獲得したりするには、疾病の理解の増進や治療のために自分の仕事がどう役に立つかを説明しなければなりません。論文の著者はそうした効果に関して、漠然とした好ましい主張をいくつかつけ加えることがあります。それは真実ではなくて楽観的見通しに過ぎないかもしれません。ほかの科学者たちは慣れっこになっていて、そうした主張は割り引いて受け取ります。ところが報道発表を書く人物がその主張を過度に単純化したり誇張したりすることがよくあります。その人たちの仕事は報道機関にそうした発表に気づいて取り上げてもらうことですから、微妙なニュアンスはよしとしないのです。そしてジャーナリストがそれをもとに、目を引く見出しをこしらえます。すると、最終的に非常に歪んだものになってしまうわけです。たとえば、ＢＢＣのホームページにはがんの研究と治療における「画期的な成果」に関する記事が次々に掲載されますが、そうしたものを読むと、やれやれと首を振るしかありません。まったくの虚偽とは言えませんが、非常に誤解を招く内容なのです。科学者の立場からすると、とてもイライラさせられますね。

それはさておき、幸いなことにほとんどの研究結果はほんもので、しっかりした中味があります。ほんものの発見が数多くあって、ほんものの進歩をもたらしています。そのことがいつもわたしを元気づけてくれます——ほかの科学者の多くもそうなのではないでしょうか。確かに恣意的な操作はありますが、実質的な研究成果もあるのです。情報操作や誇張、単純化はたぶん人間の本質の一部で、避けられないものなのでしょう。でも科学者として、わたしたちは少なくとも実質的な成果もある時代に仕事ができて幸運だと思います。人類の壮大な企ての多く、ひょっとすると大半では、実質的成果より情報操作の比率がずっと高いのですから。

7 小説の主人公であるカレン、クロエ、トムの3人はいずれも、個人的な野心に大きく突き動かされているように見えますね。嫉妬という醜い感情も顔をのぞかせています。科学を動かしているのは生まれつきの好奇心というより野心なのでしょうか？

成功した科学者のほとんどはその両方を持っていると思いますよ。いっぽうでは研究に対する興味と情熱を持ち、もういっぽうでは明白な野心を持っているのです。科学者というのは一般に、好奇心旺盛で分析好きなオタクの一団と言えます。わたしたちの多くは子供時代に身の周りの自然界に好奇心を抱き、やがてそれについて読んだり学んだりすることに喜びを感じるようになったのです。強烈な好奇心が、キャリアの初めから終わりまでずっと続きます。答えを出すべき新しい疑問、新たなレベルの理解が次々に訪れるからです。好奇心が、多くの人々を科学に引き寄せるわけですね。とはいうものの、科学者として成功を収めるには、たいていはさらに追加のスキルが必要になります。

ときには、個人的な野心が、あからさまに、不愉快なほどむきだしにされます。如才のないタイプなら、野心はもっと目立たず、隠されている場合さえあるでしょう。けれどもわたしは、野心はわたしたちの社会の前進を促すとても強力な原動力だと確信しています。科学の世界も例外ではありません。わたしの主人公たちはみな、野心を含め、科学者として成功するために「必要なものを持っている」人たちなのです。野心がなぜ大事かというと、ひとつには、来る日も来る日も身を粉にして働き最善を尽くす原動力となるからです。

わたしが設定したシナリオは、活気のあるラボですぐれたポスドクがみな自分自身のプロジェクトを手掛けているというものですが、これはきわめて現実的な設定です。もしこれらのポスドクたちにやる気がなければ、プロジェクトの成果はほとんど挙がらず、成功はおぼつかないでしょう。彼らには、つらい時期や挫折を乗り越えて進んで行く力がなければならないのです。トムのラボのその他のポスドクについては、ごくあっさりと紹介しただけですが、やはり野心を抱いています。異なる種類、異なる趣の野心ですが、持っていることに関しては共通です。こうした若い科学者たちはまた、互いに後押しし合ったり、刺激し合ったりします。トムも手を貸したり、軽くこづいたりしますが、ラボの推進力はあくまでもポスドクです。ラボを運営するには別のやり方もあります。ラボを率いる責任者が若い科学者にもっと具体的な指示を出し、強引に前進させるのです。若手科学者が自分から進んで行動しない場合、成果を挙げるにはそれが唯一の方法かもしれません。この小説に描かれたラボは、多くの科学者に馴染みのある典型的なタイプだと思います。

野心には過剰な競争心、妬み、さらには相手を傷つける傾向などの好ましくない要素がつきもので、当然、それも小説に登場します。成功していて頭がよく野心満々の大勢の人たちに毎日囲まれていると、そのプレッシャーから、好ましくない特性も刺激されるものです。嫌なことがあった日には特にそうなりがちですね。そうした感情に身を委ねる人たちには、不安や自信喪失があるのだと思います。そうした傾向が、カレン、クロエ、トムでそれぞれ形は異なりますが現れます。科学者もやはり人間なのです。

8 この小説の感じのよい登場人物はもうアカデミックな世界では活動していない人たちで、教師やジャーナリストの職に就いています。周囲から、「落ちこぼれ科学者」と揶揄されていますね。この言葉をお使いになった真意は何でしょう?

確かに、野心のある主人公たちは感じのよい人物ではありません。それは理にかなっているとわたしは思います。科学やその他の競争の激しい職業で成功を収めるのに必要な資質のいくつかは、感じがよいとはとても呼べないものなのです。カレンの夫のビルは好人物です。優しく、理解があって、たいていは支えになってくれますが、カレンの競争心や飽くなき探究心には、いい感情を持っていません。彼はそうした世界の外にいるほうが幸せで、いまは教師をしています。彼がカレンより頭がいいかどうかは重要ではありません――わたしたちには知りようがありません。それに対してカレンは、自信に欠けるところはあるものの、アカデミックな科学の世界でのキャリアを切り拓くために戦うことができるし、戦う意思のある人物なのです。ジャーナリストのフランクは脇役ですが、やはり心穏やかに生きているように思われますね。すぐれた教師や科学ジャーナリストがわたしたちの社会にとってきわめて重要であることは明白です。ところが学術機関に身を置く科学者は、誰が重要で誰が重要でないかに関して、信じられないほどお高くとまったものの見方をすることがあります。「落ちこぼれ科学者」というのはひどい言い方ですが、わたしはわざとこの言葉を使いました。わたしはこの言葉が使われるのをたびたび耳にしています。特に、苛立ちを募らせた著者がプロの科学雑誌編集者のことを見下して評するときによく使われます。わたしはたまたま、『EMBO』誌を任されていた5年のあいだ、そうした編集者グループのごく身近で仕事をしていましたが、彼らとその仕事には、言葉にできないくらいの尊敬の念を抱いています。彼らはアカデミックな直線道路から離れることを選んだわけですが、それでも科学に深く関わっており、科学的な識見について常に考えているのです。学術機関には、研究熱心で才気にあふれ、称賛に値する科学者もいれば、そうでない科学者もいます。まさに霊感の産物のような華々しい研究もあれば、そうでない研究もあります。派生的で独創性に欠ける仕事であっても、実際に重要な用途があれば、きわめて価値のある仕事と言えます。価値にはさまざまな形があるのです。大事なのは、精力的に研究をして論文を生み出す科学者が一番優秀で高貴だというわけではないということです。わたしが「落ちこぼれ科学者」という言葉を遺憾に思うのは、それが理由です。

9

ラボの責任者であるトムは、非常に破壊的な登場人物であるクリストファー・タレルに対して、現在も過去もあまり毅然と対処してはいませんね。また、新しいデータがあるのに取り下げを撤回しようとしません。なぜでしょう？　これらは正しい選択でしょうか？

トムはラボの責任者としては優秀な人物として描かれていますが、もっと若い主人公たちと同じくらい、自分の利益にしたがって動きます。クリストファー・タレルに対しては、彼は最初、状況が許す範囲で、多少なりとも自分にできることをしたわけです。意地が悪くて規律を乱すけれども頭のいい人々に対処するのは、一般に簡単ではありません。トムはまた、ダンとそのプロジェクトに関して、自分の至らなかった点をあまり深く考えたがりません。クリストファーは彼にそのことを思い出させました。これもまた、クリストファーとの関わりを避ける理由のひとつとなっています。クリストファーがオンラインに載せた悪意ある記事に対して何か効果的な対策を取るのは、ことのほかむずかしいでしょう。クロエを通じて部分的に事実に基づいているのでなおさらです。そこでトムは、「ほうっておくように」というスシュマの冷めた判断に反論はしません。彼の第一の関心は、好ましくない注目をできるだけ早く解消することにあります。そしてたいした動きを起こさないことで、まんまと成功します。ラボに深刻なダメージが及びそうになったとき、つまり倫理委員会がクロエの件をクリストファーの主張と併せて徹底的に追及すると決めればラボに本格的な調査が入るかもしれないとなったとき、トムは行動に出ます。クロエに白状させるという抜け目のない手を打つのです。たまたまクロエも白状する気になっていて、トムにとっては理想的な流れとなります。その後、カレンがクロエの論文に関する新しいデータを持って来ますが、彼はこれ以上注目の的になることを望みません。現実に取り下げの撤回は不可能なのですが、新しいデータを載せた「小規模な」発表をすることはできたでしょう。客観的に見れば、その新しい事実を知らせたほうが科学界のためになったはずです。ところがトムはそうせずに、利己心からこれもはねつけてしまいます。カレンのプロジェクトに積極的な関心を示すことで、彼は状況をうまくコントロールし、誰の気も損ねすぎることのないように事態を収拾します。トムが成功した人物なのは決して偶然ではありません。彼は実に機転の利くやり手なのです。

10　この小説のテーマでほかに強調したいものはありますか？

何よりもまず、科学に携わることがどんなにすばらしく、刺激的かということですね。つらいことや激しい競争だけでなく、驚異にも満ちているのです。読者のみなさんにもぜひそれを体感していただけたらと思います。日々のささやかなできごとにも、興奮やスリルがあります。たとえば、顕微鏡の下に何か予想もしなかった新しいもの、重要かもしれないものを見つけたときのように。カレンとクロエは、それぞれアショクとフランクとの会話で、そうした喜びやスリルをそれぞれの言葉で表現しています。もちろんそれは、ラボを超えたもっと大きな世界でも味わえます。自分がした何かによって、科学の特定の側面への理解や研究方法が変わるのを見るというような体験がそれに当たります。尊敬する科学者に自分の仕事が認められるのを見るというのも、そうですね。そうしたできごとは自尊心を高めてくれるだけでなく、何か価値のあるものに貢献したのだと確信させてくれます。その興奮を読者のみなさんにも、味わっていただきたいのです。それが、小説を書いたおもな動機のひとつです。科学者でない人たちにも、科学者としての人生がどのようなものなのか、どれほど魅惑にあふれたものなのか、知る機会を差し上げたいと思ったのです。スキャンダルは目を引く見出しや筋書きになるかもしれませんが、科学の本質ではありません。効果的な実験を考え出す、好ましい結果を目にする、それが再現されるのを見る、古いアイディアが輝きを失ったあとで新しいアイディアを思いつく――まだまだ続けることができますが、そういった日々の楽しみこそ、ほんとうの科学なのです。わたしは科学の世界でなかなかおもしろいキャリアを築くことができて、とても幸運だったし、恵まれていたと思います。興味深いさまざまな場所で仕事をし、魅力ある印象的な人々に出会いました。楽しい経験でした。

11 小説のどの部分が、直接あなたの体験をもとにしたものなのですか?

ラボで起こることがらの多くが、わたし自身や知人の体験をある程度下敷きにしていますが、そのつながりはごく大まかなものです。個々の登場人物やできごとはすべてフィクションです。研究の内容もそうです。クロエやカレンの研究結果はもちろん、掲載済みの論文もフィクションです。嘘っぽく見えない程度に現実に近づけてありますが、ただそれだけのことです。

個人的な体験をひとつだけ、故意に使いましたが、それも形は少し変えてあります。数年前、わたしは論文を取り下げなければなりませんでした。実験をした当人の仕事に不正行為はなく、悪意をうかがわせる点もなかったのですが、不運にもミスが重なって、誤った結論に至ってしまったのです。前にも述べましたが、不正行為が原因で論文の取り下げが起こることもありえますが、純然たるミスが原因の場合もあるのです。後者の場合、取り下げの目的は記録を正して科学界に知らせることです。ともかく、ミスのおかげでわたしたちの論文の主要な結論は誤ったものとなり、取り下げを余儀なくされたわけです。その後まもなくして、ある『雑誌』がこの取り下げについての論評を載せました。悪意のある記事ではなかったのですが、大半の科学記事よりも目立つところにありました。というわけですぐに、わたしの名前をグーグルで検索すると、結果のリストのとても高いところに、「取り下げられた」という言葉を含む項目が表示されるようになりました。驚きましたし、とても嫌な気分になりました。たとえあなたがそれをクリックして読んだとしても、この小説のオンライン記事のような意地悪な記述はひとつも見当たらないでしょう。でもとてもよく目につきます。この経験があるので、たとえそうすべきであっても修正や取り下げを避けようとする人たちの気持ちがよく理解できるのです。誰が好ましくない注目を望むでしょう?

12

最後に、アカデミックな科学の世界では研究責任者や教授などの地位にある女性が少なく、女性差別があるのではないかという声をよく聞きます。女性として長年科学の世界で活躍されたあなたはこれについてどうお考えですか?

医学・生命科学分野では、女性のポスドクと大学院生の割合に比べて女性教授の割合がずっと低い国がほとんどです。でも、ポスドクと大学院生の男女比を見ると、物理系や工学系と違って、医学・生命科学分野では多くの地域で女性が半数を超えています。これはすべて厳然たる事実です。要するに、上席レベルの人数が少ないのは、女性の成功に対する偏見が広く行き渡っているせいなのかどうかということですね。言い換えると、これは直接的な「アファーマティヴ・アクション（積極的差別是正措置）」による対処を必要とする問題なのか？　わたしはそうは思いません。わたしが知っているいまのアカデミックな世界においては、そんなことはないと思います。でも、この問題に関するわたしの見解は非常に人気がある考え方とは言えないことをお断りしておいたほうがいいでしょうね。

トップの地位にいる女性が少ない理由は、ひとつには歴史的なものです。いまの教授陣が学生だったのは何年も前のことで、そのころは学生の男女比からしていまとは違っていました。ですから、女性教授が少ないのはある意味で当然なのです。この歴史的要因のほうはだんだんに解消されていくでしょう。わたしの考えでは、もうひとつの大きな要因は一人ひとりの個人的な選択にあります。前にも述べたように、アカデミックな科学の世界で成功するには、能力はもちろん、野心と意欲が必要です。激しい競争の世界ですべてを科学に捧げる選択をしなければならないのです。そうした場面では、男性のほうがまっすぐにキャリアにつながる選択を一貫して行う傾向が強いように思われます。もちろん、全員がそうだというわけではありません。平均してそうだというだけです。わたしは競争の激しい道を選び、成功しました。そしていま、アカデミックな世界を去る選択をしたところです。これは教授のジェンダー統計値に「損害」を与えることでしょう。人はそれぞれ、キャリアの途中でさまざまな理由から、さまざまな選択をするものです。それについてはまたあとで取り上げることにしましょう。

およそ25年、わたしは科学者として世界中で仕事をしてきました。女性であることで差別を受けたとか不利な立場に置かれたと感じたことは一度もありません。それでも最近は、科学において何かを決める際に、各人の仕事の質だけでなくジェンダーも考慮するようにというプレッシャーを至るところで感じます。会議の企画、委員会、助成金審査、研究機関の科学的業績の評価などの場面で、女性の人数が十分かという問いが繰り返し持ち出されるのです。十分でないと、修正を求められます。けれども、ある分野の独立した研究者に占める女性の比率が20％のとき、会議の発表者の50％を女性にするよう求めるのは、公平でもなければよいことでもありません。善意からであっても、「よい」ジェンダー比を強制するのは、科学者にはふたつの階級があってそれぞれ異なる評価基準が適用されるのだというメッセージを暗黙のうちに発信していることになります。これは好ましいことではありません。たまたまX染色体を2本持って生まれたために特別待遇を受けるとしたら、わたしは科学者としておとしめられたように感じるでしょう。見下されたように感じるでしょう。仕事の場面では、わたしはジェンダーではなく実績に基づいた待遇を受けることを望みます。逆にわたしがほかの人たちにも同じように接することを許してほしいと思います。そんなふうに感じるのはわたしだけでしょうか?

科学界に偏見がまったく存在しないと言っているわけではありません。女性に対する否定的な偏見の例を実証した研究があります。でもわたしは、適切なデザインの大規模な研究で、まったく逆のことが証明されたのも知っています。その研究が雑誌に掲載されることはありませんでした。どういうわけか、ひっそり忘れ去られてもかまわないとされたのです。ポリティカル・コレクトネス（政治的公正）の力は絶大です。それに敢えて異をとなえようとすると、きわめて不愉快な状況に置かれかねません。

ご質問に関連のある重要な問題として、キャリアと家族それぞれの要求のあいだで時間の配分をどうするかがあります。特に小さい子供がいる場合はバランスに悩むものです。競争の激しいほかのキャリアでもそうでしょうが、これは科学の世界でもむずかしい問題です。わたしには子供はいませんが、甥や姪がいますから、そのむずかしさはよくわかっています。一日は24時間しかなく、男女を問わず誰でも精神的エネルギーには限りがあります。そこで個人的な選択の話に戻るわけです。個人的な選択とは言ってもこれは社会的な問題ですので、そうした観点から論ずるべきでしょう。たとえば、子供のいない女性(あるいは男性)にとってはまったく関係のない話ですが、だからと言って、個人の問題で片づけるべきではないと思います。仕事を評価する際には、若くして急速に業績を伸ばしたかどうかよりも最近の仕事の質に重点を置くようにすることが、問題解決の助けになるかもしれません。終身在職権の廃止もひとつの可能性です。大学の40歳から65歳までの雇用がもっぱら25歳から40歳のあいだの仕事に左右されるというのは、ばかげたことのように思えます。社会と研究機関も、手ごろな価格で実際的な手助けが利用できる方法を提供することで、貢献できるでしょう。共働きで子供がいる家庭は大きなプレッシャーにさらされており、フルタイムのベビーシッターのような助けが必要です。逆説的ではありますが、これは米国やシンガポールのように社会構造が均質でなく最低賃金が低い国のほうが、デンマークのように社会的にもっと公平な国よりも簡単に手に入ります。男性も、もし子供を持ちたいならもっと手助けできるはずです。野心があり、子供を望む女性は、それほど野心がなく専業主夫になってくれそうな男性に魅力を感じるようにもっと頑張ってみてもいいのではないでしょうか。野心のある多くの男性がうまくやれているのは、家庭での分業と責任分担のおかげのように思われます。考慮すべき観点がたくさんありますが、大事なのは、これは職業上の性差別の問題ではないということです。仕事やその他の専門的な役割に女性候補を優先的に選ぶことによって問題を「修正する」ことはできないし、すべきでもないのです。

ともかく、この件についてはこれくらいで十分でしょう。すべて、科学の世界でのわたし自身の体験を踏まえた個人的な意見に過ぎません。賛成できないという方も、おられることでしょう。

著者プロフィール

ペルニール・ロース（Pernille Rørth）

専門は細胞生物学と遺伝学。EMBO Journalのエグゼクティブエディター（編集長）を2005年から2009年までの5年間務める。

25年に及ぶ科学者生活を、アメリカのカーネギー研究所、欧州分子生物学研究所（EMBL）、シンガポール科学技術研究庁（A*STAR）で送り、有名誌を含むジャーナルに多数の研究論文を発表。現在は科学者の夫とコペンハーゲンに住む。

訳者プロフィール

日向やよい（ひむかい・やよい）

会津若松市出身。東北大学医学部薬学科卒業。

宮城県衛生研究所勤務を経て翻訳に携わる。おもな訳書に『異常気象は家庭から始まる』（日本教文社）、『プリンセス願望には危険がいっぱい』（東洋経済新報社）、『ダ・ヴィンチの右脳と左脳を科学する』（ブックマン社）、『イカ4億年の生存戦略』（エクスナレッジ）、『交雑する人類』（ＮＨＫ出版）などがある。

PEAK books

RAW DATA
（ロー データ）

2020年4月1日　第1刷発行

著　　者　ペルニール・ロース
翻　　訳　日向（ひむかい）　やよい
発 行 人　一戸裕子
発 行 所　株式会社 羊土社
〒101-0052　東京都千代田区神田小川町2-5-1
www.yodosha.co.jp/
TEL 03（5282）1211／FAX 03（5282）1212

印刷所　大日本印刷株式会社
翻訳協力　株式会社 トランネット　www.trannet.co.jp/
校正・校閲　株式会社 鷗来堂
装幀　羊土社編集部デザイン室
表紙イラスト　岡添健介

ISBN 978-4-7581-1212-3

PEAK books

PEAK booksは科学と医療をこよなく
愛する編集者が生み出したレーベルです。

私たちは日々の本づくりのなかで、
自然と生命の神秘さや不思議さに目を見はり、
知的好奇心に胸を躍らせています。そして、
巨人の肩に立つ科学者が
無から有を発見するドラマに感動し、
医療関係者が
真摯な想いで献身する姿に心を奮わせています。
そこには、永く語り継ぎたい喜びや情熱、
知恵や根拠や教養が詰まっていました。

激動の現代だからこそ、
頂を目指して一歩一歩挑み続ける多くの方に、
人生の一助となる道標を届けたい。
それがPEAK booksの源泉です。